Sports Physical Therapy Seminar Series ⑦

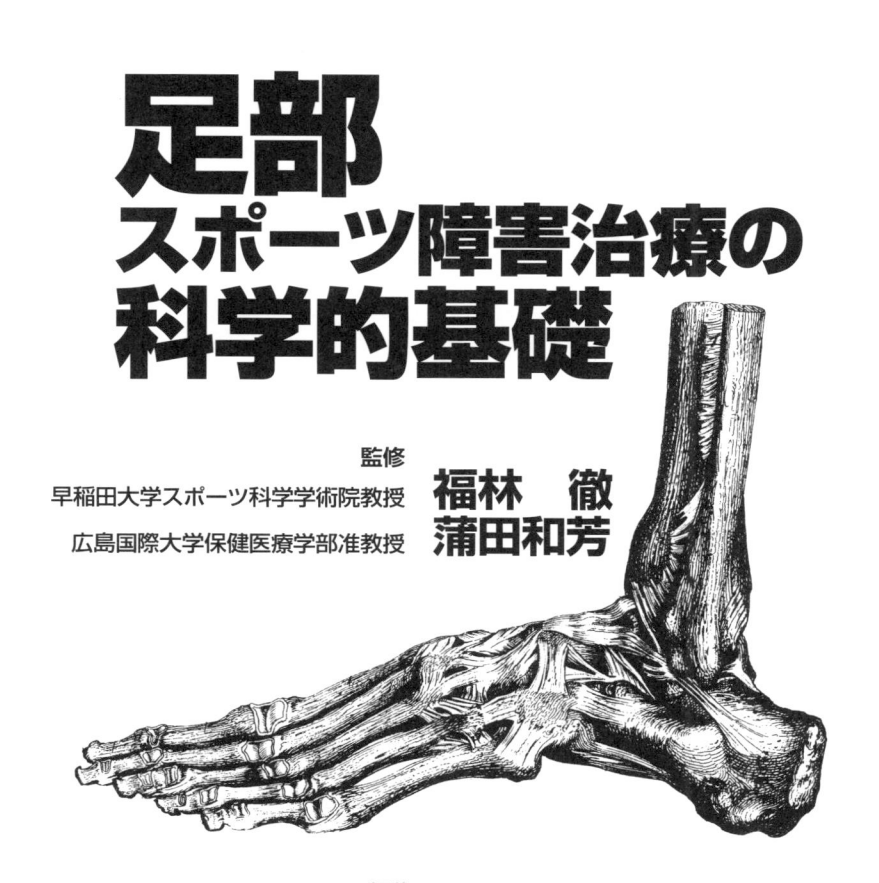

足部スポーツ障害治療の科学的基礎

監修
早稲田大学スポーツ科学学術院教授　福林　徹
広島国際大学保健医療学部准教授　蒲田和芳

編集
広島国際大学大学院医療・福祉科学研究科　山内　弘喜
北翔大学生涯スポーツ学部　吉田　昌弘
京都橘大学健康科学部　横山　茂樹
横浜市スポーツ医科学センターリハビリテーション科　鈴川　仁人

NAP Limited

監　修：	福林　　徹	早稲田大学スポーツ科学学術院
	蒲田　和芳	広島国際大学保健医療学部総合リハビリテーション学科
編　集：	山内　弘喜	広島国際大学大学院医療・福祉科学研究科医療工学専攻
	吉田　昌弘	北翔大学生涯スポーツ学部スポーツ教育学科
	横山　茂樹	京都橘大学健康科学部理学療法学科
	鈴川　仁人	横浜市スポーツ医科学センターリハビリテーション科
	蒲田　和芳	広島国際大学保健医療学部総合リハビリテーション学科
執筆者：	坂　　雅之	広島国際大学大学院医療・福祉科学研究科医療工学専攻
	生田　　太	広島国際大学大学院医療・福祉科学研究科医療工学専攻
	窪田　智史	広島国際大学大学院医療・福祉科学研究科医療工学専攻
	野崎　修平	札幌医科大学大学院保健医療学研究科理学療法学・作業療法学専攻
	森田　寛子	横浜市スポーツ医科学センターリハビリテーション科
	盛　　智子	札幌円山整形外科病院リハビリテーション科
	松本　武士	浜松市リハビリテーション病院リハビリテーション部
	杉浦　　武	こぼり整形外科クリニック
	能　　由美	いまむら整形外科医院
	村田健一朗	横浜市スポーツ医科学センターリハビリテーション科
	真木　伸一	目白整形外科内科
	木村　　佑	横浜市スポーツ医科学センターリハビリテーション科
	加賀谷善教	昭和大学保健医療学部理学療法学科
	小林　　匠	広島国際大学大学院医療・福祉科学研究科医療工学専攻
	蒲田　和芳	広島国際大学保健医療学部総合リハビリテーション学科

注意：すべての学問と同様，医学も絶え間なく進歩しています．研究や臨床的経験によってわれわれの知識が広がるに従い，方法などについて修正が必要になります．ここで扱われているテーマに関しても同じことがいえます．本書では，発刊された時点での知識水準に対応するよう著者および出版社は十分な注意をはらいましたが，過誤および医学上の変更の可能性を考慮し，著者，出版社および本書の出版にかかわったすべての者が，本書の情報がすべての面で正確，あるいは完全であることを保証できませんし，本書の情報を使用したいかなる結果，過誤および遺漏の責任も負えません．読者が何か不確かさや誤りに気づかれたら出版社にご一報くださいますようお願いいたします．

「足部スポーツ障害治療の科学的基礎」によせて

　SPTSシリーズ第7巻「足部スポーツ障害治療の科学的基礎」は，足部アーチや前足部，後足部の動きとそれに伴う外傷・障害を，多方面から検討した価値ある1冊になったと思われる。

　本書は第1章から第5章を15項目に分け，解剖学・運動学からインソールの有用性にいたるまでのスポーツ医科学的内容になっている。第1章は足部の解剖学・運動学とアライメント評価である。第2章とも関連するが，近年は高性能フルオロスコピーを使用し，足部の動きを2D-3D registration法を用い，三次元解析する場合も多い。その意味で今回検索された文献が静的な画像評価のみであった点は残念である。アライメントの計測法と臨床評価の信頼性は低いが，診療時やリハビリテーション時によく用いられており，その汎用性は高いのでその一般的手法は学んでおく必要がある。第2章は足部のバイオメカニクスである。ここでは通常の手法でのバイオメカニカルな検討のほかに，骨マーカーでの計測結果も記載されており興味深い。ただ歩行中や走行中のみでなくジャンプ着地動作やカッティング動作に注目した研究の引用があればなおよかったと思われる。またインソール，テーピングの効用も文献的に検索されその有用性が述べられている。しかし引用文献がやや古く，2010年代の文献がほとんどないのが残念である。第3章は前足部の障害についてである。第7，第8，第9項目では，前足部によく生じる疾患の疫学，病態・診断，治療について記載されているが，オーバーラップする部分が多く，ほかの教科書同様，おのおのの疾患について疫学から治療までをまとめて記載する方法をとったほうが，よりわかりやすかったと思われる。またJones骨折は特に日本人に多発していることもあり，日本の文献も積極的に検索すべきかもしれない。第4章は中足部・後足部障害についてである。ここでは扁平足，疲労骨折，そして踵部痛の三大疾患のみを集中的に扱っており，その記載法も第3章と比較して適切でよくまとまっており有意義な章と思われる。第5章は関節運動連鎖，運動療法およびインソールの3項目よりなっている。関節運動連鎖はバイオメカニクスの章とも通ずるが，スポーツ復帰のリハビリテーションと関連づけて記載されているところに有用性がある。運動療法は有用な手法を多数の図入りで紹介しており興味深いが，この手法の有用性に関しての科学的評価が記載されていない点が残念である。足部アライメント不良に対するインソールの項は第3章のインソールの項とまとめて1つにするほうが読者にとってはありがたい。

　以上，項目別に感じたことを列挙したが，論文を整理し各項目をまとめられた担当者および総括の蒲田先生に改めて感謝したい。なお第7巻目となった本書がいままで以上にスポーツドクター，アスレティックトレーナー，理学療法士に愛読されることを願う。

2012年9月

早稲田大学スポーツ科学学術院　教授　福林　徹

SPTSシリーズ第7巻
発刊によせて

　SPTSはその名の通り"Sports Physical Therapy"を深く勉強することを目的とし，2004年12月から企画が開始された勉強会です．横浜市スポーツ医科学センターのスタッフが事務局を担当し，2005年3月の第1回SPTSから現在までに8回のセミナーが開催されました．これまでSPTSの運営にご協力くださいました関係各位に心より御礼申し上げます．

　この度，SPTSシリーズ第7巻を発刊させていただく運びとなりました．本書は第7回SPTS「足部スポーツ障害治療の科学的基礎」を内容をまとめたものとなっています．文献検索は，発表準備時期である2011年1月前後であり，その後本書の原稿執筆準備が行われた2011年8月ころに追加検索が行われました．したがって，2011年夏ころまでの文献レビューが記載されています．この第7回は東日本大震災の影響で，セミナーの開催を3月から8月に変更することになりました．震災の傷跡の癒えない時期の開催でしたが，200名近くの参加者を集め，盛会のうちに無事終えることができました．座長や発表者（執筆者）の先生方には，このようななかで大変なご尽力をいただきました．改めて深く感謝申し上げます．

　足部は荷重運動において，ほぼ全体重を支える役割を果たします．その衝撃の分散や吸収機能に問題が生じると応力集中が起こり，疲労骨折，足部関節疾患，腱炎など疾患がもたらされます．一方，足部は力を伝達したり，バランスを保ったりする能力を備えています．これにより，二足起立位での身体活動が可能となっています．本書では，足部のバイオメカニクスを基盤として，診断学，疫学，病態理解，そして治療法を網羅するように配慮しました．しかしながら，疾患ごとにエビデンスに基づく治療法が確立されているとはいえず，すべての疾患についてエビデンスが得られるまでにはまだ相当な時間が必要と思われます．そのようななかでも，われわれが臨床や研究に取り組むうえでは，エビデンスレベルの低い研究やバイオメカニクスや疫学などの基礎的な研究結果を十分に理解しておく必要があります．

　本書が，足部疾患のリハビリテーションに携わるすべての医療従事者や研究者のパートナーとなることを祈念しております．臨床家はもとより，論文執筆中の方，研究結果から臨床的なアイデアの裏づけを得たい方，そしてこれからスポーツ理学療法の専門家として歩み出そうとする学生や新人理学療法士など，多数の方々のお役に立つものと考えております．本書が幅広い目的で，多くの方々にご活用いただけることを念願いたします．

　末尾になりますが，SPTSの参加者，発表者，座長そして本書の執筆者および編者の方々，事務局を担当してくださいました横浜市スポーツ医科学センタースタッフに深く感謝の意を表します．

2012年9月

広島国際大学保健医療学部総合リハビリテーション学科　蒲田　和芳

【SPTSについて】

　SPTSは何のためにあるのか？　SPTSのような個人的な勉強会において，出発点を見失うことは存在意義そのものを見失うことにつながります。それを防ぐためにも，敢えて出発点にこだわりたいと思います。その質問への私なりの短い回答は「Sports Physical Therapyを実践する治療者に，専門分野のグローバルスタンダードを理解するための勉強の場を提供する」ということになるでしょうか。これを誤解がないように少し詳しく述べると次のようになります。

　日本国内にも優れた研究や臨床は多数存在しますし，SPTSはそれを否定するものではありません。しかし，"井の中の蛙"にならないためには世界の研究者や臨床家と専門分野の知識や歴史観を共有する必要があります。残念なことに"グローバルスタンダード"という言葉は，地域や国家あるいは民族の独自性を否定するものと理解される場合があります。もしも誰かが1つの価値観を世界に押し付けている場合には，その価値観や情報に対して警戒心を抱かざるを得ません。一方，世界が求めるスタンダードな知識（または価値）を世界中の仲間たちとつくり上げようとするプロセスでは，最新情報を共有することによって誰もが貢献することができます。SPTSは，日本にいながら世界から集められた知識に手を伸ばし，そこから偏りなく情報を収集し，その歴史や現状を正しく理解し，世界の同業者と同じ知識を共有することを目的としています。

　世界の医科学の動向を把握するにはインターネット上での文献検索が最も有効かつ効果的です。また情報を世界に発信するためには，世界中の研究者がアクセスできる情報を基盤とした議論を展開しなければなりません。そのためには，Medlineなどの国際論文を対象とした検索エンジンを用いた文献検索を行います。MedlineがアメリカのNIHから提供される以上，そこには地理的・言語的な偏りが既に存在しますが，これが知識のバイアスとならないよう読者であるわれわれ自身に配慮が必要となります。

　では，SPTSは誰のためにあるのか？　その回答は，「Sports Physical Therapyの恩恵を受けるすべての患者様（スポーツ選手，スポーツ愛好者など）」であることは明白です。したがって，SPTSへの対象（参加者）はこれらの患者様の治療にかかわるすべての治療者ということになります。このため，SPTSは，資格や専門領域の制限を設けず，科学を基盤としてスポーツ理学療法の最新の知識を積極的に得たいという意思のある方すべてを対象としております。その際，職種の枠を超えた知識の共通化を果たすうえで，職種別の職域や技術にとらわれず，"サイエンス"を1つの共通語と位置づけたコミュニケーションが必要となります。

　最後に，"今後SPTSは何をすべきか"について考えたいと思います。当面，年1回のセミナー開催を基本とし，できる限り自発的な意思を尊重してセミナーの内容や発表者を決めていく形で続けていけたらと考えております。また，スポーツ理学療法に関するアイデアや臨床例を通じて，すぐに臨床に役立つ知識や技術を共有する場として，「クリニカルスポーツ理学療法（CSPT）」を開催しております。そして，SPTSの本質的な目標として，外傷やその後遺症に苦しむアスリートの再生が，全国的にシステマティックに進められるような情報交換のシステムづくりを進めて参りたいと考えています。今後，SPTSに関する情報はウェブサイト（http://SPTS.ortho-pt.com）にて公開いたします。本書を手にされた皆様にも積極的にご閲覧・ご参加いただけることを強く願っております。

も　く　じ

第1章　足部の解剖学・運動学・アライメント評価（編集：山内　弘喜）

1. 足部の解剖学・運動学 ……………………………（坂　　雅之）……… 3
2. 画像による足部のアライメント評価 ……………（生田　　太）……… 12
3. 足部のアライメント評価（臨床評価）……………（窪田　智史）……… 21

第2章　足部のバイオメカニクス（編集：吉田　昌弘）

4. 足部の動作分析 ……………………………………（野崎　修平）……… 45
5. インソールと足部バイオメカニクス ……………（森田　寛子）……… 56
6. 足部テーピングのバイオメカニクス ……………（盛　　智子）……… 63

第3章　前足部障害（Lisfranc関節を含む）（編集：横山　茂樹）

7. 前足部障害の疫学および危険因子 ………………（松本　武士）……… 73
8. 前足部障害の病態・診断・評価 …………………（杉浦　　武）……… 83
9. 前足部障害の保存療法 ……………………………（能　　由美）……… 95

第4章　中足部・後足部障害（Lisfranc関節より後方）（編集：鈴川　仁人）

10. 扁平足障害 …………………………………………（村田健一朗）……… 105
11. 中・後足部の疲労骨折 ……………………………（真木　伸一）……… 113
12. Plantar heel pain …………………………………（木村　　佑）……… 120

第5章　足部障害に対する運動療法とスポーツ復帰（編集：蒲田　和芳）

13. 関節運動連鎖と足部機能 …………………………（加賀谷善教）……… 133
14. 足部アライメント不良に対する運動療法 ………（小林　　匠）……… 144
15. 足部アライメント不良に対するインソールの考え方 …（蒲田　和芳）……… 159

第1章
足部の解剖学・運動学・アライメント評価

　第1章のテーマは足部の解剖学・運動学・アライメント評価である。すべての項に共通して内側縦アーチに関する報告は比較的多く認められるものの，外側縦アーチや横アーチに関連する報告は少なかった。これは内側縦アーチの重要性が認識されていることを示すと同時に，その他のアーチ構造についてはさほど重要視されていないためと考えられる。

　「足部の解剖学・運動学」では，機能解剖や運動学を中心の内容とした。具体的には足部アーチに関連する関節可動性，靱帯機能，筋機能についてレビューをした。

　「画像による足部のアライメント評価」では，静的な画像評価に焦点を絞った。極度の変形を伴わない足部に対する評価方法を中心とし，X線を用いた方法やデジタル写真撮影を用いた方法などをレビューし，その信頼性についても記載した。足部の画像評価については，観血的治療における基準値を作成するために検討されていることが多く，日常的に使われている画像評価に関する報告は非常に少なかった。さらに，その信頼性について基準とされる値を算出した報告のエビデンスレベルは低いことが示された。

　「足部のアライメント評価（臨床評価）」では，内側縦アーチに注目した報告が多いこととともに，前項と同様に評価方法の信頼性や妥当性の低いことが示された。具体的には，各種評価方法のほとんどが検者内信頼性は高いが検者間信頼性は総じて低い。また，各種アライメントと障害発生予測能についても記載したが，現状ではコンセンサスが得られていないことが示された。

　本章により，足部アライメントに関しては未解明な点が多く，評価方法についても未発達な領域であることが示された。解剖学，運動学，各種評価のどれをとっても今後の発展が望まれる。これらの限界点をよく理解したうえで各種の評価法を実施すべきである。足部分野のさらなる発展のため，今後の臨床および研究などに本章が役立てば幸いである。

第1章編集担当：山内　弘喜

1. 足部の解剖学・運動学

はじめに

足部の機能は内側縦・横・外側縦の3つのアーチによって荷重を支持することにある。アーチの破綻は足部障害と密接に関連するため、静的支持機構である骨・関節・靱帯や、動的支持機構である筋に関する基礎知識が不可欠である。本項では、静的・動的支持機構の足部アーチに対する貢献度に焦点を当て、関節、靱帯、筋の順に整理した。特に外反母趾や扁平足障害、疲労骨折などの足部障害について考察する。

A. 文献検索方法

文献検索にはPubMedを使用し、2011年8月に行った。キーワードと検索結果は「foot arch AND ligament」80件、「foot arch AND muscle」156件、「tarsometatarsal joint AND kinematics」46件、「transverse tarsal joint AND kinematics」28件であり、必要に応じてレビューした論文からも追加した。収集された論文から英語表記のものを特定し、足部アーチを構成する骨・関節・靱帯・筋に関連する解剖学および運動学に関する論文を選択した。ほかの章で触れる①歩行・走行中の足部バイオメカニクスに関する論文、②手術・装具療法の効果検証に限定された論文を除外し、最終的に28件の論文を対象とした。

B. 関節可動性

足根間関節、足根中足関節は3平面での運動が可能である。本項では矢状面上の運動を底・背屈、前額面上の運動を内・外反、水平面上の運動を内・外転と定義する（図1-1）。

通常、内側楔状骨と第1中足骨から構成される

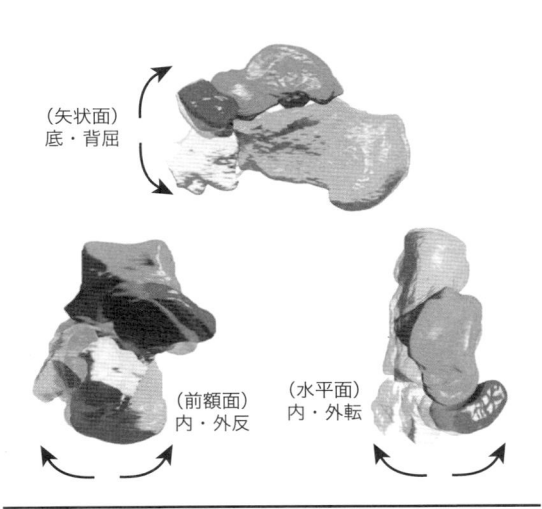

図1-1　足部の骨運動の定義（文献1より作図）

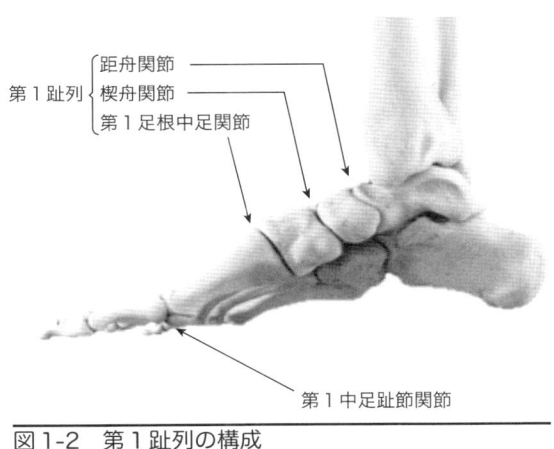

図1-2　第1趾列の構成
本項では第1足根中足関節、楔舟関節、距舟関節を合わせて"第1趾列"とする。

第1章 足部の解剖学・運動学・アライメント評価

表1-1 第1趾列可動性と各関節の貢献度（文献2, 4より引用）

報告者	運動方向	第1趾列総可動域 (°)	各関節の貢献度 (°)		
			第1足根中足関節	楔舟関節	距舟関節
Roling (2002)	底・背側	6.4	41	50	9
Faber (1999)	背側	3.8	57	35	8
	内側	2.4	82	6	12

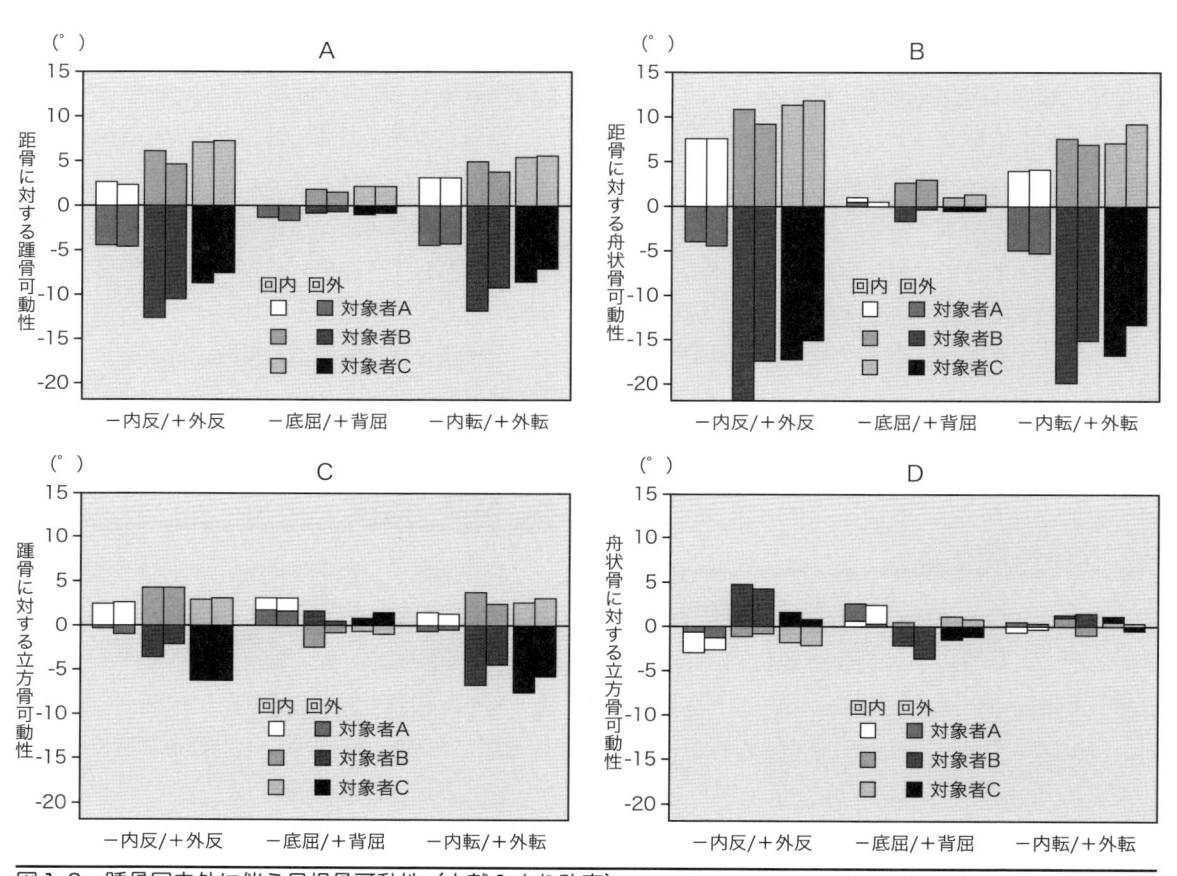

図1-3 踵骨回内外に伴う足根骨可動性（文献1より改変）

ユニットを第1列と呼ぶが、楔舟関節や距舟関節の可動性も含めて第1列の可動性とする報告が多い[2～5]。本項では第1足根中足関節、楔舟関節、距舟関節を合わせて"第1趾列"と記述する（図1-2）。

1. 第1趾列可動性と各関節の貢献度

第1足根中足関節の過可動性が外反母趾などの主な要因であると指摘されたことを背景に、第1趾列の可動性が調査されてきた。表1-1に屍体研究[2, 4]から得られた第1趾列の総可動域、および第1足根中足関節、楔舟関節、距舟関節の貢献度を示す。MRIを用いた踵骨内・外反に伴う生体内足根骨三次元運動解析[1]によれば、舟状骨は内・外反、内・外転可動域が大きく（図1-3B）、距骨下関節（図1-3A）の2倍近くに相当すると

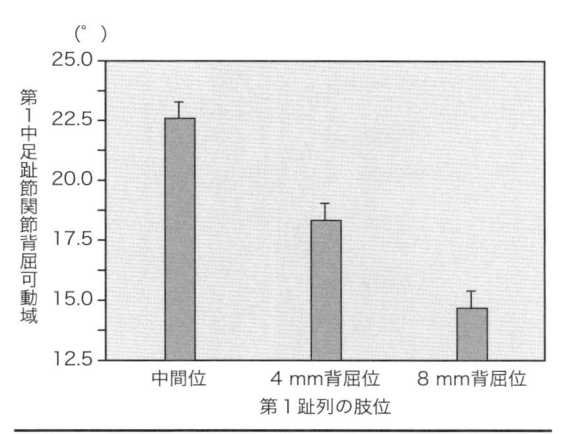

図1-4 第1趾列背屈に伴う第1中足趾節関節背屈可動性の変化（文献5より改変）
第1趾列の背屈に伴い第1中足趾節関節背屈可動性が減少した。

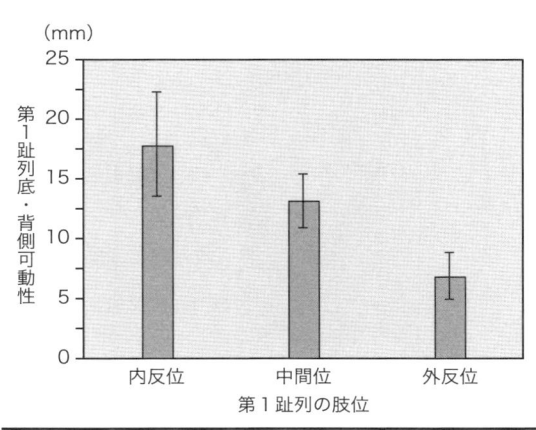

図1-5 第1趾列内・外反に伴う底・背側可動性の変化（文献3より改変）
第1趾列外反位では中間位と比較して有意に底・背側方向の可動性が減少した。

報告された。第1趾列の可動域についてまとめると，①距舟関節は底・背屈可動域をほとんど有さないが，内・外反および内・外転可動域が大きい，②楔舟関節は底・背屈可動域が大きい，③第1足根中足関節は底・背屈および内・外転可動域が大きいことが特徴的である。

2. 第1趾列可動性，第1中足趾節関節可動性と関節肢位による変化

Roukisら[5)]は荷重位で第1中足骨頭直下に厚さ4 mmの板を1～2枚挿入し，中間位・4 mm背屈位・8 mm背屈位の3肢位で第1中足趾節関節背屈可動性を計測した。その結果，第1趾列の背屈に伴い第1中足趾節関節背屈可動性が減少し（図1-4），第1趾列が背屈する結果として外反母趾や強直母趾などの障害が生じるとした。

Perezら[3)]は第1趾列内・外反が第1趾列底・背側方向の可動性に与える影響を検証した。第1趾列外反位では中間位と比較して有意に底・背側方向の可動性が減少し（図1-5），外反位では第1趾列が第2趾列に対してしまりの肢位（closed-packed position）になることで可動性が減少すると考察した。さらに，第1足根中足関節に対する固定術後などでは，矢状面だけでなく前額面のアライメントに注意する必要があると指摘した。

3. 立方骨可動性

Wolfら[1)]はMRIを用いて踵骨内・外反に伴う立方骨の可動性を計測した。矢状面・前額面・水平面のすべてにおいて立方骨の可動性は非常に小さく，踵骨に対して7°未満，舟状骨に対して5°未満であった（図1-3C，D）。

C. 足部アーチに対する靱帯の貢献

1. 靱帯の機能解剖

1) ばね靱帯の解剖学的特徴

ばね靱帯（距踵舟靱帯）は距舟関節の安定化，内側縦アーチの支持という2つの重要な機能を有すると考えられている。屍体足の解剖から，ばね靱帯は上内側線維（superomedial ligament），中底側斜走線維（medioplanter oblique），下底側縦走線維（inferoplanter longitudinal）の3線維から構成されると報告された（図1-6）[6)]。上内側線維は踵骨中関節面の前内側縁より起始し，舟

第1章 足部の解剖学・運動学・アライメント評価

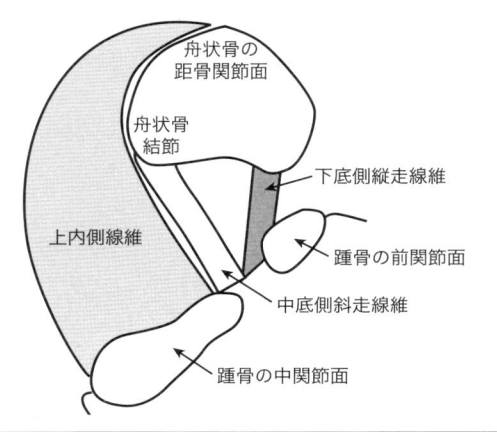

図1-6 ばね靱帯の3線維（文献6より改変）
ばね靱帯は上内側線維，中底側斜走線維，下底側縦走線維から構成される。

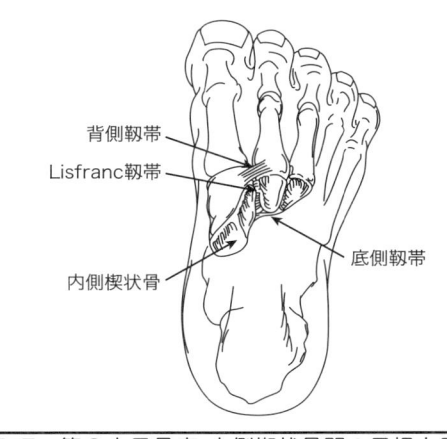

図1-7 第2中足骨底-内側楔状骨間の足根中足靱帯（文献8より改変）
背側靱帯，Lisfranc靱帯，底側靱帯から構成される。

表1-2 ばね靱帯の解剖学的特徴

		長さ (mm)	幅 (mm)		厚さ (mm)
上内側線維	上内側	42.5	踵骨部	20.0	3.5
	下外側	33.4	舟状骨部	10.3	
中底側斜走線維	内側	23.6	踵骨部	8.1	2.8
	外側	21.2	舟状骨部	2.7	
下底側縦走線維	内側	4.3	踵骨部	5.2	2.4
	外側	2.7	舟状骨部	3.4	

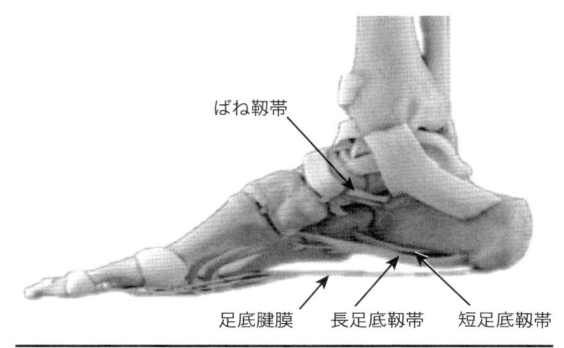

図1-8 アーチ支持に貢献する主要な靱帯
足底腱膜，長足底靱帯，短足底靱帯（底側踵立方靱帯），ばね靱帯がアーチの支持に貢献する。

状骨の上内側面に停止する。中底側斜走線維は踵骨前関節面と中関節面の間の溝より起始し，舟状骨結節に停止する。下底側縦走線維は踵骨前関節面と中関節面の間の溝より起始し，舟状骨のくちばし形の部分に停止する。各線維の長さ・幅・厚さを**表1-2**に示す。

2）足根中足関節靱帯の破断強度

Lisfranc関節捻挫はスポーツ選手において比較的発生頻度が高く，特に第2中足骨底と内側楔状骨を結ぶ足根中足靱帯の損傷頻度が高い。背側靱帯，Lisfranc靱帯，底側靱帯の3線維から構成さ

れ（**図1-7**），Lisfranc靱帯のスティフネス（靱帯の長軸方向への牽引に対する強度，単位：N／mm）が最も高いと報告された[7,8]。Solanら[8]は，背側靱帯の切除前後でスティフネスの総和に有意な変化はみられず，背側靱帯の単独損傷は保存療法を適応できる可能性があるとした。

2. 靱帯切除が足部に与える影響

足部の靱帯のなかでも，特に足底腱膜，長足底靱帯，短足底靱帯（底側踵立方靱帯），ばね靱帯（**図1-8**）がアーチの支持に貢献すると考えられており，これらを対象とした研究がみられる。ア

表1-3 靱帯切除と足部アライメントの変化（文献11～13より引用）

報告者	方法	切除後のアライメント変化				
		踵骨	距骨	舟状骨	立方骨	第1中足骨
Tao（2010）	有限要素解析	底屈 — 外転	—	—	背屈 外反 外転	背屈 — 外転
Jennings（2008）	屍体研究	底屈 外反 外転	底屈 — 内転	底屈 内反 内転	—	—
Kitaoka（2002）	屍体研究	底屈 外反 —	—	—	—	背屈 外反 外転

表1-4 靱帯切除と内側縦アーチ高の変化（文献10, 12, 13, 15, 16より引用）

報告者	方法	切除した組織	内側縦アーチ高の変化
Iaquinto（2010）	生体研究 3D骨モデル	足底腱膜 長・短足底靱帯 ばね靱帯 全切除	3.72 mm 降下 0.58 mm 降下 0.37 mm 降下 12.65 mm 降下
Tao（2010）	有限要素解析	足底腱膜 長・短足底靱帯 ばね靱帯	0.17 mm 降下 0.02～0.04 mm 降下 0.01 mm 降下
Cheung（2006）	有限要素解析	足底腱膜 長足底靱帯	6 mm 降下
Kitaoka（2002）	屍体研究	ばね靱帯 距踵靱帯 後脛骨筋腱	4.6 mm 降下
Murphy（1998）	屍体研究	足底腱膜	4.1 mm 降下

ーチの支持性に対する靱帯の貢献度を検証した研究から、足底腱膜、長・短足底靱帯、ばね靱帯の順で貢献度が高く、それぞれ79.5％、12.5％、8.0％を担うと報告された[9, 10]。これらの靱帯を切除した際の①足部アライメント、②アーチ高、③ストレスの変化について以下に整理した。

足底の靱帯を切除した際の足部アライメント変化を検証した研究として、屍体研究[11, 12]と有限要素解析[13]による報告があった（**表1-3**）。足底の靱帯を切除することで、踵骨の底屈・外反・外転および第1中足骨の背屈・外反・外転が認められた。

足底の靱帯を切除した際のアーチ高の変化を検証した報告には、屍体研究[12, 14, 15]、有限要素解析[13, 16]、三次元骨モデル解析[10]によるものがみられた。すべての研究において、足底の靱帯切除後は内側縦アーチ高の降下が認められたが、解析手法が統一されておらず結果はばらつきが大きかった（**表1-4**）。Murphyら[15]は横アーチ（第2中足骨底）および外側縦アーチ（立方骨）高の変化を検証し、それぞれ2.9 mm、2.6 mmの降下がみられたと報告した。

靱帯切除が骨に与えるストレスを調査した研究には、有限要素解析による報告があった[13, 17～19]。足底腱膜切除をシミュレーションした際には舟状骨、立方骨、第2～4中足骨に対するミーゼス応力（剪断応力、単位：MPa）の増大が認められた[17～19]。Taoら[13]は足底腱膜だけでなく長・短

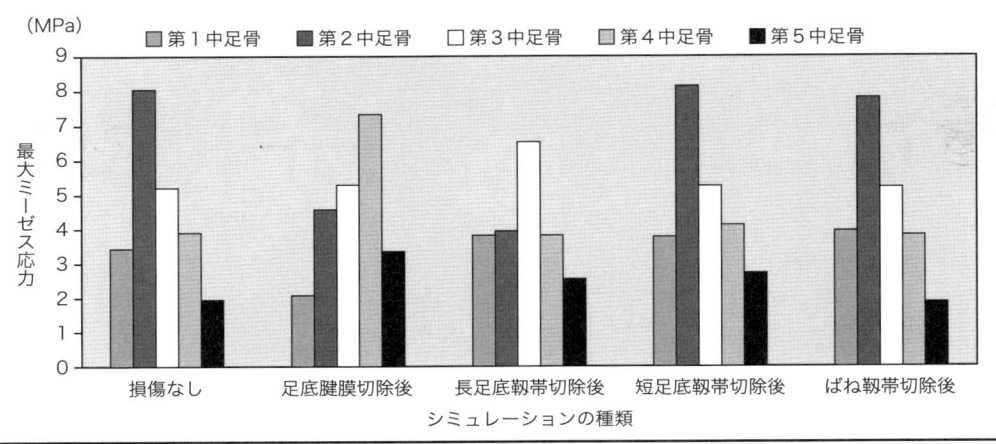

図1-9 各靱帯切除後の中足骨に対する最大ミーゼス応力の変化（文献13より改変）
中足骨に対するミーゼス応力は，それぞれ異なるパターンを生じた。

足底靱帯やばね靱帯の切除をシミュレーションした際の中足骨に対するミーゼス応力を検証し，それぞれ異なるパターンを生じることを示した（**図1-9**）。Wu[19]は足底の靱帯切除・損傷に加え，足部内在筋張力変化をシミュレーションした際の足部アーチを構成する骨および軟部組織に対するミーゼス応力の変化を検証した。足底腱膜切除後，足底の主要な靱帯損傷後は第2中足骨や立方骨，足底腱膜，前足部屈筋群のミーゼス応力が増大したが，足部内在筋の張力を増大させるにつれて漸減した。この結果から，靱帯切除・損傷により中足骨疲労骨折や足底腱膜炎，前足部痛のリスクは高まるが，足部内在筋機能によりそのリスクを軽減できる可能性があると考察した。

D. 足部アーチに対する筋の貢献

1. 筋の付着部

1）長腓骨筋

Patilら[20]は屍体足30足の解剖を行い，長腓骨筋の停止部を観察した。付着部数は1～4と検体ごとにばらつきがみられたが，第1中足骨底，内側楔状骨に停止部を有する屍体足がおよそ半数を占めた（**表1-5**）。付着部の存在率は第1中足骨底100％，内側楔状骨86.6％，第1中足骨頸部10％，第2中足骨基部20％，第4中足骨基部16.6％，第5中足骨基部23.3％であった。

2）母趾外転筋

Wong[21]は屍体足8足の解剖を行い，母趾外転筋の付着部を観察した。主に踵骨隆起内側に起始部をもち，さらに短趾屈筋を覆う深筋膜からも起始していた。遠位部では，母趾外転筋腱は中足趾節関節部に存在する内側の種子骨に停止部を有し，その深部は短母趾屈筋の線維にも結合していた。

2. 後脛骨筋機能

Kuligら[22]は健常者を対象としてCKC足部内転，ヒールレイズ，OKC足部回外の3つのエクササイズを実施し，その前後におけるMRI画像上の信号強度変化から筋活動を評価し，後脛骨筋に対する最も効果的なエクササイズを検証した。その結果，CKC足部内転エクササイズ前後における信号強度の変化が最も大きく，後脛骨筋を選択的かつ最も効率よく活動させることができると結論づけた。

表1-5 長腓骨筋の停止部（文献20より引用）

付着部数	対象数	付着部						対象数
		第1中足骨底	内側楔状骨	第1中足骨頸部	第2中足骨底	第4中足骨底	第5中足骨底	
4	7/30	○	○	−	−	○	○	3/7
		○	○	○	○	−	−	2/7
		○	○	−	○	−	○	1/7
		○	○	−	○	○	−	1/7
3	6/30	○	○	−	−	−	○	3/6
		○	○	−	○	−	−	1/6
		○	○	−	−	○	−	1/6
		○	−	○	○	−	−	1/6
2	14/30	○	○	−	−	−	−	14/14
1	3/30	○	−	−	−	−	−	3/3

3. 筋収縮による足部アライメント変化

1）後脛骨筋

Imhauserら[23]は後脛骨筋の張力変化が内側縦アーチを構成する骨（踵骨，第1中足骨）および横アーチを構成する骨（舟状骨，立方骨）のアライメントに及ぼす影響を検証した。靱帯切除（足底腱膜・長足底靱帯・ばね靱帯，その他）の有無にかかわらず，いずれも有意な変化は認められなかった。Jenningsら[11]もばね靱帯の切除前後で後脛骨筋張力を変化させた際の踵骨，距骨，舟状骨アライメントに及ぼす影響を検証した。この研究においても足部アライメントにほとんど変化はみられず（0.5°未満の変化），後脛骨筋にばね靱帯の損傷を補うほどの機能はないと考察した。

2）母趾外転筋

Wongら[21]は母趾外転筋の収縮を再現した際の足部アライメント変化を検証し，第1中足骨は1.3°底屈・1.4°回外・0.99°内転し，踵骨は1.42°背屈・1.21°内反・4.17°外転すると報告した。

3）長腓骨筋

Johnsonら[24]は長腓骨筋張力を変化させた際の第1趾列（舟状骨，楔状骨，第1中足骨）のアライメント変化を検証し，長腓骨筋張力を増大させることで第1趾列は主に外反すると報告した。彼らはこれを長腓骨筋の"ロッキング効果"と呼び，内側構成体の安定化に不可欠であると結論づけた。Faberら[2]は長腓骨筋・長母趾屈筋・前脛骨筋の収縮を再現した際の第1足根中足関節の可動性に及ぼす効果を検証した。長腓骨筋・長母趾屈筋は第1足根中足関節背側変位に拮抗する機能を有するが，長母趾屈筋は内転変位を助長する作用があると報告した。前述したように，第1趾列外反位では底・背側の可動性が低下する[3]。これと上の結果から，長腓骨筋は内側縦アーチの扁平化に拮抗する作用を有することが示唆される。

4. 筋収縮による足部アーチ高変化

1）後脛骨筋

Imhauserら[23]は後脛骨筋の張力変化が内側縦アーチ高および横アーチ高に及ぼす影響を検証した。靱帯に損傷のない状態では後脛骨筋の張力減少に伴い内側縦アーチ高が減少したが，靱帯（足底腱膜・長足底靱帯・ばね靱帯，その他）切除後は有意な変化が認められなかった。横アーチ高に関しては，靱帯切除の有無にかかわらず有意な変

2) 母趾外転筋

Fiolkowski ら[25]は健常者を対象として脛骨神経ブロックを行い，その前後で母趾外転筋の筋電図計測および navicular drop test を実施した。脛骨神経ブロック後は母趾外転筋筋活動が有意に低下し，舟状骨粗面の降下量が増大した。Headlee ら[26]は健常者を対象に足部内在筋の疲労を誘発するエクササイズを実施し，その前後で母趾外転筋の筋電図計測および navicular drop test を実施した。足部内在筋の疲労誘発後は母趾外転筋の中間周波数が有意に減少し，舟状骨粗面の降下量が増大した。これらの研究より，母趾外転筋の活動抑制あるいは疲労誘発に伴い内側縦アーチ高が減少するという結果が得られた。母趾外転筋のような足部内在筋が内側縦アーチ高の支持に貢献する可能性が示唆される。

3) 長腓骨筋

Johnson ら[24]は屍体足7足を対象に，長腓骨筋の張力変化が内側縦アーチ高に及ぼす影響を検証した。長腓骨筋張力と内側縦アーチ高に相関はみられなかったが，対象数が小さいため結論を得ることができないとした。

5. アキレス腱張力と扁平足

アキレス腱は距骨下関節軸の外側で踵骨に付着するため，その拘縮は後足部外反，内側縦アーチ高減少をまねく可能性があると指摘されてきた。Blackman ら[27]は屍体足を用い，アキレス腱張力を変化させた際の足部アライメント変化を検証した。その結果，主に距骨に対する第1中足骨背屈・舟状骨外転増大が認められた。Cheung ら[16]は有限要素解析を用いてアキレス腱張力の増大をシミュレーションし，内側縦アーチ高が減少すると報告した。Arangio ら[28]は片側アキレス腱拘縮（足関節背屈角度0°未満）を有する両側扁平足患者を対象とし，X線画像を用いた足部アライメント・アーチ高の計測を行った。アキレス腱拘縮側では後足部外反・踵骨底屈・第1中足骨背屈増大および内側縦アーチ高減少が認められたため，アキレス腱拘縮は後足部外反や関連する変形の増大を導くと結論づけた。

以上から，足関節背屈制限，すなわちアキレス腱張力が増大している状態では，扁平足に特徴的な足部アライメント変形をまねき，内側縦アーチ高は減少する可能性があると考えられる。

E. まとめ

1. すでに真実として承認されていること

- 足底の靱帯を切除することで足根骨のアライメントの変化（踵骨底屈・第1中足骨背屈）が生じ，内側縦アーチ高は低下する。

2. 議論の余地はあるが，今後の重要な研究テーマとなること

- 足底の靱帯損傷により中足骨や足底の軟部組織に対する応力が増大し，疲労骨折や足底腱膜炎，前足部痛などのリスクが高まる。
- 筋の作用により足部アライメントが大きく変わることは期待できないが，足底の靱帯に損傷がない場合，アーチ支持に貢献する可能性がある。
- 足関節背屈制限は足部アライメント変化および内側縦アーチ高減少に関連する可能性がある。

3. 真実と思われていたが実は疑わしいこと

- 扁平足に対する筋の貢献（足底の靱帯損傷を含む扁平足において，足部アライメントおよびアーチ高に対する筋の貢献は認められていない）。

F. 今後の課題

- 足部アライメント変化が中足骨，足底の軟部組織（足底腱膜，後脛骨筋腱など）に与える応力変化の検証。
- 中足骨，足底の軟部組織に加わる応力に対して足部の筋収縮が与える効果の検証。

文 献

1. Wolf P, Luechinger R, Boesiger P, Stuessi E, Stacoff A. A MR imaging procedure to measure tarsal bone rotations. *J Biomech Eng*. 2007; 129: 931-36.
2. Faber FW, Kleinrensink GJ, Verhoog MW, Vijn AH, Snijders CJ, Mulder PG, Verhaar JA. Mobility of the first tarsometatarsal joint in relation to hallux valgus deformity: anatomical and biomechanical aspects. *Foot Ankle Int*. 1999; 20: 651-6.
3. Perez HR, Reber LK, Christensen JC. The effect of frontal plane position on first ray motion: forefoot locking mechanism. *Foot Ankle Int*. 2008; 29: 72-6.
4. Roling BA, Christensen JC, Johnson CH. Biomechanics of the first ray. Part IV: the effect of selected medial column arthrodeses. A three-dimensional kinematic analysis in a cadaver model. *J Foot Ankle Surg*. 2002; 41: 278-85.
5. Roukis TS, Scherer P, Anderson CF. Position of the first ray and motion of the first metatarsophalangeal joint. *J Am Podiatr Med Assoc*. 1996; 86: 538-46.
6. Patil V, Ebraheim NA, Frogameni A, Liu J. Morphometric dimensions of the calcaneonavicular (spring) ligament. *Foot Ankle Int*. 2007; 28: 927-32.
7. Kura H, Luo ZP, Kitaoka HB, Smutz WP, An KN. Mechanical behavior of the Lisfranc and dorsal cuneometatarsal ligaments: in vitro biomechanical study. *J Orthop Trauma*. 2001; 15: 107-10.
8. Solan MC, Moorman CT 3rd, Miyamoto RG, Jasper LE, Belkoff SM. Ligamentous restraints of the second tarsometatarsal joint: a biomechanical evaluation. *Foot Ankle Int*. 2001; 22: 637-41.
9. Huang CK, Kitaoka HB, An KN, Chao EY. Biomechanical evaluation of longitudinal arch stability. *Foot Ankle*. 1993; 14: 353-7.
10. Iaquinto JM, Wayne JS. Computational model of the lower leg and foot/ankle complex: application to arch stability. *J Biomech Eng*. 2010; 132: 021009.
11. Jennings MM, Christensen JC. The effects of sectioning the spring ligament on rearfoot stability and posterior tibial tendon efficiency. *J Foot Ankle Surg*. 2008; 47: 219-24.
12. Kitaoka HB, Luo ZP, Kura H, An KN. Effect of foot orthoses on 3-dimensional kinematics of flatfoot: a cadaveric study. *Arch Phys Med Rehabil*. 2002; 83: 876-9.
13. Tao K, Ji WT, Wang DM, Wang CT, Wang X. Relative contributions of plantar fascia and ligaments on the arch static stability: a finite element study. *Biomed Tech (Berl)*. 2010; 55: 265-71.
14. Chu IT, Myerson MS, Nyska M, Parks BG. Experimental flatfoot model: the contribution of dynamic loading. *Foot Ankle Int*. 2001; 22: 220-5.
15. Murphy GA, Pneumaticos SG, Kamaric E, Noble PC, Trevino SG, Baxter DE. Biomechanical consequences of sequential plantar fascia release. *Foot Ankle Int*. 1998; 19: 149-52.
16. Cheung JT, Zhang M, An KN. Effect of Achilles tendon loading on plantar fascia tension in the standing foot. *Clin Biomech (Bristol, Avon)*. 2006; 21: 194-203.
17. Cheung JT, An KN, Zhang M. Consequences of partial and total plantar fascia release: a finite element study. *Foot Ankle Int*. 2006; 27: 125-32.
18. Cheung JT, Zhang M, An KN. Effects of plantar fascia stiffness on the biomechanical responses of the ankle-foot complex. *Clin Biomech (Bristol, Avon)*. 2004; 19: 839-46.
19. Wu L. Nonlinear finite element analysis for musculoskeletal biomechanics of medial and lateral plantar longitudinal arch of virtual Chinese human after plantar ligamentous structure failures. *Clin Biomech (Bristol, Avon)*. 2007; 22: 221-9.
20. Patil V, Frisch NC, Ebraheim NA. Anatomical variations in the insertion of the peroneus (fibularis) longus tendon. *Foot Ankle Int*. 2007; 28: 1179-82.
21. Wong YS. Influence of the abductor hallucis muscle on the medial arch of the foot: a kinematic and anatomical cadaver study. *Foot Ankle Int*. 2007; 28: 617-20.
22. Kulig K, Burnfield JM, Requejo SM, Sperry M, Terk M. Selective activation of tibialis posterior: evaluation by magnetic resonance imaging. *Med Sci Sports Exerc*. 2004; 36: 862-7.
23. Imhauser CW, Siegler S, Abidi NA, Frankel DZ. The effect of posterior tibialis tendon dysfunction on the plantar pressure characteristics and the kinematics of the arch and the hindfoot. *Clin Biomech (Bristol, Avon)*. 2004; 19: 161-9.
24. Johnson CH, Christensen JC. Biomechanics of the first ray. Part I. The effects of peroneus longus function: a three-dimensional kinematic study on a cadaver model. *J Foot Ankle Surg*. 1999; 38: 313-21.
25. Fiolkowski P, Brunt D, Bishop M, Woo R, Horodyski M. Intrinsic pedal musculature support of the medial longitudinal arch: an electromyography study. *J Foot Ankle Surg*. 2003; 42: 327-33.
26. Headlee DL, Leonard JL, Hart JM, Ingersoll CD, Hertel J. Fatigue of the plantar intrinsic foot muscles increases navicular drop. *J Electromyogr Kinesiol*. 2008; 18: 420-5.
27. Blackman AJ, Blevins JJ, Sangeorzan BJ, Ledoux WR. Cadaveric flatfoot model: ligament attenuation and Achilles tendon overpull. *J Orthop Res*. 2009; 27: 1547-54.
28. Arangio G, Rogman A, Reed JF 3rd. Hindfoot alignment valgus moment arm increases in adult flatfoot with Achilles tendon contracture. *Foot Ankle Int*. 2009; 30: 1078-82.

〈坂　雅之〉

2. 画像による足部のアライメント評価

はじめに

足部アライメントの評価方法は数多く報告されてきた[1]。しかし，その多くは特定の障害を評価する目的として考案されたものであり，健常者の参考値については不明な点が多い。本項では健常者を対象とした足部アライメントの評価方法についてレビューを行う。

A. 文献検索方法

文献検索は2011年9月にPubMedを用いて行い，言語を英語に限った。検索に用いたキーワードと検索結果を**表2-1**に示す。選択基準は，信頼性に関する報告[2]を除き，健常者の足部アライメント評価の報告とした。さらに，詳細な評価方法の記載がないものや，評価方法の信頼性が不明なものは除外し，20件の文献をレビューの対象とした。これらを足部内側アライメント，後方アライメント，前足部アライメントに分類して順に述べる。なお，足部外側アライメントに関しては，条件に該当する論文がなかった。

B. 内側構成体のアライメント評価

画像を用いた評価方法には，デジタルカメラを使用して体表からアライメント評価を行うデジタル写真撮影法[3]と，X線を使用して骨アライメントを評価するX線撮影法[2,4〜6]の報告があった。また，鏡と透明ガラスでつくられたmirrored foot photo box（MFPB）という足底面，足部前方，足部後方，足部内側の四方向を同時にみられる装置を用いて，デジタル写真撮影法とX線撮影法の相関をみた研究[7]を紹介する。

1. デジタル写真撮影法

デジタルカメラを用いた計測方法は，被曝のない計測方法であり，今後はこの評価方法の頻度が増加していくと思われる。Cobbら[3]は，まず第1中足趾節関節内側，舟状骨粗面，足関節内果に印をつけ，10％荷重と90％荷重の2条件の撮影肢位で，足部内側からデジタル写真撮影を行った。画像の歪みを補正後，コンピュータ画面上で**図2-1**に示す解剖学的ランドマークに印をつけ，各

表2-1 検索に用いたキーワードと検索結果

キーワード	ヒット件数
foot AND (alignment OR anthropometry) AND (radiographic OR roentgen OR X-ray)	421
foot AND (alignment OR anthropometry) AND MRI	30
foot AND (alignment OR anthropometry) AND CT	34
foot AND (alignment OR anthropometry) AND ultrasound	90
foot AND (alignment OR anthropometry) AND (image OR imaging)	121
foot AND (alignment OR anthropometry) AND (photography OR picture)	59

評価項目の平均値を計測した。

1）デジタル写真撮影法の信頼性

対象者は28名（男性11名，女性17名），年齢25.5±5歳（平均値±標準偏差，以下同様），身長171±10 cm，体重77.6±17.3 kgであった。各計測条件での検者内・検者間信頼性を**表2-2**に示す。距離を計測した①第1中足趾節関節〜踵骨最後部，②足背面高，③舟状骨粗面高の信頼性は検者内・検者間ともに良好であった。一方，角度を計測したlongitudinal arch angle（舟状骨粗面と内果を結ぶ線分と舟状骨粗面と第1中足趾節関節を結ぶ線分でなす角度）の信頼性は検者内・検者間ともに全項目のなかで最も低かった。

2）デジタル写真撮影法の計測結果

対象者は111名（男性42名，女性69名，年齢22.8±4.7歳，身長168.5±10.4 cm，体重69.8±13.3 kg）の計測結果を**表2-3**に示す。90％荷重では，10％荷重と比較して①第1中足趾節関節〜踵骨最後部が延長し，②足背面高と③舟状骨粗面高がともに低下していた。

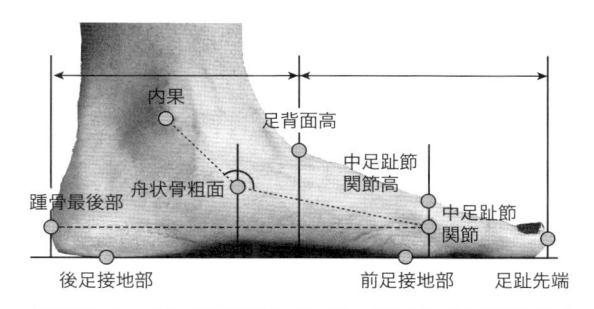

図2-1 デジタル写真撮影法による計測項目（文献3より引用）
中足趾節関節，舟状骨粗面，足関節内果に印をつけて撮影。足背面高は足趾先端から踵骨最後部の中央部分の高さ。

表2-2 デジタル写真撮影法による足部アライメント評価項目の検者内・検者間信頼性（文献3より引用）

計測項目	級内相関係数（95%信頼区間）			
	10％荷重		90％荷重	
	検者内信頼性	検者間信頼性	検者内信頼性	検者間信頼性
①第1中足趾節関節〜踵骨最後部	0.96（0.92，0.98）	0.97（0.84，0.99）	0.94（0.88，0.97）	0.97（0.82，0.99）
②足背面高	0.97（0.94，0.99）	0.99（0.97，1.00）	0.96（0.92，0.98）	0.95（0.97，1.00）
③舟状骨粗面高	0.82（0.67，0.92）	0.93（0.83，0.97）	0.83（0.68，0.92）	0.99（0.87，0.98）
Arch index（②÷①）	0.92（0.85，0.97）	0.95（0.78，0.98）	0.92（0.93，0.96）	0.96（0.81，0.99）
Navicular index（③÷①）	0.84（0.69，0.93）	0.93（0.80，0.97）	0.79（0.62，0.90）	0.93（0.83，0.97）
Longitudinal arch angle	0.42（0.15，0.68）	0.75（0.39，0.90）	0.48（0.20，0.72）	0.79（0.49，0.92）

Longitudinal arch angle：舟状骨粗面と内果を結ぶ線分と舟状骨粗面と第1中足趾節関節を結ぶ線分でなす角度。

表2-3 デジタル写真撮影法による足部アライメント評価項目の計測結果（平均値±標準偏差）（文献3より引用）

計測項目	10％荷重		90％荷重	
	検者1	検者2	検者1	検者2
①第1中足趾節関節〜踵骨最後部（mm）	194.1±15.2	190.9±14.9	195.9±15.0	192.5±14.6
②足背面高（mm）	71.4±4.5	71.5±4.7	68.3±5.2	68.4±5.2
③舟状骨粗面高（mm）	47.2±4.3	47.6±4.8	44.8±5.9	45.0±6.2
Arch index（②÷①）	0.369±0.025	0.376±0.026	0.350±0.026	0.356±0.027
Navicular index（③÷①）	0.244±0.026	0.250±0.028	0.229±0.029	0.234±0.031
Longitudinal arch angle（°）	157.5±5.7	159.1±6.0	154.0±5.5	155.2±5.7

第1章 足部の解剖学・運動学・アライメント評価

①calcaneal inclination angle (CIA)
②calcaneal-first metatarsal angle (C1MA)
④距骨高
⑥舟状骨高
③アーチ長（第1中足骨頭先端から踵骨後面）
⑤足長（母趾先端から踵骨後面）

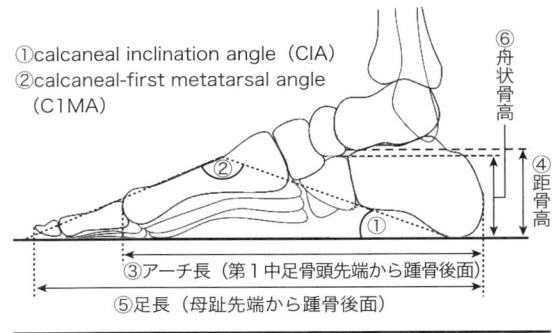

図2-2 X線撮影法による計測項目（文献8より引用）
舟状骨高は舟状骨下端，距骨高は距骨下端の高さ。

表2-4 X線撮影法の検者内・検者間信頼性（文献2，5より引用）

計測項目	級内相関係数（95％信頼区間）		
	Menzら[5]	Saltzmanら[2]	
	検者内信頼性 (n=20)	検者内信頼性 (n=17)	検者間信頼性 (n=27)
①CIA	0.99 (0.97, 0.99)	0.99 (0.99, 1.0)	0.99 (0.96, 0.99)
②C1MA	0.98 (0.95, 0.99)	0.99 (1.0, 1.0)	0.99 (0.98, 1.0)
③アーチ長	―	0.99 (1.0, 1.0)	0.98 (0.97, 0.99)
④距骨高	―	0.99 (1.0, 1.0)	0.90 (0.80, 0.95)
⑥舟状骨高	0.99 (0.98, 0.99)	―	―
⑥÷③	0.99 (0.97, 0.99)	―	―
⑥÷⑤	0.98 (0.97, 0.98)	―	―

③：第1中足骨頭先端から踵骨後面の距離，⑤：母趾先端から踵骨後面の距離。

表2-5 X線撮影法の計測結果（文献5より引用）

計測項目	平均値±標準偏差	範囲
①CIA（°）	21.0±7.0	0.0〜39.0
②C1MA（°）	133.0±9.0	104.0〜166.0
⑥舟状骨高（mm）	31.1±6.5	10.0〜46.0
⑥÷③	0.18±0.04	0.06〜0.25
⑥÷⑤	0.14±0.03	0.04〜0.19

③：第1中足骨頭先端から踵骨後面の距離，⑤：母趾先端から踵骨後面の距離。

表2-6 MFPBとX線撮影法の相関（文献7より引用）

計測項目	級内相関係数
①足長（母趾先端〜踵骨後面）	0.843
②アーチ長（第1中足骨頭先端〜踵骨後面）	0.600
③舟状骨高	0.973
足長（①）の中点の高さ	0.973
C1MA	0.691
舟状骨高（③）÷足長（①）	0.979
舟状骨高（③）÷足長（②）	0.966

2．X線撮影法

X線撮影法による足部アライメントの信頼性について，退職者を対象にした報告[5]と，足部・足関節に疾患のある連続患者を対象に行った報告[2]を紹介する。X線撮影法の計測結果として前者[5]の結果を示す。X線撮影は両脚立位で行い，外側から撮影した。撮影されたX線をもとに，①calcaneal inclination angle（CIA）："踵骨接地部と踵骨前下端を結ぶ線分"と"水平面"でなす角度，②calcaneal-first metatarsal angle（C1MA）："踵骨接地部と踵骨前下端を結ぶ線分"と"第1中足骨の背側接線"の角度，③アーチ長：踵骨最後部と第1中足骨頭先端の距離，④距骨高："床面から距骨最下端までの距離"を"③"で除した値，⑤足長：踵骨最後部から母趾先端，⑥舟状骨高：水平面から舟状骨最下点までの距離を計測した（図2-2）。

1）X線撮影法の信頼性

Menzら[5]は，退職者95名〔男性31名，女性64名，年齢78.6±6.5歳（62〜94歳），身長161±8 cm，体重69.9±13.3 kg，BMI 26.8±4.4〕から無作為に抽出した20名を対象に，各評価項目の信頼性を算出した。Saltzmanら[2]は，連続患者100名（男性31名，女性69名，年齢46±16歳）を対象に検者内信頼性

2. 画像による足部のアライメント評価

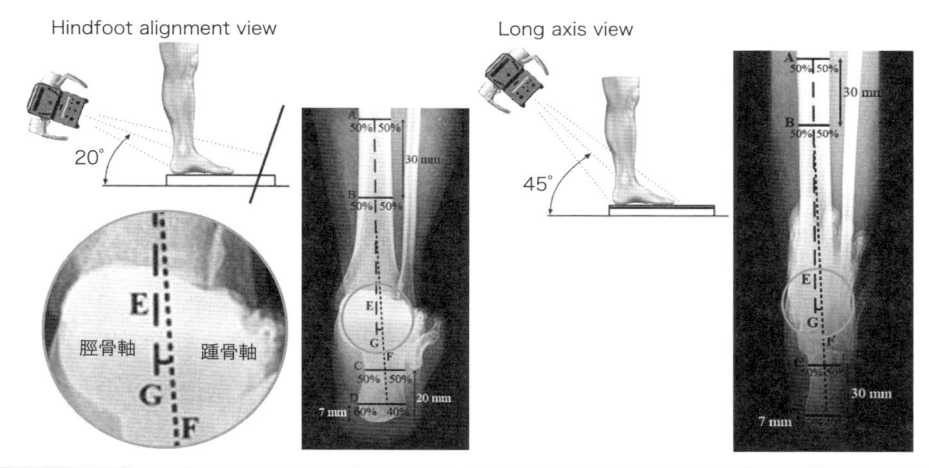

図2-3 踵骨アライメントの計測方法（文献14より改変）
左：Hindfoot alignment view，右：Long axis view。脛骨軸E（線Aの中点と線Bの中点を結ぶ線）と踵骨軸F（線Cの中点と線D上で6：4にある点）でなす角度Gを計測。

（対象は100名中17名）と検者間信頼性（対象は27名）を評価した。その結果を**表2-4**に示す。検者内・検者間信頼性ともに全評価項目の級内相関係数が0.90以上であり、この方法の信頼性は高いことがわかった。

2）X線撮影法の計測結果

X線撮影法における各計測項目の結果を**表2-5**に示す[5]。CIAは21.0±7.0°（範囲0.0～39.0），C1MAは133.0±9.0°（範囲104.0～166.0），舟状骨高31.1±6.5 mm（範囲10.0～46.0）であった。これらの値の範囲が大きかったのは，対象者の平均年齢が高かった（78.6±6.5歳）ためと考えられる。

3. デジタル写真撮影法とX線撮影法の相関

Mallら[7]は，健常者30名（男性15名，女性15名）を対象に，MFPBを用いてデジタル写真撮影法とX線撮影法の相関を算出した（**表2-6**）。計測肢位は90％荷重にて行った。デジタル写真撮影法とX線撮影法の相関が高くなかったのは，アーチ長とC1MAであり，級内相関係数は0.7以下であった。ほかの計測項目の相関は高かった。

C. 後方（踵骨）アライメント評価

足部後方からのX線撮影による踵骨アライメントの評価方法は，数多く報告されてきた[9～16]。しかし，それらの撮影条件や撮影肢位がさまざまであり，評価方法の名称も異なっている[9～16]。ここでは，本レビューに採用した報告に多くみられたhindfoot alignment viewとlong leg calcaneal axial viewについて紹介する。

1. 後方（踵骨）アライメント評価の信頼性

Hindfoot alignment viewやlong leg calcaneal axial viewはさまざまな撮影肢位や撮影方法が用いられており，統一されていない。Reilinghら[14]は，片脚立位と両脚立位の両条件で測定法の信頼性を検証した。対象は健常人18名（男性6名，女性12名），平均年齢29歳（年齢範囲17～52歳）であった。Hindfoot alignment viewの撮影角度は20°で，足部前方にフィルムカセッテを置き，足関節背屈10°で撮影した画像から**図2-3**に示す方法で前額面上の踵骨アライメントを計測した。Long leg calcaneal axial viewの撮影角度は45°で，フィルムカセッ

第1章 足部の解剖学・運動学・アライメント評価

表2-7 踵骨アライメントの検者内・検者間信頼性（文献14より引用）

計測項目	撮影肢位	級内相関係数 検者内信頼性	級内相関係数 検者間信頼性
Hindfoot alignment view	片脚立位	0.91	0.49
	両脚立位	0.72	0.58
Long leg calcaneal axial view	片脚立位	0.91	0.58
	両脚立位	0.93	0.79

表2-8 踵骨アライメントの計測結果（文献15より引用）

撮影肢位	平均値±標準偏差	95％信頼区間
直立位	3.2 ± 7.2	− 11.8, 18.2
自然立位	1.6 ± 7.2	− 13.4, 16.6

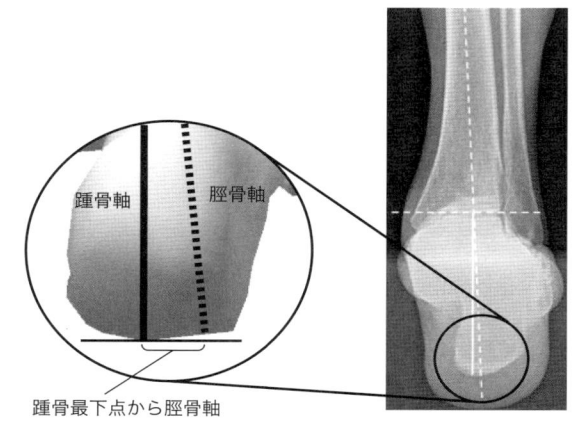

図2-4 踵骨アライメントの計測方法（文献9より改変）
踵骨最下点と脛骨軸（点線）最下点の距離を計測。

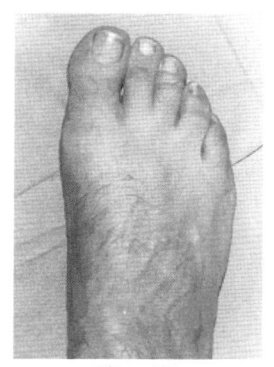

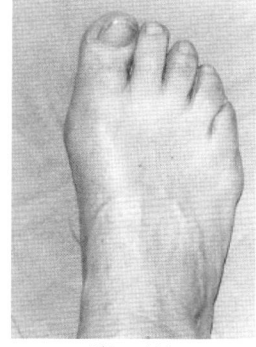

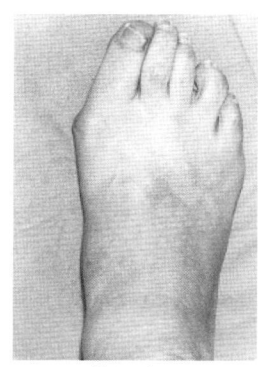

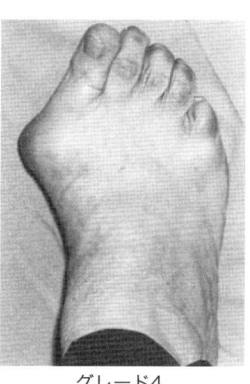

図2-5 Manchester scale（文献17より引用）
グレード1：変形なし，グレード2：軽度の変形，グレード3：中等度の変形，グレード4：重度の変形。

テ上に立ち，足関節背屈10°で撮影し，同様の方法で踵骨アライメントを計測した。検者内・検者間信頼性の結果を**表2-7**に示す。級内相関係数の結果は，long leg calcaneal axial view が hindfoot alignment view よりも高かった。すべての評価方法において，検者間信頼性は検者内信頼性と比較して低かった。

2. 後方（踵骨）アライメント評価の計測結果

上述の報告[14]は，信頼性のみを求めたもので，実際の踵骨アライメントの計測結果の記載はなかったため，これとほぼ同様の方法で計測した Saltzman ら[15]の計測結果を紹介する。対象者は健常ボランティア57名（男性25名，女性32名），年齢40.8 ± 16.9歳（20〜89歳）で，直立位（膝関節伸展位で両足部内側を平行にそろえる）と自然立位（撮影足は直立位と同様で，反対側の下肢を外転・外旋位にした安楽肢位）の2条件で，hindfoot alignment view のみの計測を行った。アウトカムは，下腿荷重線（脛骨長軸）の最下点と踵骨最下点（床面との接触点）の距離であった（**図2-4**）。結果は，直立位における踵骨最下点が荷重線より内側方向へ3.2 ± 7.2 mm，自然立位では内側方向へ1.6 ± 7.2 mm であった（**表2-**

8)。なお，水平面における内側方向への3.2 mmは踵骨内反角度では1～2°に相応する[9]。

D. 前足部アライメント評価

母趾アライメントをX線像から計測する方法とデジタル写真から評価するManchester scale[8, 17]，超音波を用いた中足骨頭アライメントに関する研究[18]を紹介する。Manchester scaleとは，外反母趾の定性的な評価方法であり，母趾に変形のないグレード1から順に軽度変形のグレード2，中等度変形のグレード3，重度変形のグレード4までの4段階で評価される（**図2-5**）。

1. 母趾アライメントの評価方法

代表的な母趾アライメントの評価にhallux valgus angle（HVA），first intermetatarsal angle（IMA），hallux interphalangeal angle（HIA）がある（**図2-6**）。Menzら[8]は，退職者95名（男性31名，女性64名），年齢78.6±6.5歳を対象に，これら計測とManchester scaleとの相関を算出した。

1）母趾アライメントの評価方法の信頼性

HVA，IMA，HIAの検者内・検者間信頼性，Manchester scaleとの相関を**表2-9**[8]に，Garrowら[17]が算出したManchester scaleの検者間一致率を**表2-10**に示す。検者間一致率が最も低かったのはグレード1と2の違いで0.67，

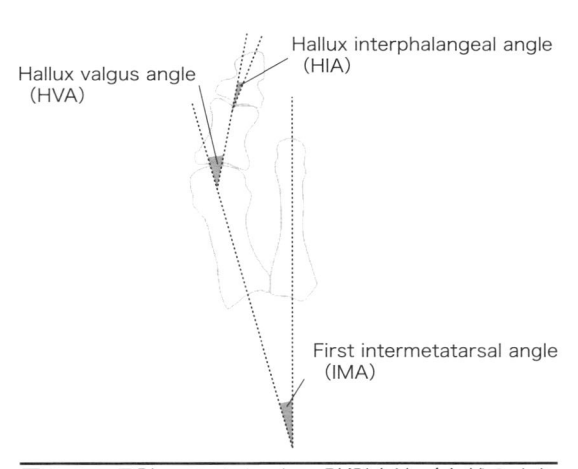

図2-6 母趾アライメントの計測方法（文献8より引用）

最も高かったのはグレード1と4の違いで1.00であった。

2）母趾アライメントの評価方法の計測結果

Manchester scaleによるグレード分類の結果[8]は，グレード1が90足（右48，左42），グレード2が46足（右24，左22），グレード3が36足（右17，左19），グレード4が18足（右6，

表2-10 Manchester scaleの検者間一致率（κ係数）（文献17より引用）

		グレード			
		1	2	3	4
グレード	1	—	—	—	—
	2	0.67	—	—	—
	3	0.95	0.79	—	—
	4	1.00	0.98	0.79	—

表2-9 母趾アライメントの検者内・検者間信頼性，Manchester scaleとの相関係数および計測結果（文献8より引用）

計測項目	級内相関係数（95％信頼区間）		スピアマンの相関係数		平均値±標準偏差（単位：°）	
	検者内信頼性	検者間信頼性	ρ	p	検者1	検者2
HVA	0.99（0.98, 0.99）	0.96（0.91, 0.99）	0.73	<0.01	19.0±11.4	19.6±10.7
IMA	0.92（0.81, 0.97）	0.87（0.70, 0.95）	0.49	<0.01	6.2±3.7	6.7±3.0
HIA	0.87（0.70, 0.95）	0.77（0.51, 0.90）	−0.25	<0.01	10.8±6.0	13.5±6.1

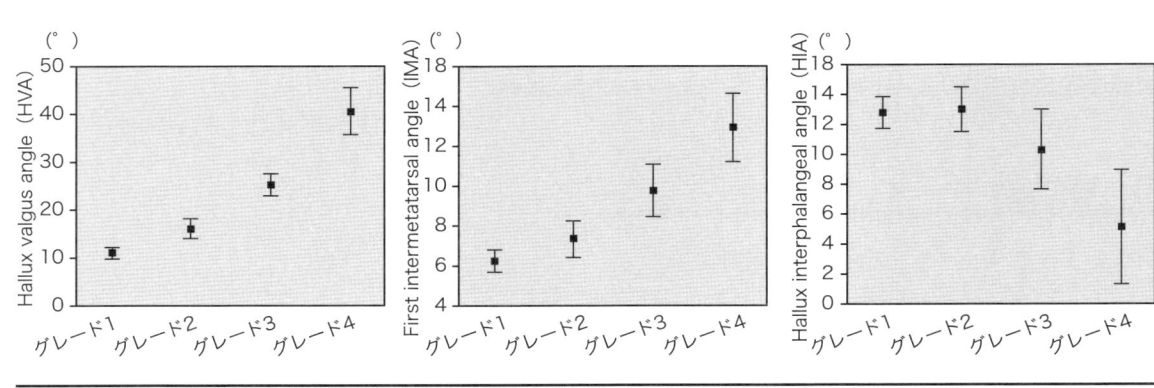

図 2-7　グレード別の各評価項目の平均値 ± 95％信頼区間（文献 8 より引用）
HVA はすべてのグレード間に有意差（$p < 0.001$）が，IMA はグレード 1 とグレード 2 以外のすべてのグレード間に有意差（$p < 0.01$）が，HIA はグレード 4 とグレード 1・2・3 との間に有意差があった。

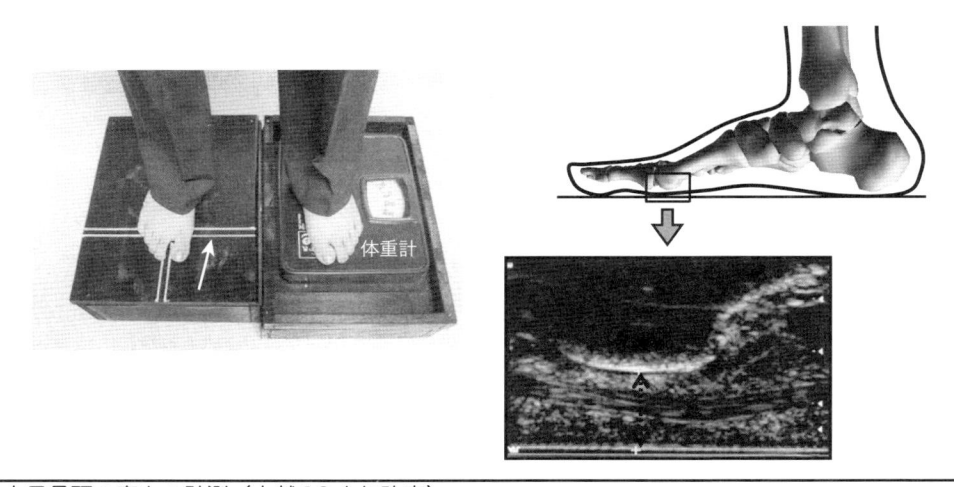

図 2-8　中足骨頭の高さの計測（文献 18 より改変）
左：矢印のラインが交差する部分に各中足骨頭を乗せ，超音波にて各中足骨頭の高さを計測。右：超音波画像（長軸走査）にて，中足骨頭底面までの距離（矢印）を計測。

左 12）であった。全対象者の HVA，IMA，HIA の計測結果を表 2-9 [8)] に，Manchester scale によるスコア別の HVA，IMA，HIA を図 2-7 に示す。HVA はすべてのグレード間に有意差があった（$p < 0.001$）。IMA はグレード 1 とグレード 2 以外のすべてのグレード間に有意差があった（$p < 0.01$）。HIA はグレード 4 とグレード 1・2・3 との間に有意差があった。

2. 中足骨頭アライメント

足部横アーチは中足骨によって形成される。

Wang ら [18)] は，超音波画像を用いて，非荷重位と荷重位の 2 条件で第 1 ～ 5 中足骨頭の高さを計測した。対象者は 25 名（男性 13 名，女性 12 名）で，身長 165 ± 9.3 cm（150 ～ 178 cm），体重 60 ± 13 kg（39 ～ 86 kg），年齢：31 ± 3.1 歳（24 ～ 42 歳），BMI 21.7 ± 2.7 であった。荷重位における中足骨頭高は，図 2-8 に示す装置に両脚立位をとり，床面から中足骨頭底面までの距離を計測した。非荷重位では，腹臥位で各中足骨頭に超音波を当て，中足骨頭底面までの距離を測定した。

表2-11 中足骨頭高の信頼性（文献18より引用）

		検者内信頼性，分散値								
		第1中足骨頭		第2中足骨頭		第3中足骨頭		第4中足骨頭		第5中足骨頭	
非荷重位	右足	0.94	0.035	0.95	0.032	0.95	0.029	0.96	0.029	0.81	0.012
	左足	0.89	0.035	0.87	0.028	0.92	0.031	0.93	0.024	0.74	0.009
荷重位	右足	0.75	0.024	0.72	0.020	0.54	0.010	0.66	0.013	0.30	0.004
	左足	0.72	0.025	0.70	0.022	0.52	0.010	0.49	0.009	0.33	0.005

表2-12 中足骨頭高の計測結果（平均値±標準偏差，単位：mm）（文献18より引用）

		第1中足骨頭	第2中足骨頭	第3中足骨頭	第4中足骨頭	第5中足骨頭
非荷重位	右足	13.4 ± 2.0	12.6 ± 1.8	11.8 ± 1.7	11.0 ± 1.7	10.2 ± 1.3
	左足	14.0 ± 2.1	12.5 ± 1.9	11.7 ± 1.8	11.2 ± 1.6	10.3 ± 1.1
荷重位	右足	10.2 ± 1.8	8.4 ± 1.6	7.6 ± 1.2	7.5 ± 1.3	6.1 ± 1.1
	左足	10.2 ± 2.2	8.4 ± 1.7	7.6 ± 1.2	7.5 ± 1.2	6.3 ± 1.1

1）中足骨頭アライメントの計測の信頼性

25名の対象者のうちの20名（男性9名，女性11名）に対し，再計測を1ヵ月後に行い，検者内信頼性を算出した（表2-11）。非荷重位では第5趾の信頼性がほかの4趾より低いものの，全体として高い信頼性が得られた。荷重位は非荷重位よりも信頼性が低く，そのなかでも第3・4・5趾の信頼性が低かった。

2）中足骨頭アライメントの計測結果

各中足骨頭高の計測結果を表2-12に示す。すべての中足骨頭高は，非荷重位よりも荷重位のほうが低下し，内側の第1中足骨頭高から順に外側の中足骨頭高が低かった。

E. 動的足部アライメント評価

近年の科学技術の発展に伴い，CTやMRIを用いた三次元的な骨アライメント評価や，動的X線投影法などを用いた動的アライメントの評価などが報告されている。しかしながら，現時点で健常足の足部三次元アライメントを評価した論文は

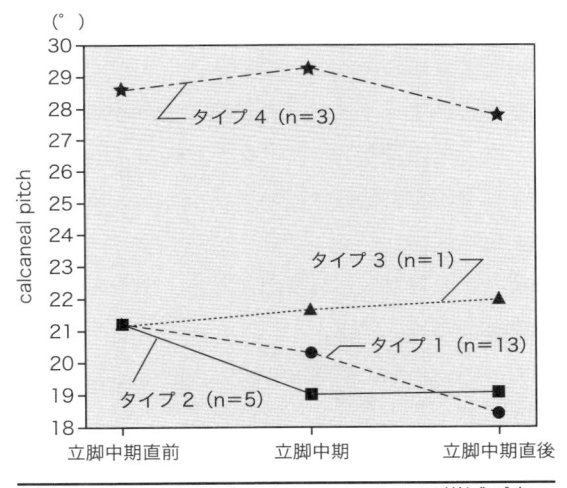

図2-9 歩行立脚期のcalcaneal pitchの増減パターン（文献19より引用）
増減パターンは4つのタイプに分類されたが，立脚中期直前，立脚中期，立脚中期直後の順でcalcaneal pitchが減少していくタイプが最も多かった。

見当たらなかった。足部キネマティクスについては第2章のバイオメカニクスに譲り，ここではビデオX線透視法を用いて歩行立脚中期とその前後の足部アライメントを評価した研究[19,20]を紹介する。Perlmanらは，一度の試技で撮影に成功した健常女性22名のcalcaneal pitch（CP

角：踵骨下縁接線と踵骨遠位端下縁を結んだ線と足底面がなす角度）を計測した。結果は，22名中13名のCP角が立脚中期直前より立脚中期で小さくなり，さらに立脚中期直後でも小さくなった（図2-9）。

F. まとめ

1. すでに真実として承認されていること

- 荷重により内側アーチと横アーチ（中足骨頭）は低下し，足部は前後方向に拡張する。

2. 議論の余地はあるが，今後の重要な研究テーマとなること

- 現時点において評価方法が確立しておらず，統一された評価方法における基準値を明らかにする必要がある。
- 足部外側アライメントの評価方法の考案。
- 三次元での足部アライメント評価の考案。
- 非侵襲的で信頼性の高いアライメント評価方法の確立。
- 健常人を対象として算出した各アライメント評価の参考値。
- 対象者の年齢，性別，BMI，人種などを考慮した足部アライメントの評価方法。

3. 真実と思われていたが実は疑わしいこと

- 従来，専門書などに記載されている標準値や平均値は，質の高い研究から算出されたものではなく，エビデンスレベルとしては低い。

文献

1. Gentili A, Masih S, Yao L, Seeger LL. Pictorial review: foot axes and angles. *Br J Radiol*. 1996; 69: 968-74.
2. Saltzman CL, Nawoczenski DA, Talbot KD. Measurement of the medial longitudinal arch. *Arch Phys Med Rehabil*. 1995; 76: 45-9.
3. Cobb SC, James CR, Hjertstedt M, Kruk J. A digital photographic measurement method for quantifying foot posture: validity, reliability, and descriptive data. *J Athl Train*. 2011; 46: 20-30.
4. McCrory JL, Young MJ, Boulton AJM, Cavanagh PR. Arch index as a predictor of arch height. *The Foot*. 1997; 7: 79-81.
5. Menz HB, Munteanu SE. Validity of 3 clinical techniques for the measurement of static foot posture in older people. *J Orthop Sports Phys Ther*. 2005; 35: 479-86.
6. Razeghi M, Batt ME. Foot type classification: a critical review of current methods. *Gait Posture*. 2002; 15: 282-91.
7. Mall NA, Hardaker WM, Nunley JA, Queen RM. The reliability and reproducibility of foot type measurements using a mirrored foot photo box and digital photography compared to caliper measurements. *J Biomech*. 2007; 40: 1171-6.
8. Menz HB, Munteanu SE. Radiographic validation of the Manchester scale for the classification of hallux valgus deformity. *Rheumatology (Oxford)*. 2005; 44: 1061-6.
9. Frigg A, Nigg B, Davis E, Pederson B, Valderrabano V. Does alignment in the hindfoot radiograph influence dynamic foot-floor pressures in ankle and tibiotalocalcaneal fusion? *Clin Orthop Relat Res*. 2010; 468: 3362-70.
10. Johnson JE, Lamdan R, Granberry WF, Harris GF, Carrera GF. Hindfoot coronal alignment: a modified radiographic method. *Foot Ankle Int*. 1999; 20: 818-25.
11. Melamed EA. Intoeing Harris view for accessory navicular visualization and hindfoot alignment: technique tip. *Foot Ankle Int*. 2010; 31: 1122-4.
12. Mendicino RW, Catanzariti AR, John S, Child B, Lamm BM. Long leg calcaneal axial and hindfoot alignment radiographic views for frontal plane assessment. *J Am Podiatr Med Assoc*. 2008; 98: 75-8.
13. Min W, Sanders R. The use of the mortise view of the ankle to determine hindfoot alignment: technique tip. *Foot Ankle Int*. 2010; 31: 823-7.
14. Reilingh ML, Beimers L, Tuijthof GJ, Stufkens SA, Maas M, van Dijk CN. Measuring hindfoot alignment radiographically: the long axial view is more reliable than the hindfoot alignment view. *Skeletal Radiol*. 2010; 39: 1103-8.
15. Saltzman CL, el-Khoury GY. The hindfoot alignment view. *Foot Ankle Int*. 1995; 16: 572-6.
16. Strash WW, Berardo P. Radiographic assessment of the hindfoot and ankle. *Clin Podiatr Med Surg*. 2004; 21: 295-304, v.
17. Garrow AP, Papageorgiou A, Silman AJ, Thomas E, Jayson MI, Macfarlane GJ: The grading of hallux valgus. The Manchester Scale. *J Am Podiatr Med Assoc*. 2001; 91: 74-8.
18. Wang TG, Hsiao TY, Wang TM, Shau YW, Wang CL. Measurement of vertical alignment of metatarsal heads using a novel ultrasonographic device. *Ultrasound Med Biol*. 2003; 29: 373-7.
19. Perlman PR, Siskind V, Jorgensen A, Wearing S, Squires S. Changes in the calcaneal pitch during stance phase of gait. A fluoroscopic analysis. *J Am Podiatr Med Assoc*. 1996; 86: 322-6.
20. Perlman PR, Dubois P, Siskind V. Validating the process of taking lateral foot x-rays. *J Am Podiatr Med Assoc*. 1996; 86: 317-21.

（生田　太）

3. 足部のアライメント評価（臨床評価）

はじめに

　足部アライメントは種々のスポーツ障害との関連が古くから考えられており，その臨床評価は足部スポーツ障害治療の根幹をなす。特に定量的評価は，足部タイプの境界線を決定するだけではなく，足部アライメント不良の重症度を判断するうえで必要不可欠である。これまで成書で紹介されてきた既存の評価モデルは，評価法が妥当であり，それをもとにアライメントパターンを分類できるという前提の上になり立っている。しかし，近年の研究では，これまでの方法論に疑問が呈されており，各評価法の信頼性や動的アライメント予測能の低さ，「正常足」の定義の不確かさが報告された。また，この40年間にわたって広く受け入れられていたRootら[1, 2]による評価法（後述）の信頼性と妥当性の疑わしさが明らかになってきた。

　本項では，既存の足部アライメントの臨床評価法の実情を明らかにすることを目的に文献レビューを行った。特に，①評価法の詳細（方法，信頼性・妥当性），②足部バイオメカニクス予測能，③足部障害発生予測能の3点に焦点を絞り，そのエビデンスを整理した。

A. 文献検索方法

　文献検索にはPubMedを使用し，2011年8月までに公表された論文の検索を行った。キーワードには「foot」「alignment」「posture」「type」「clinical assessment」「clinical evaluation」「classification」を用いた。文献検索でヒットした論文のうち，①足部スポーツ障害との関連がきわめて薄いもの（例：小児麻痺の足部変形や足部の加齢変形に主眼を置いたもの），②対象者の年齢が小児または高齢者に限局していたものは除外した。また，論文の引用文献リストを参照したハンドサーチも行った。臨床評価は，定性的評価または定規やゴニオメータなどの一般的な器具を用いた評価に限定した。その結果，本項のテーマに合致すると判断された68文献を本レビューに採用した。

B. 信頼性と妥当性

　一定の科学的信憑性をもって足部アライメントの臨床評価を行うにあたっては，信頼でき，かつ妥当な評価法を用いなくてはならない。本項の理解を深めるために，信頼性と妥当性について以下に簡潔にまとめた。

　信頼性は定度や精度，一致度，再現性と同義で，測定値が測定ごとに安定した値を示す度合いを意味する。信頼性は偶然誤差による影響を受け，偶然誤差が大きいほど測定の信頼性が低下する。測定に伴って生じる偶然誤差は，①測定者による誤差，②測定手段による誤差，③対象者による誤差の3つに大別される。信頼性は同じ測定者が同じ測定を繰り返した場合（検者内信頼性），あるいは異なる測定者が同じ測定を実施した場合（検者間信頼性）の結果の一致度として評価される。

　妥当性は真度や正確性と同義で，目的とする真

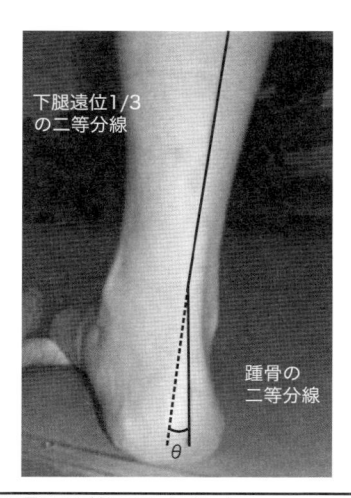

第 1 章 足部の解剖学・運動学・アライメント評価

図3-1 距骨下関節アライメント
下腿遠位 1/3 の横径の二等分線と踵骨横径の二等分線のなす角度 θ を測定する。

の値や現象に測定値がどれほど近いかの程度を表わす言葉である。妥当性はさまざまな場面で用いられる概念であるが，評価法においては，新しい方法による測定結果がゴールドスタンダードとされる既存の測定結果とどれほどよく相関するかが検証される。なお，本レビューの分野においては，便宜上，X線所見を足部アライメント評価のゴールドスタンダードとすることが多く，それに対して臨床評価の結果がどれほどの相関を示すかが検証されていた。妥当性はバイアス（系統誤差）の影響を受け，バイアスが大きいほどその変数の妥当性は低下する。バイアスはその発生源の観点から，①測定者バイアス，②測定手段バイアス，③対象者バイアスの3つに大別される。

C. 足部アライメントの臨床評価の歴史的変遷

足部アライメントの臨床評価は，靴を作製する際に足のサイズと形状を測定したことに端を発するといわれる[3]。18世紀から19世紀にかけては，民族性や職業，ときに宗教と関連づけた足部アライメントの分類が行われることもあった[4]。1930年，Morton[5]は，第2趾に比べ第1趾が短い"モートン足"という概念を主張したが，これは一般的な足部の解剖学的特徴であり，必ずしも足部疾患を誘起しないことが後に示された[6]。1949年にはHiss[7]がより合理的な足部タイプ分類を発表した。これはアーチ高に応じて足部を「柔らかい足」と「かたい足」に分類するものであり，現在でも部分的に浸透している。

足部アライメントの評価法のなかで最もよく知られ用いられてきたものは，Rootら[1,2]の方法（後述）であろう。前足部と後足部のなす角度の測定こそ，既存の足部アライメント評価の礎であるといえる。Rootらの分類の根幹には，機能的破綻による過度の回内足が種々の下肢障害（例：外反母趾[8]，膝痛[9,10]，シンスプリント[11]）を引き起こすという概念がある。今日では，彼らの概念に準ずる臨床評価法が数多く存在する。以降の文献レビューでは，既存の臨床評価法を①人体計測学的評価，②フットプリント，③評価スケールの3つのカテゴリーに分類し，それぞれ詳細に解説する。

D. 人体計測学的評価

人体計測学的評価のカテゴリーにおいて，角度や長さのようなパラメータを通して足部のアライメントを規定する評価法を分類した。

1. 関節角度測定

関節角度の測定はリハビリテーションにおける基本的な評価プロセスであり，治療の選択や効果判定に際して定量的な情報を与えてくれる。足部もその例外ではなく，なかでもRootら[1,2]が提唱した「距骨下関節アライメント」と「前足部アライメント」は，現在も広く用いられている簡便な評価法である。

3. 足部のアライメント評価（臨床評価）

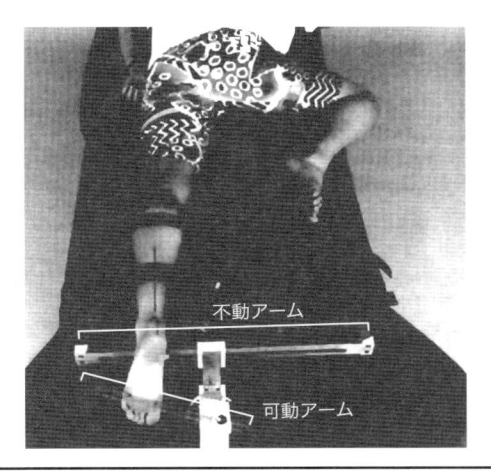

図3-2 距骨下関節中間位の測定肢位
測定側の足部が検査台から出るよう対象者を腹臥位にさせる。対側下肢は開排・膝屈曲させて「4の字」の形にする。これにより測定側下肢の踵骨を純粋な前額面上で操作しやすくする。図の下部は前足部アライメント測定用の特殊ゴニオメータで、ベッド端と平行に設置されているのが不動アーム、足底面に当てられているのが可動アームである。

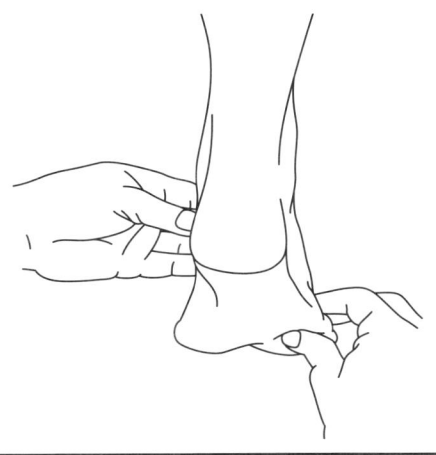

図3-3 距骨下関節中間位の決定（距骨頭の触診）
距骨頭の触診によって距骨下関節中間位を決定することが多い。第4・5中足骨頭を片手で把持し、もう一方の手の母指と示指で距骨頭の内外側をつまむ。足部の回内・外を全可動域にわたって反復した際、距骨頭の内外側のエッジが均等に触れる肢位を距骨下関節中間位とする。

1）距骨下関節アライメント

　距骨下関節アライメントは、下腿遠位1/3の横径の二等分線と踵骨横径の二等分線のなす角度を測定することで評価する（**図3-1**)[12]。なお、荷重位と非荷重位ではその方法が異なる。

　非荷重位では距骨下関節中間位における角度を測定する。測定に際しては、対象者を腹臥位にさせて足部を検査台から出す。対側下肢は開排・膝屈曲させて「4の字」の形にすることにより、測定側下肢の踵骨を純粋な前額面上で操作しやすくする（**図3-2**)[13]。距骨下関節中間位は、以下の5つの方法のいずれかで決定される。

　①距骨頭の触診（**図3-3**)：第4・5中足骨頭を片手で把持し、もう一方の手の母指と示指で距骨頭の内外側をつまむ。足部の回内・回外を全可動域にわたって反復した際、距骨頭の内外側のエッジが均等に触れる肢位を距骨下関節中間位とする[14]。距骨下関節中間位を決定するにあたって最もよく用いられる方法である。

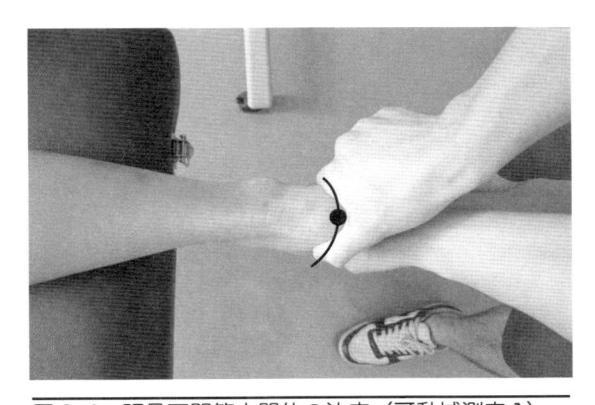

図3-4 距骨下関節中間位の決定（可動域測定1）
距骨に対して踵骨を全可動域にわたって回内・回外させた際、踵骨がその運動アーチの頂点に位置した肢位を距骨下関節中間位とする。

　②可動域測定1（**図3-4**)：距骨に対して踵骨を全可動域にわたって回内・回外させた際、踵骨がその運動アーチの頂点に位置した肢位を距骨下関節中間位とする[15]。

　③可動域測定2（**図3-5**)：距骨に対して踵骨を全可動域にわたって回内・回外させた際、その

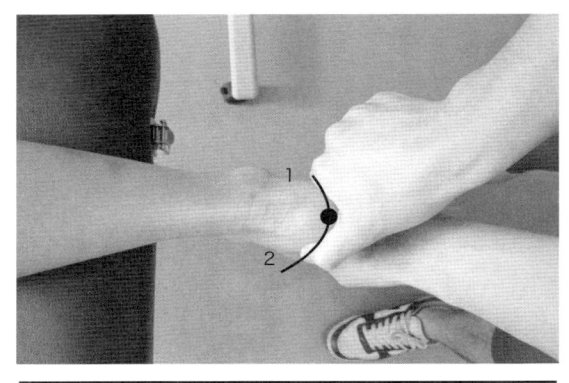

第1章　足部の解剖学・運動学・アライメント評価

図3-5　距骨下関節中間位の決定（可動域測定2）
距骨に対して踵骨を全可動域にわたって回内・外させた際，その総可動域を回内：回外＝1：2に分かつ肢位を距骨下関節中間位とする。

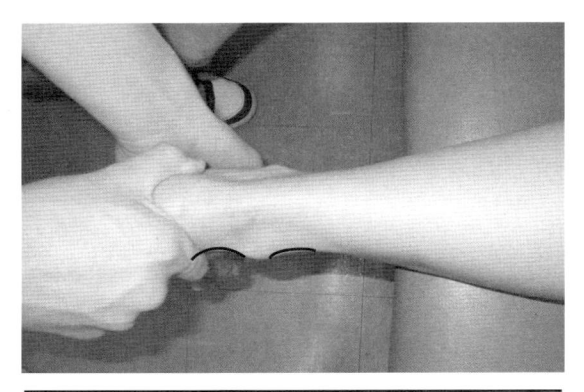

図3-6　距骨下関節中間位の決定（外果上下のカーブの観察）
足部後方から外果上下のカーブの形状を観察したとき，2つのカーブの形状が同等である肢位を距骨下関節中間位とする。

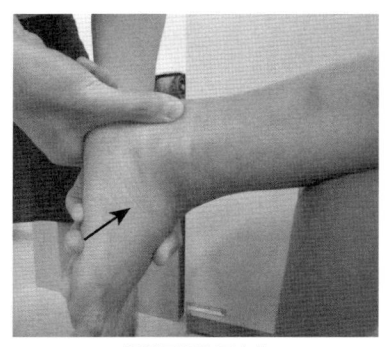

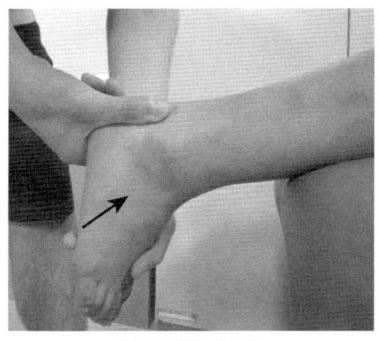

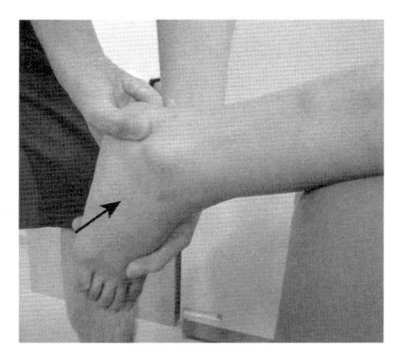

距骨下関節回内位　　距骨下関節中間位　　距骨下関節回外位

図3-7　距骨下関節中間位の決定（足根洞上の皮膚観察）
足根洞上の皮膚を観察する。距骨下関節回内位であれば皮膚にしわが寄り，回外位であれば皮膚は伸張される。足根洞上の皮膚にしわおよび伸張感のいずれも認められない肢位を距骨下関節中間位とする。

総可動域を回内：回外＝1：2に分かつ肢位を距骨下関節中間位とする[2]。

④外果上下のカーブの観察（図3-6）：足部後方から外果上下のカーブの形状を観察する。外果上部のカーブが大きければ距骨下関節回外位，外果下部のカーブが大きければ距骨下関節回内位と判断できる。2つのカーブの形状が同等である肢位を距骨下関節中間位とする[1]。この方法は，足部の浮腫や肥満の影響で距骨頭の触診が困難な症例を評価する場合に有用である[16]。

⑤足根洞上の皮膚観察（図3-7）：足根洞上の皮膚を観察する。距骨下関節回内位であれば皮膚にしわが寄り，回外位であれば皮膚は伸張される。足根洞上の皮膚にしわおよび伸張感のいずれも認められない肢位を距骨下関節中間位とする[12]。

荷重位では距骨下関節アライメントをneutral calcaneal stance position（NCSP）とresting calcaneal stance position（RCSP）の2つの肢位で評価する（図3-8）[12]。NCSPは立位における距骨下関節中間位であり，主に距骨頭の触診によって決定される。RCSPは安静立位時の距骨下関節アライメントのことで，歩行立脚相において足部が

3. 足部のアライメント評価（臨床評価）

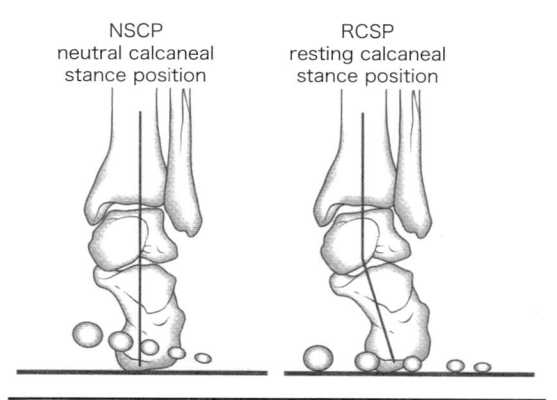

図3-8 荷重位での距骨下関節アライメント
Neutral calcaneal stance position は立位における距骨下関節中間位，resting calcaneal stance position は安静立位時の距骨下関節アライメントのことである。

表3-1 距骨下関節アライメント評価の信頼性

評価法	報告者 （発表年）	検者内 信頼性	検者間 信頼性
STJN （可動域測定）	Elveru (1988)	0.77	0.25
	Picciano (1993)	0.27/0.06	0.00
STJN （距骨頭触診）	Smith-Oricchio (1990)	—	0.60
	Astrom (1995)	0.91/0.35	0.36
RCSP	Smith-Oricchio (1990)	—	0.91
	Astrom (1995)	0.89/0.74	0.59
NCSP	Picciano (1993)	0.14/0.18	0.15

どれほど回内するかを表わす指標となる。

かつては，距骨下関節中間位（subtalar joint neutral position：STJN）は下腿と踵骨それぞれの二等分線が平行となる肢位と定義され[12]，理想的な足部のアライメントであると理解されていた[1, 2]。しかし，近年そのような「正常足」の定義に疑問が出された。Astromら[13]は，足部疾患の既往のない健常者121名（男性59名，女性62名，年齢範囲20～50歳）を対象に距骨下関節アライメントの評価を行った。距骨下関節中間位は距骨頭の触診もしくは可動域測定によって規定された。測定は経験のある理学療法士が一般的なゴニオメータを用いて行った。その結果，距骨下関節アライメントの基準値は，非荷重位ではおよそ1°回外位（可動域測定）～2°回内位（距骨頭触診），RCSPは7°回内位であった。このように，いずれも0°になっていないことから，「正常足」の定義は誤った理論に基づくものであると結論づけられた。

本評価法のバイオメカニクス予測能については報告が少ない。McPoilら[17]は，健常成人27名（男性9名，女性18名，平均年齢26.1歳）を対象に静的足部アライメント評価と歩行中の足部キ

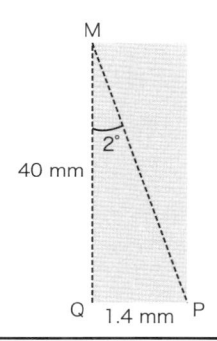

図3-9 マーカーの太さによる誤差
太さ1.4 mm のフェルトペンで長さ40 mm の直線を書くと（網かけ部分），2°の誤差が生じる。

ネマティクスの関連性を調査した。その結果，距骨下関節アライメントと歩行中の後足部最大回内角度との間に関連は認められず，足部の動的機能を予測しないことが示された。

信頼性については，概して低から中等度の値しか報告されておらず，臨床的にも用いられることの多い本法の測定値は疑わしいものであることが明らかになった（**表3-1**）。この原因としては，ゴニオメータを用いた評価法の信頼性の低さ[18]や関節運動に伴う皮膚の運動による誤差[19]などが考えられる。また，意外にも評価に用いるペンの太さも評価結果に多きな影響を及ぼす。例えば，

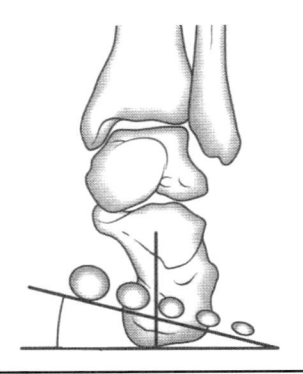

図3-10 前足部アライメント
第1・5中足骨を結んだ線と下腿に対する垂線のなす角度を距骨下関節中間位にて測定する。

表3-2 関節角度測定に基づく足部タイプ分類

Rootらの足部タイプ分類のシェーマ			
評価	足部タイプ		
	回内足	正常足	回外足
RCSP	4°外反以上	2°内反〜2°外反	0°内反以上
STJN	—	2°内反〜2°外反	4°内反以上
前足部アライメント	4°内反以上	2°内反〜2°外反	4°外反以上

図3-9から1.4 mmの太さのフェルトペンで長さ4 cmの直線を書いた場合，2°の誤差を生じる可能性があることがわかる[20]。実際，臨床的に踵骨の二等分線を書く方法は低い信頼性や妥当性しか示されていない[21]。身体のなかでも最も複雑な形状をしている距骨下関節のアライメントを前額面のみで評価しようとすること自体に問題があると考えられる[12]。

2) 前足部アライメント

前足部アライメントは，第1・5中足骨頭を結んだ線と下腿に対する垂線のなす角度を，距骨下関節中間位にて測定する（**図3-10**）[13]。測定肢位は，先の非荷重位での距骨下関節アライメント評価と同じである。角度測定に用いるゴニオメータは**図3-2**のようなベッドに固定するタイプのもので，不動アームがベッド端と平行に設置されており，可動アームが前足部の角度に応じて動くようになっている。これにより，評価の標準化を図るとともに，検者が一方の手で距骨下関節を中間位に保持した状態で角度を測定することが可能となる。前足部アライメントの基準値は約6〜8°内反位であった[13]。Garbalosaら[22]は，健常者120名（男性26名，女性94名，年齢範囲16〜65歳）の87％の前足部が内反位であったと報告した。ただし，前述のAstromら[13]の研究では検者内信頼性が0.92／0.85，検者間信頼性が0.56であり，距骨下関節アライメントと同様に検者間信頼性が低かった。

関節角度測定は臨床的に最も頻繁に用いられる足部アライメントの評価法であるが，その信頼性は低いことが示された。Rootら[1]は，2つの評価法から足部のタイプを分類する**表3-2**のようなシェーマを考案したが，信頼性の低い評価に基づく分類といえる。また，これらの評価法のバイオメカニクス予測能や障害発生予測能については，ほとんど検証されなかった。

2. アーチ高

内側縦アーチの高さの測定は，長い間，足部のタイプを分類する方法として用いられてきた。これは，扁平足を呈した症例において足部疾患の発生率が高いという経験則に基づくものであると考えられる。アーチ高は，足長の半分の地点での床から足背までの高さを一般的な定規やキャリパーなどで測定する（**図3-11**，**図3-12**）[23]。一方，アーチ高比はアーチ高を切頂足長（**図3-12**）で除して算出する。切頂足長で除することにより，外反母趾に代表される中足趾節関節遠位のアライメント不良の影響を最小限にすることができる。

3. 足部のアライメント評価（臨床評価）

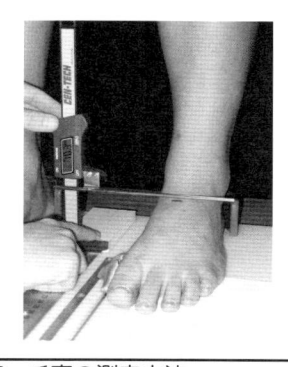

図3-11 アーチ高の測定方法
アーチ高の測定には，定規や電子キャリパーが用いられる。

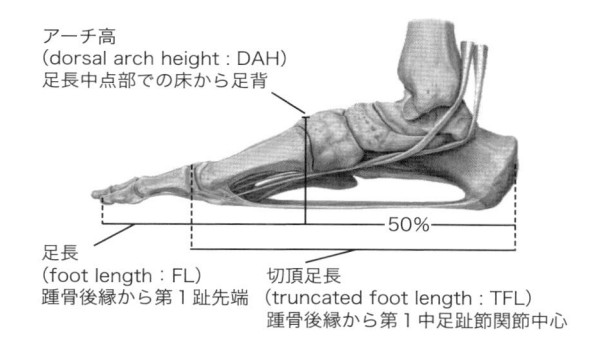

図3-12 アーチ高
アーチ高は足長の半分の地点での床から足背までの高さを指す。アーチ高比はアーチ高を切頂足長で除した値である。

表3-3 アーチ高・アーチ高比の信頼性・妥当性

報告者（発表年）		アーチ高			アーチ高比		
		検者内信頼性	検者間信頼性	X所見との相関	検者内信頼性	検者間信頼性	X所見との相関
Williams (2000)	10 % PWB	0.94/0.96	0.79	0.84	0.94/0.95	0.81	0.84
	90 % PWB	0.98/0.98	0.77	0.81	0.98/0.97	0.85	0.85
Franettovich (2007)	50 % PWB	0.99	0.93	—	0.98	0.91	—

なお，アーチ高とアーチ高比のいずれも，その値が高いほど足部アーチが高いと理解する。

アーチ高の信頼性と妥当性については，肯定的な報告が多い。Williamsら[23]は，健常者51名（男性23名，女性28名，19～43歳）を対象に，アーチ高およびアーチ高比を調査した。評価に際しては荷重量の影響を考慮し，部分荷重量をそれぞれ体重の10 %（以下，10 % PWB）と90 %（以下，90 % PWB）にて測定を行った。妥当性の検証では，X線側面像のデータとの比較を行った。なお，信頼性調査は全対象者のうちの10名20足，妥当性調査は10名の右足10足を対象とした。表3-3に示すように，比較的高い信頼性と妥当性が示された。また，アーチ高比はアーチ高よりも検者間信頼性が高く，長さそのものよりもその比として正規化したほうがよいようである。なお，一部では舟状骨高をアーチ高とした研究もあることから，この研究では舟状骨高で測定した場合の信頼性と妥当性も検証された。その結果，検者内信頼性こそアーチ高よりもわずかに高かったものの（10 % PWB：0.98／0.98，90 % PWB：0.98／0.97），90 % PWBにおける検者間信頼性が低い（舟状骨高0.61，舟状骨高比0.56）ことが示された。このことから，舟状骨ではなく足背を測定ポイントとするほうが適切であると考えられる。Franettovichら[24]は50 % PWBにて同様の調査を行ったが，アーチ高において，やはり高い信頼性が示された（表3-3）。McPoilら[25]は，健常学生および軍士官学校生850名（男性393名，女性457名，平均年齢26.7 ± 6.4歳，平均身長171.7 ± 9.7 cm，平均体重72.3 ± 14.1 kg，平均BMI 24.4 ± 3.5）を対象にアーチ高を測定したところ，その平均値は6.47 ± 0.62 cmであったと報告した。また，同

第1章 足部の解剖学・運動学・アライメント評価

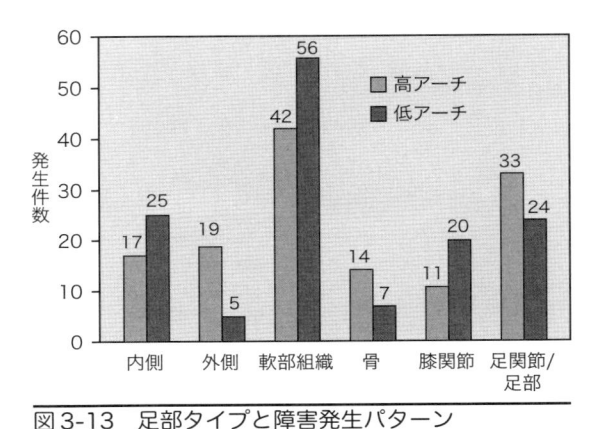

図3-13 足部タイプと障害発生パターン
内側：膝関節・足関節・足部の内側部に生じた障害，外側：膝関節・足関節・足部の外側部に生じた障害，軟部組織：膝関節・足関節・足部のいずれかの軟部組織に生じた障害，骨：膝関節・足関節・足部のいずれかの骨に生じた障害，膝関節：膝関節に生じた障害，足関節/足部：足関節・足部に生じた障害。

研究内では非常に高い信頼性が示されており（検者内信頼性0.98，検者間信頼性0.98），ほかの先行研究と同様の結果であった。

本評価法の各種予測能については，不明な部分が多い。バイオメカニクス予測能に関しては研究数が少なく，一定の見解は得られていない。Cornwallら[26]は，アーチ高と足部可動性（荷重時および非荷重時のアーチ高の差として算出）の関連性を調査し，高アーチ足ほど可動性が乏しく，低アーチ足ほど可動性が高いと報告した。障害発生予測能に関する前向き研究はないものの，Williamsら[27]の報告からは足部アーチと障害発生パターンとの関連性が示唆された。彼らはランニング障害既往を有するランナー40名（18～50歳）を，高アーチ群20名（男性10名，女性10名）と低アーチ群20名（男性8名，女性12名）に割り付け，全対象者の既往歴を詳細に聴取した。なお，割り付けの基準は先行研究[23]の結果を参考にし，アーチ高比が0.356以上を高アーチ群，0.275以下を低アーチ群とした。その結果，群間で明らかな障害発生パターンの相違を認めた（**図3-13**）。①高アーチ群では下肢外側部障害が多く，低アーチ群では下肢内側部障害が多い（$\chi^2 = 9.22$，$p = 0.002$），②高アーチ群では下肢骨障害が多く，低アーチ群では下肢軟部組織障害が多い（$\chi^2 = 3.94$，$p = 0.047$），③高アーチ群では足関節/足部障害が多く，低アーチ群では膝関節障害が多い（$\chi^2 = 4.03$，$p = 0.045$）。高アーチ群で頻発した障害は脛骨疲労骨折や第5中足骨疲労骨折，足底腱膜炎であり，低アーチ群では後脛骨筋炎や第2・3中足骨疲労骨折，足底腱膜炎であった。

静的なアーチ高の測定は，満足できる信頼性と妥当性を有した評価法である。特に，一貫して信頼性が高い理由としては，測定部位が明確であることが考えられる。ただし，バイオメカニクスや障害リスクとの関連については検証が不十分であるため，今後の報告が待たれる。

3. Navicular drop test, Navicular drift test
1) Navicular drop test

Navicular drop testは，ランナーの足部回内の評価法としてBrody[28]により考案された。まず対象者に距骨下関節中間位での両脚立位をとらせ，その際の床から舟状骨粗面までの高さを測定する。距骨下関節中間位は，検者が距骨頭を触診して決定する。次に，対象者にはリラックスした安静立位をとるよう指示し，その際の床から舟状骨粗面までの高さを測定する。したがって，navicular drop testはNCSPからRCSPまでの舟状骨粗面の変位量を測定することと同じである。なお，距離の測定には**図3-14**のような紙や一般的な定規が用いられる。舟状骨粗面の矢状面上の変位は，靱帯と筋腱による内側縦アーチの保持が不十分であることによる距骨下関節の過度の回内を表わしていると考えられる[29]。また，踵骨に対する距骨の底屈の度合いを示唆するとした報告もある[30]。Brodyは，舟状骨粗面の変位量は正常が10 mm程度で，15 mmを超えると異常

3. 足部のアライメント評価（臨床評価）

であると述べた．その他の研究では，異常値はそれぞれ 13 mm [31]，10 mm [32] とされた．ただし，これらはすべて年齢層が限定された対象数が少ない調査に基づく結果であり，標準的な異常値とできるだけのエビデンスレベルを有しているとはいえない．また，いずれの研究も足部のサイズを考慮しておらず，経験則に基づく値にすぎない．例えば，足部のサイズが小さい症例では 15 mm の変位量を異常値とするのも納得できるが，足部のサイズが大きい症例ではさほど問題にはならないであろう．

Navicular drop test は，従来の前額面上での足部アライメント評価に比べて，より妥当な後足部肢位の指標であることが示された．X線ステレオ写真測量手法を用いた解析結果によると，後足部回内・回外運動において最も大きな役割を占めているのは距舟関節であった[33, 34]．これらの結果は，距骨下関節に着目していた従来の後足部運動に対する理解と矛盾し，本評価法の有用性を支持するものである．McPoil ら[35]は，健常者 18 名を対象に足部の臨床検査を行い，前額面での後足部運動パターンのビデオ分析結果と比較した．数ある臨床評価のなかで後足部運動パターンとの有意な関連性が示されたのは navicular drop test のみで，従来の関節角度測定は低い予測能しか認められなかった．その一方で Dicharry ら[36]は，navicular drop test のバイオメカニクス予測能を否定した．Navicular drop test の結果に基づいて男女健常ランナー 72 名（平均年齢 34 ± 11 歳）を3群に割り付け，歩行時の足部運動の比較を行ったところ差を認めなかった．このことから，歩行時のバイオメカニクスには足部アライメント以外の因子が関与すると結論づけた．

Navicular drop test の信頼性についての報告には，ばらつきがみられる（**表3-4**）．Mueller ら[32] は，健常者 29 名（男性 7 名，女性 22 名，年齢範囲 21 ～ 31 歳）を対象に navicular drop

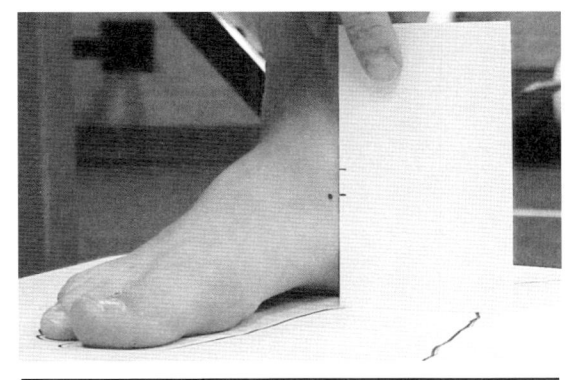

図3-14 Navicular drop test
Neutral calcaneal stance position（NCSP）から resting calcaneal stance position（RCSP）までの舟状骨粗面の変位量を測定する．

表3-4 Navicular drop test の検者内・検者間信頼性

報告者（発表年）	検者内信頼性	検者間信頼性
Mueller（1993）	0.78～0.83	—
Picciano（1993）	0.61/0.79	0.57
Sell（1994）	0.83	0.73
Shultz（2006）	0.95	0.67

test の検者内信頼性を調査したところ 0.78 ～ 0.83 であったとした．また，回帰分析の結果，距骨下関節中間位アライメントが navicular drop test の結果に最も関連することが示された．Sell ら[37] も健常者 30 名（男性 8 名，平均年齢 25 ± 5.1 歳，女性 22 名，平均年齢 24 ± 3.6 歳）を対象に信頼性を検証したところ，検者内信頼性が 0.83，検者間信頼性が 0.73 と比較的高い値が示された．Shultz らの報告[38] では，検者内信頼性は 0.95 と高かったものの，検者間信頼性は 0.67 と低かった．Picciano ら[30] は健常者 15 名（平均年齢 27 歳）を対象に信頼性を検証したところ，検者内が 0.61 / 0.79，検者間が 0.57 と概して低～中等度の値が示された．ただし，本研究の検者はいずれも臨床経験のない理学療法学科の学生であり，研究直前に2時間練習しただけの技量であったことに注意が必要である．

表3-5 Navicular drop test の障害発生予測能

報告者（発表年）	対象	疾患	結果
Buist（2010）	ランナー	脛骨過労性骨膜炎	○（女性のみ）
Hubbard（2009）	NCAA アスリート		×（8.6 mm vs. 7.8 mm）
Raissi（2009）	陸上		○ 右：6.08 mm vs. 5.14 mm 左：6.46 mm vs. 5.00 mm
Plisky（2007）	クロスカントリー （＞10 mm vs. ＜10 mm）		×
Reinking（2007）	クロスカントリー （＞10 mm vs. ＜10 mm）	エクササイズによる下肢痛	×

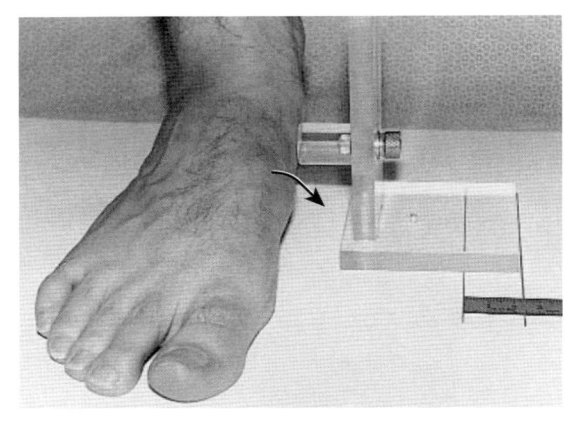

図3-15 Navicular drift test
Neutral calcaneal stance position (NCSP) から resting calcaneal stance position (RCSP) までの舟状骨粗面の内側への変位量を測定する。

障害発生予測能については，主に脛骨過労性骨膜炎（medial tibial stress syndrome）を対象疾患とした調査が行われていた[39〜43]。結果は表3-5に示したとおりで，コンセンサスは得られていない。

Navicular drop test は，成書でも紹介されることの多い一般的な足部アライメントの評価法である。ただし，その検者間信頼性はいずれも低〜中等度であった。この理由としては，可動範囲がそれほど大きくない舟状骨の変位量を定規を用いてミリ単位で測定しなければならないこと，信頼性が低いとされる距骨下関節アライメントに評価肢位が依存していること[32]などが考えられる。したがって，本評価法のバイオメカニクス予測能や障害発生予測能を理解する際には，信頼性に疑わしさがあることを念頭に置くべきである。

2）Navicular drift test

Navicular drop test に類似した評価法にnavicular drift test[3]がある。本評価法は，NCSPからRCSPまでの舟状骨粗面の内側への変位量を図3-15のような器具を用いて測定する。舟状骨粗面の「内側へのドリフト」は，回内足に伴う足部内側の突出を定量的に測定する指標である。歩行において，舟状骨は上下だけではなく，内外側にも動くとされる[44]。したがって，舟状骨粗面の上下方向の運動のみを検出するnavicular drop test に比べ，より実際に近い舟状骨運動をとらえることができると考えられる。ただし，舟状骨粗面の水平面上での変位量は比較的小さく，障害リスクの線引きができるかについては疑問が残る。また，発表から10年以上も経過したが，いまだに基準値などについては報告がなく，信頼性も低い値（検者内信頼性0.46，検者間信頼性0.54）[45]しか示されていない。

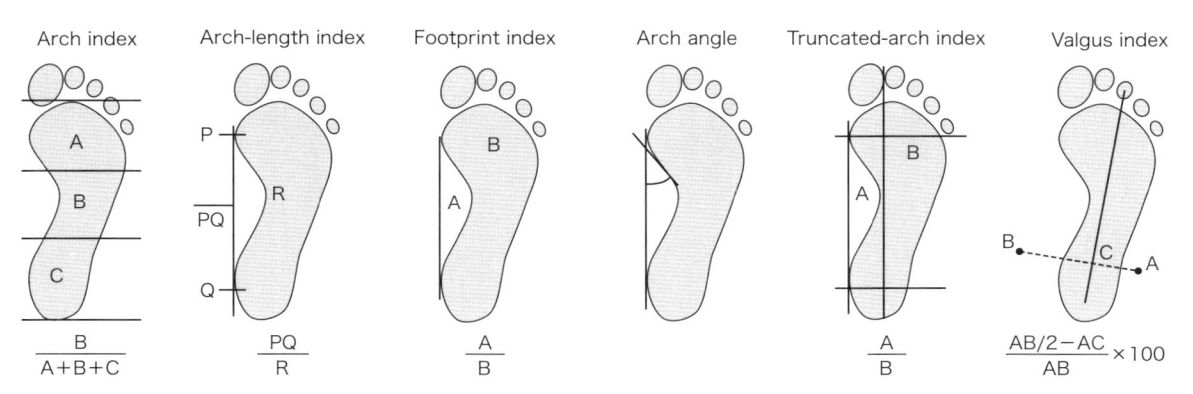

図3-16 各種のフットプリントによる評価

E. フットプリント

　フットプリントとは，足底面にインクを塗り，紙の上で左右均等に荷重した両脚立位をとり，できた足跡から足部のアライメントを推定する方法である。その観察と分類は，いまもなおこの分野の研究で用いられている。**図3-16**にこれまでに考案されたフットプリントによる足部アライメントの評価法を示した。いずれも，前提として足部のアライメントや機能に関する情報はフットプリントの角度や面積に反映されるということがある[46]。

1. Arch index

　Arch indexは，1987年にCavanaghら[47]によって報告された評価法である。得られたフットプリントの踵後縁の中央から第2中足骨頭間の距離を3等分し，**図3-16左**のようにフットプリントを3つのエリアに分割する。このとき，エリアA，B，Cの総面積に占めるエリアBの割合がarch indexとなる。例えば，足部が回内していればフットプリントのエリアBは大きくなるためarch indexも大きくなり，足部が回外していれば中央エリアBは小さくなるためarch indexは小さくなる。したがって，arch indexが大きいということは回内足，小さいということは回外足であると判断できる。なお，Cavanaghら[47]は，健常者107名（男性66名，女性41名，平均年齢30.1±9.85歳，平均身長1.74±0.11 m，平均体重70.1±14.6 kg，足長25.8±0.19 cm）のarch indexの平均値は0.230±0.0463であったと述べた。

　Arch indexの信頼性と妥当性についてはコンセンサスが得られていない。Hawesら[48]は，成人男性115名（年齢範囲20.4〜71.4歳）を対象にarch indexとアーチ高の関連を調査したが，有意な相関関係は認められなかった。なお，arch indexの検者内信頼性は0.93，検者間信頼性は0.91であった。一方，McCroyの研究[49]では，健常者45名（男性31名，女性14名，平均年齢63.3±13.1歳）における舟状骨高の分散の50％をarch indexが予測することが示されたことから，arch indexはアーチ高の間接的な評価法として有用であると結論づけた。

　バイオメカニクス予測能についての報告は少ないが，疑わしいものと考えられる。Knutzenら[50]は，健常成人20名（年齢範囲22〜41歳）のarch indexを調査し，歩行中の後足部運動との関連を検証したが，初期接地時および立脚相の最大後足部角度との相関は認められなかった。

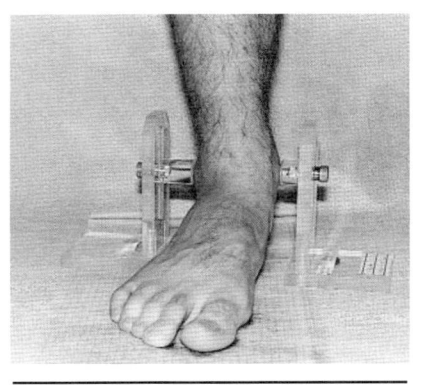

図3-17 Valgus indexの測定キット

表3-6 Foot Posture Index（FPI-6）

	評価項目	運動面	左 （−2〜+2）	右 （−2〜+2）
後足部	1. 距骨頭アライメント	水平面		
	2. 外果上下のカーブ	前額/水平面		
	3. 踵骨内・外反	前額面		
前・中足部	4. 距舟関節周囲の突出	水平面		
	5. 内側縦アーチの形状	矢状面		
	6. 前足部の内・外転	水平面		
	合　計			

2. Valgus index

Valgus indexは，踵部支持基底面に対する足関節の前額面上の変位を表す指標である[51]。評価に先立ち，フットプリントに外果投影点のA，内果投影点のB，この線ABと足部の二等分線の交点であるCの3つの点を規定する（**図3-16右**）。なお，評価の際には**図3-17**のような測定キットを使用し，内・外果の投影点を決定する。3点が決定したら，ABの半分の距離からACを引いた値をABで割り，それに100をかけた値がvalgus indexである（**図3-16右**）。仮に足部が回内していれば内果投影点Bがより内側に変位するため，valgus indexは正の値をとりやすくなる。反対に，足部が回外していれば内果投影点Bがより外側に変位するため，valgus indexは負の値をとりやすくなる。したがって，valgus indexが正の値であれば回内足，valgus indexが負の値であれば回外足であると判断できる。

本法は時間を要する評価ではあるが，その信頼性は高い。Thomson[52]は，2回の評価での同一検者内の測定誤差は±2.5であったと報告した。Songら[53]の報告でも，検者内信頼性が0.98，検者間信頼性が0.97と高い値が示された。しかし，本評価法の妥当性や基準値などについては不明で，バイオメカニクス予測能についてもいまだに検証されていない。障害リスクとの関連については，Burnsらの報告[54]のみであった。彼らはトライアスロン選手131名（男性91名，女性40名，年齢範囲18〜65歳）を対象に，足部アライメントとオーバーユース障害発生の関連性について調査を行った（プレシーズン6ヵ月間・シーズン10週間）。調査期間において，オーバーユース障害は155件発症し，うち約30%が足関節・足部の障害であった。発症群と非発症群の間でvalgus indexに差はなく（プレシーズン：発症群10.1±7.2 vs. 非発症群11.0±8.3，シーズン：発症群10.2±7.5 vs. 非発症群11.0±8.2），障害発生予測能は乏しいことが示唆された。

上記のレビューと測定に要する時間や器具などを考慮すると，フットプリントの臨床的有用性は低いと考えられる。また，その妥当性やバイオメカニクス予測能，障害予測能についてはほとんど情報がなく，評価結果の解釈が困難である。

F. 評価スケール

1. Foot posture index

足部アライメントの臨床評価における代表的な評価スケールに，foot posture index（FPI）[55]がある。Foot posture indexとは，**表3-6**に示した6項目を用いて安静立位時の足部の回内・外アライメントの度合いを評価するスケールである。各

3. 足部のアライメント評価（臨床評価）

表3-7　Original Foot Posture Index（FPI-8）

	評価項目	運動面	左 （－2～＋2）	右 （－2～＋2）
後足部	1. 距骨頭アライメント	水平面		
	2. 外果上下のカーブ	前額/水平面		
	3. Helbing's sign	前額面		
	4. 踵骨内・外反	前額面		
前・中足部	5. 距舟関節周囲の突出	水平面		
	6. 内側縦アーチの形状	矢状面		
	7. 足部外側縁の形状	水平面		
	8. 前足部の内・外転	水平面		
	合　計			

項目を5段階（－2～＋2）で評価し，最終的に算出した合計スコア（－12～＋12）からアライメントを判断する．評価項目に三平面のいずれの評価も含まれていることからわかるように，前項までに述べた評価法に比べ，足部を多平面的に評価できることが優れている点である．

今日，一般的に用いられているfoot posture indexは6つの評価項目で構成されることから通称FPI-6と呼ばれるが，foot posture indexは元来8つの評価項目が含まれていた（FPI-8）（**表3-7**）．以下，それぞれの特徴とともに，評価項目が8つから6つに変更された経緯についても述べる．

1）FPI-8

Foot posture indexの原型であるFPI-8を考案するに際し，Redmondら[56,57]は足部アライメントの臨床評価に関する文献119件をレビューし，そのなかから36の臨床評価法を抽出した．次に，①簡便に行える，②評価にかける時間に見合う結果が得られる，③高価な測定機器を必要としない，④評価結果の解釈が容易である，⑤最低限のレベルでは定量化できること，の条件を満たす評価法を探し，評価スケールに含める評価項目を吟味した．また，いずれの運動面（矢状面，前額面，水平面）および足部領域（後足部，中足部，前足部）におけるアライメントも評価できるよう，評価項目の組み合わせを考慮した．その結果，**表3-7**に示した8項目より構成されるFPI-8が考案された．

評価に際して，対象者には原則として安静立位をとらせ，体側に上肢を垂らしたまま正面を見るよう指示する．各評価項目を後述する基準に照らし合わせて5段階（－2～＋2）で評価し，中間位であれば0，回内アライメントであれば正のスコア，回外アライメントであれば負のスコアとする．各項目のスコアを足して算出した合計スコア（－16～＋16）から，全体的な足部のアライメントを推測する．すなわち，極端な正の値であれば回内アライメント，極端な負の値であれば回外アライメント，0付近であれば中間位に近いアライメントであると理解する．なお，foot posture indexは両側の足部を評価する．FPI-8の評価項目の詳細は以下のとおりである．

①距骨頭アライメント（**表3-8**）：距骨頭の内外側を母指と示指でつまむ．このとき，内外側のエッジが同等に触れていれば中間位の0ポイント，内側が触れられない一方で外側が触れられればその程度に応じて回外足の－1または－2ポイント，外側が触れられない一方で内側が触れられ

第 1 章　足部の解剖学・運動学・アライメント評価

表3-8　距骨頭アライメント

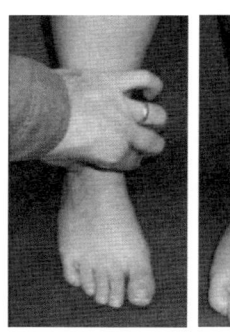

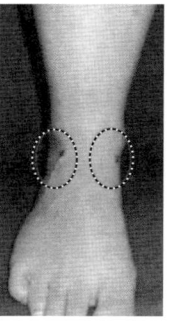

評価	スコア
距骨頭内側：触知可 距骨頭外側：触知不可	＋2
距骨頭内側：触知可 距骨頭外側：わずかに触知可	＋1
距骨頭内外側が同等に触知可	0
距骨頭内側：わずかに触知可 距骨頭外側：触知可	－1
距骨頭内側：触知不可 距骨頭外側：触知可	－2

表3-9　外果上下のカーブ

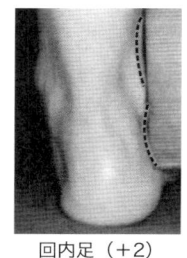

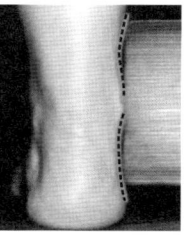

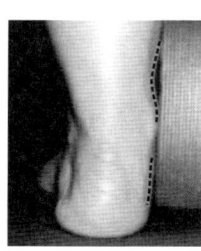

回内足（＋2）　　正常（0）　　回外足（－2）

評価	スコア
外果下のカーブは，外果上のカーブよりも明らかに大きく凹	＋2
外果下のカーブは，外果上のカーブよりも凹	＋1
外果上下のカーブが同等	0
外果下のカーブは凹だが，外果上のカーブよりも平ら	－1
外果下のカーブが凸・平ら	－2

表3-10　Helbing's sign

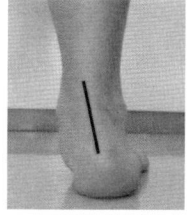

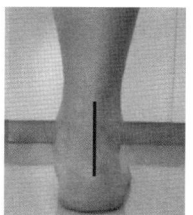

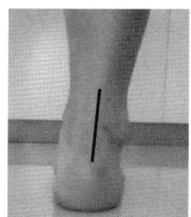

回内足（＋2）　　正常（0）　　回外足（－2）

評価	スコア
アキレス腱踵骨付着部が外側を向いている	＋2
	＋1
アキレス腱踵骨付着部が垂直	0
アキレス腱踵骨付着部が内側を向いている	－1
	－2

ればその程度に応じて回内足の＋1または＋2ポイントと判断する。

②外果上下のカーブ（**表3-9**）：外果上下のカーブの形状を，足部後方より観察する。このとき，カーブの形状が上下同等であれば中間位の0ポイント，外果上のカーブに比べ外果下のカーブのほうが外側に凸状または平らであればその程度に応じて回外足の－1または－2ポイント，外果上の

カーブに比べ外果下のカーブの方が内側に凸状であればその程度に応じて回内足の＋1または＋2ポイントと判断する。

③Helbing's sign（**表3-10**）：アキレス腱の踵骨付着部の傾斜を，足部後方より観察する。このとき，傾斜が垂直であれば中間位の0ポイント，外側に傾いていればその程度に応じて回外足の－1または－2ポイント，内側に傾いていればその

3. 足部のアライメント評価（臨床評価）

表3-11 踵骨内・外反

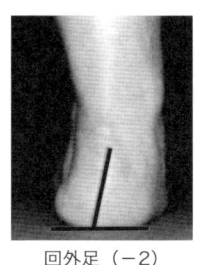

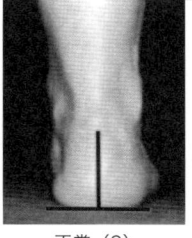

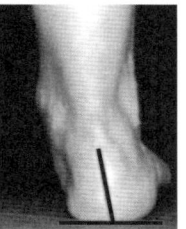

評価	スコア
約5°以上の外反	＋2
約5°外反 〜 垂直	＋1
垂直	0
約5°内反 〜 垂直	－1
約5°以上の内反	－2

回外足（－2）　正常（0）　回内足（＋2）

表3-12 距舟関節周囲の突出

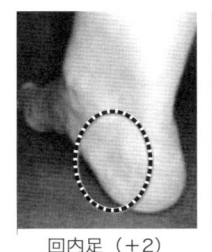

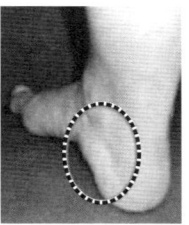

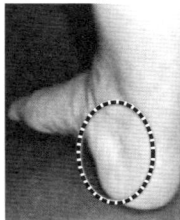

評価	スコア
距舟関節周囲が明らかに凸	＋2
距舟関節周囲がわずかに凸	＋1
距舟関節周囲が平ら	0
距舟関節周囲がわずかに凹	－1
距舟関節周囲が明らかに凹	－2

回内足（＋2）　正常（0）　回外足（－2）

表3-13 内側縦アーチの形状

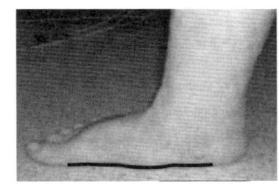

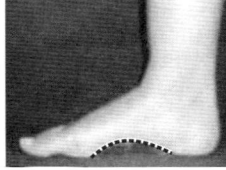

評価	スコア
アーチがとても低く，中央部が地面に接触	＋2
アーチが低く，中央部がわずかに平ら	＋1
通常のアーチ高で，同心のカーブを描く	0
アーチが中等度に高く，後方に向かってわずかに傾斜	－1
アーチが高く，後方に向かって急に傾斜	－2

回内足（＋2）　正常（0）
回外足（－2）

程度に応じて回内足の＋1または＋2ポイントと判断する。

④踵骨内・外反（表3-11）：踵骨の前額面上の傾斜を，足部後方より観察する。この時，傾斜が垂直であれば中間位の0ポイント，内反を呈していればその程度に応じて回外足の－1または－2ポイント，外反を呈していればその程度に応じて回内足の＋1または＋2ポイントと判断する。

⑤距舟関節周囲の突出（表3-12）：距舟関節周囲の内側への突出の度合いを観察する。このとき，距舟関節周囲が平らであれば中間位の0ポイント，凹状であればその程度に応じて回外足の－1または－2ポイント，凸状であればその程度に応じて回内足の＋1または＋2ポイントと判断する。

⑥内側縦アーチの形状（表3-13）：内側縦アー

第 1 章　足部の解剖学・運動学・アライメント評価

表 3-14　足部外側縁の形状

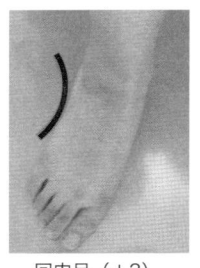

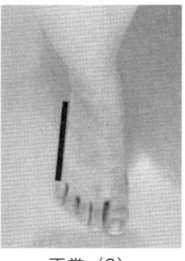

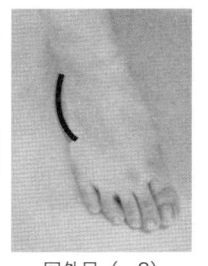

回内足（＋2）　　正常（0）　　回外足（−2）

評価	スコア
足部外側縁が内側に凸状	＋2
	＋1
足部外側縁が内・外側のいずれにも凸状を呈していない	0
足部外側縁が外側に凸状	−1
	−2

表 3-15　前足部の内・外転

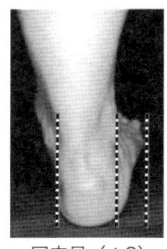

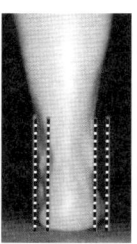

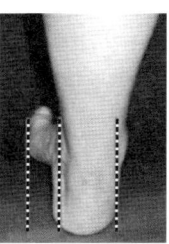

回内足（＋2）　　正常（0）　　回外足（−2）

評価	スコア
内側のつま先は見えないが，外側のつま先ははっきり見える	＋2
内側に比べ，外側のつま先のほうがはっきり見える	＋1
内外側のつま先が同等に見える	0
外側に比べ，内側のつま先のほうがはっきり見える	−1
外側のつま先は見えないが，内側のつま先ははっきり見える	−2

チの形状を，足部内側から観察する。このとき，通常のアーチ高で同心のカーブを描いていれば中間位の 0 ポイント，アーチが高ければその程度に応じて回外足の− 1 または− 2 ポイント，アーチが低く平らな形状であればその程度に応じて回内足の＋ 1 または＋ 2 ポイントと判断する。

⑦足部外側縁の形状（表 3-14）：足部外側縁の形状を，足部上方から観察する。このとき，後足部に対して前足部が内転位をとることにより足部外側縁が外側に凸状であればその程度に応じて回外足の− 1 または− 2 ポイント，後足部に対して前足部が外転位をとることにより足部外側縁が内側に凸状であればその程度に応じて回内足の＋ 1 または＋ 2 ポイント，いずれにも当てはまらない場合は中間位の 0 ポイントと判断する。

⑧前足部の内・外転（表 3-15）：前足部内・外転の度合いを，足部後方より観察する。このとき，内外側のつま先が同等に見えれば中間位の 0 ポイ

ント，外側に比べ内側のつま先のほうがはっきり見えればその程度に応じて回外足の− 1 または− 2 ポイント，内側に比べ外側のつま先のほうがはっきり見えればその程度に応じて回内足の＋ 1 または＋ 2 ポイントと判断する。

FPI-8 の公表当初には，肯定的な報告が相次いだ。Noakes らの研究[58]では，高い信頼性（検者内信頼性 0.88，検者間信頼性 0.91）が示された。Yates ら[59]は，124 名（男性 84 名，女性 40 名，年齢範囲 17 〜 35 歳）の軍士官学校生を対象に基礎トレーニング期間中の外傷発生調査を行い，脛骨過労性骨膜炎発症群は非発症群に比べて FPI-8 のスコアが高値（発症群 7.45 ± 3.17 vs. 非発症群 5.47 ± 3.15，p ＝ 0.002），すなわち相対的な回内足であったと報告した。また Burns ら[55]は，回外足タイプ（FPI-8 スコア ≦ − 2）のトライアスロン選手では，オーバーユース障害の発生リスクが 4.3 倍にもなるとした。その一方

3. 足部のアライメント評価（臨床評価）

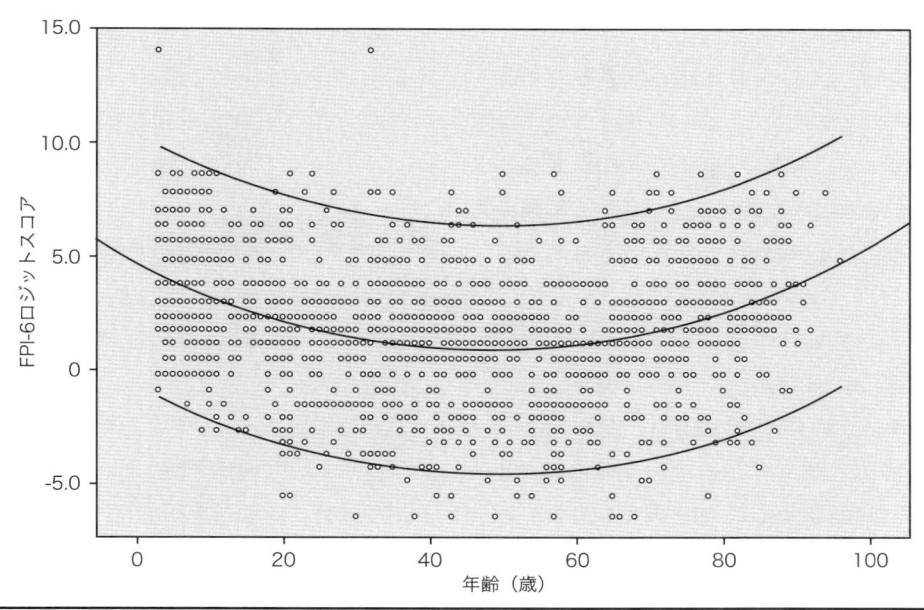

図3-18 各年齢層でのFPIスコア分布

で，X線所見との相関は低～中等度で，評価の妥当性はさほど高くないと考えられる[60,61]。考案者であるRedmondら[57]が評価項目を詳細に検証した結果，「Helbing's sign」と「足部外側縁の形状」は項目間相関係数や電磁気センサーでの所見との相関が低く，内容の妥当性が乏しいことが明らかとなった。Keenanら[62]も，前述の2つの評価項目は評価スケールにフィットしていないと述べた。このような経緯から，「Helbing's sign」と「足部外側縁の形状」を削除した新たなfoot posture indexであるFPI-6が誕生した。

2) FPI-6

FPI-6は表3-6に示した6項目からなる。合計スコアの範囲は－12～＋12で，0～＋5が正常，＋6～＋9が回内足，＋10以上が極度の回内足，－1～－4が回外足，－5～－12が極度の回外足とされるが[57]，これを厳密に裏づける科学的根拠はなく，経験則に基づく分類であると考えられる。ただし，FPI-6は基準値が報告された数少ない評価法の1つである。Redmondら[63]は，これまでfoot posture indexについての調査を行った研究者に協力を仰ぎ，計1,648名（年齢範囲3～96歳）のデータを収集した。うち健常者は619名で，このサンプルにおける平均値は＋4であった。同研究内では性別やBMIをもとにしたサブグループ分析も行われていたが，いずれも関連はなかった。その一方で年齢間での差は認められ，図3-18に示したとおり，成人層に比べ若年者・高齢者層は高いFPIスコアであった。

Foot posture indexの改変後も，信頼性・妥当性についての検証が行われてきた。Redmondら[57]は，健常者15名（男性10名，女性5名，年齢範囲18～57歳）を対象に，FPI-6スコアと電磁気センサーで求めた足関節複合体肢位の関連を調査した。その結果，FPI-6スコアは安静立位時の足関節複合体肢位の分散の64％，歩行立脚中期の足関節複合体肢位の分散の41％をそれぞれ予測した。Cornwallら[64]は，FPI-6の検者内信頼性が0.93/0.93/0.94，検者間信頼性が0.53/0.66/0.53であったと報告した。Cain

ら[65]の研究でも同様の結果が得られた。一方，Morrisonら[66]は，FPI-6は高い検者間信頼性（κ係数0.86）を有するとした。コンセンサスは得られていないが，少なくとも現時点での研究結果から判断すると，ほかの評価法に比べて信頼性や妥当性が優れているわけではないと考えられる。

FPI-6の臨床的有用性についても不明な部分が多い。前述のRedmondら[57]の研究でもあったとおり，歩行との関連性はそれほど高くない。Nielsenら[67]も，健常者280名（男性144名，女性136名，年齢範囲18～68歳）を対象とした調査において，FPI-6スコアは歩行中の舟状骨高の分散の13.2％，舟状骨変位量の分散の45％しか予測しないとした。しかし，Chuterの研究[68]では，FPI-6スコアが健常男女（平均年齢32.4±4.7歳）における歩行中の最大後足部外反角度の分散の85％を予測することが示された。障害発生予測能に関しては，FPI-6スコアが2以下の成年男性フットサル選手は，足関節・足部オーバーユース障害のリスクが増加することが報告された[65]。

G. まとめ

1. すでに真実として承認されていること
- 足部アライメントの評価法の多くは，信頼性や妥当性が乏しい。
- 足部アライメントの評価法の多くが，内側縦アーチに注目している。

2. 議論の余地はあるが，今後の重要な研究テーマとなること
- 評価法の基準値の確立。
- 正常アライメントの定義。
- アライメント評価のバイオメカニクス予測能・障害発生予測能の検証。

3. 真実と思われていたが実は疑わしいこと
- 足部アライメントと足部バイオメカニクス・足部障害発生リスクとの関連性。

H. 今後の課題

- 評価法のプロトコルの標準化。
- 足部横アーチや外側縦アーチのアライメント評価法の考案。

既存の評価法において，信頼性と妥当性がいずれも高いものは皆無であった。全体として，臨床的に簡便に行える実用性の高い評価ほど信頼性・妥当性が低く，時間や道具を要するものは信頼性・妥当性が高くなる傾向がみられた。したがって，高い信頼性と妥当性，そして実用性を兼ね備えた足部アライメントの評価法は現時点では存在しないといえる。今後の課題としては，評価法のプロトコルを統一することが望まれる。本レビューに記載した方法はすべて原著の内容に従ったが，一部の研究では若干異なる方法もみられたため，研究間での結果の比較が困難であった。また，多くの評価法が荷重位で行うことから，アライメント単独ではなく静的環境下における足部機能を包括的に評価することに重きが置かれていると考えられる。荷重位における足部の臨床評価は，足部および下肢関節の複雑な相互作用のため，非常に難しいものである。例えば，足部回内には踵骨回内，距骨底屈・内転，前足部外反，内側縦アーチの低下，脛骨内旋などが関与する。しかも，これらの構成要素のうちどれが最も足部回内に影響を与えるかは個人間で異なり，解剖学的特徴や運動軸の位置の多様性などによってさまざまである。このことが足部アライメント評価の信頼性や妥当性に関するエビデンスを複雑化させている可能性はあると思われる。

評価法の基準値や足部の正常アライメントの規定も，この分野の重要な課題である。既存の評価

法において便宜上の基準値(大規模かつ幅広い年齢層の対象における平均値)が報告されていたのは,距骨下関節アライメント,前足部アライメント,アーチ高,FPI-6 の 4 つであった。アライメントパターンを判断する指標がないことには評価結果の解釈に苦しむため,基準値の調査はいずれの評価法でも行われるべきである。ただし,その基準値を正常ととらえるのはあまりにも安易である。例えば Astrom ら[13] は,健常者 121 名における距骨下関節アライメントの基準値は非荷重位ではおよそ 1°回外位(可動域測定)～2°回内位(距骨頭触診),荷重位では 7°回内位であったことから,従来の「正常足」の定義(距骨下関節アライメント 0°)は誤っていると結論づけた。しかし,これらの値はいずれも健常者の平均値であって「正常アライメント」ではない。「正常アライメント」と定義するには,そのアライメントでのメリットを介入研究によって実証することが最も合理的であると考える。

　既存の評価法のほとんどが内側縦アーチに着目していたが,今後は別のアーチを対象とした新たな評価法の考案が求められるだろう。臨床的には,内側縦アーチのみならず横アーチや外側縦アーチも重要であるが,その評価法が存在しないということは問題であると思われる。ただし,比較的観察・測定を行いやすい内側縦アーチにあって前述の低～中等度の信頼性・妥当性であるため,横アーチや外側縦アーチの評価法の確立は困難をきわめるものであると推測される。

　評価法の臨床的意義については再考が必要である。往々にして,臨床場面ではアライメント評価の結果からその症例に起こりうる特定のバイオメカニクスや障害発生プロセスを考察する。しかし本項では,足部アライメントと足部バイオメカニクス・足部障害発生リスクとの関連性についての科学的根拠が不十分であることが明らかとなった。そもそも,信頼性や妥当性がよくない,あるいは未検証の評価法の結果に基づいて障害リスクを論じたところで意味がない。まずは,十分な客観性を有する評価法を考案することが重要である。

　本項により,足部アライメントの臨床評価法は科学的信憑性が乏しく,それに基づくエビデンスの多くが疑わしいものであることがわかった。ただし,信頼性や妥当性が低いからといってその使用を控えなくてはならないわけではない。代替の方法がなければ,既存のものを用いるほかない。重要なことは,評価法のエビデンスを理解し,評価結果を思慮深く解釈することであると考える。

文　献

1. Root ML, Orien WP, Weed JH. *Biomechanical Examination of the Foot*. Clinical Biomechanics Corp, Los Angeles, 1971.
2. Root ML, Orien WP, Weed JH. *Normal and Abnormal Function of the Foot*. Clinical Biomechanics Corp, Los Angeles, 1977.
3. Menz HB. Alternative techniques for the clinical assessment of foot pronation. *J Am Podiatr Med Assoc*. 1998; 88: 119-29.
4. Scherrer PR, Morris JL. The classification of human foot types, abnormal foot function, and pathology. In: *Clinical Biomechanics of the Lower Extremities*. Valmassy RL, ed., St Louis, CV Mosby, 1996.
5. Morton D. Structural factors in static disorders of the foot. *Am J Surg*. 1930; 9: 315-26.
6. Harris RI, Beath T. The short first metatarsal; its incidence and clinical significance. *J Bone Joint Surg Am*. 1949; 31A: 553-65.
7. Hiss JM. *Functional Foot Disorders*. Oxford University Press, Los Angeles, 1949.
8. Stevenson M. A study of the correlation between neutral calcaneal stance position and resting calcaneal stance position in the development of hallux abductovalgus. *Aust Podiatrist*. 1990; 24: 18-20.
9. Bennett PJ. A randomised clinical assessment of foot pronation and its relationship to patello-femoral syndrome. *Aust Podiatrist*. 1988; 22: 6-7.
10. Coplan JA. Rotational motion of the knee: a comparison of normal and pronating subjects. *J Orthop Sports Phys Ther*. 1989; 10: 366-9.
11. Lilletvedt J, Kreighbaum E, Phillips RL. Analysis of selected alignment of the lower extremity related to the shin splint syndrome. *J Am Podiatry Assoc*. 1979; 69: 211-7.
12. Menz HB. Clinical hindfoot measurement: a critical review of the literature. *Foot*. 1995; 5: 57-64.
13. Astrom M, Arvidson T. Alignment and joint motion in

14. Wernick J, Langer S. *A practical manual for a basic approach to biomechanics*. Langer Acrylic Laboratory, New York, 1971.
15. James SL, Bates BT, Osternig LR. Injuries to runners. *Am J Sports Med*. 1978; 6: 40-50.
16. Sims DS, Cavanagh RP. Selected foot mechanics related to the prescription of foot orthoses. In: Jahss M, ed., *Disorders of the Foot and Ankle -Medical and Surgical Management*. WB Saunders, Philadelphia, 1991.
17. McPoil TG, Cornwall MW. The relationship between static lower extremity measurements and rearfoot motion during walking. *J Orthop Sports Phys Ther*. 1996; 24: 309-14.
18. Elveru RA, Rothstein JM, Lamb RL. Goniometric reliability in a clinical setting. Subtalar and ankle joint measurements. *Phys Ther*. 1988; 68: 672-7.
19. Maslen BA. Radiographic study of skin displacement errors in the foot and ankle during standing. *Clin Biomech (Bristol, Avon)*. 1994; 9: 291-6.
20. Kaye JM, Sorto LA Jr. The K-square: a new biomechanical measuring device for the foot and ankle. *J Am Podiatry Assoc*. 1979; 69: 58-64.
21. LaPointe SJ, Peebles C, Nakra A, Hillstrom H. The reliability of clinical and caliper-based calcaneal bisection measurements. *J Am Podiatr Med Assoc*. 2001; 91: 121-6.
22. Garbalosa JC, McClure MH, Catlin PA, Wooden M. The frontal plane relationship of the forefoot to the rearfoot in an asymptomatic population. *J Orthop Sports Phys Ther*. 1994; 20: 200-6.
23. Williams DS, McClay IS. Measurements used to characterize the foot and the medial longitudinal arch: reliability and validity. *Phys Ther*. 2000; 80: 864-71.
24. Franettovich MM, McPoil TG, Russell T, Skardoon G, Vicenzino B. The ability to predict dynamic foot posture from static measurements. *J Am Podiatr Med Assoc*. 2007; 97: 115-20.
25. McPoil TG, Cornwall MW, Vicenzino B, Teyhen DS, Molloy JM, Christie DS, Collins N. Effect of using truncated versus total foot length to calculate the arch height ratio. *Foot (Edinb)*. 2008; 18: 220-7.
26. Cornwall MW, McPoil TG. Relationship between static foot posture and foot mobility. *J Foot Ankle Res*. 2011; 4: 4-12.
27. Williams DS 3rd, McClay IS, Hamill J. Arch structure and injury patterns in runners. *Clin Biomech (Bristol, Avon)*. 2001; 16: 341-7.
28. Brody DM. Techniques in the evaluation and treatment of the injured runner. *Orthop Clin North Am*. 1982; 13: 541-58.
29. Gross MT. Lower quarter screening for skeletal malalignment -suggestions for orthotics and shoewear. *J Orthop Sports Phys Ther*. 1995; 21: 389-405.
30. Picciano AM, Rowlands MS, Worrell T. Reliability of open and closed kinetic chain subtalar joint neutral positions and navicular drop test. *J Orthop Sports Phys Ther*. 1993; 18: 553-8.
31. Beckett ME, Massie DL, Bowers KD, Stoll DA. Incidence of hyperpronation in the ACL injured knee: a clinical perspective. *J Athl Train*. 1992; 27: 58-62.
32. Mueller MJ, Host JV, Norton BJ. Navicular drop as a composite measure of excessive pronation. *J Am Podiatr Med Assoc*. 1993; 83: 198-202.
33. Lundberg A, Svensson OK, Bylund C, Goldie I, Selvik G. Kinematics of the ankle/foot complex -part 2: pronation and supination. *Foot Ankle*. 1989; 9: 248-53.
34. Winson LG, Lundberg A, Bylund C. The pattern of motion of the longitudinal arch of the foot. *Foot*. 1994; 4: 151-4.
35. McPoil TG, Cornwall MW. The relationship between static measurements of the lower extremity and the pattern of rearfoot motion during walking. *J Orthop Sports Phys Ther*. 1996; 24: 309-14.
36. Dicharry JM, Franz JR, Della Croce U, Wilder RP, Riley PO, Kerrigan DC. Differences in static and dynamic measures in evaluation of talonavicular mobility in gait. *J Orthop Sports Phys Ther*. 2009; 39: 628-34.
37. Sell KE, Verity TM, Worrell TW, Pease BJ, Wigglesworth J. Two measurement techniques for assessing subtalar joint position: a reliability study. *J Orthop Sports Phys Ther*. 1994; 19: 162-7.
38. Shultz SJ, Nguyen AD, Windley TC, Kulas AS, Botic TL, Beynnon BD. Intratester and intertester reliability of clinical measures of lower extremity anatomic characteristics: implications for multicenter studies. *Clin J Sport Med*. 2006; 16: 155-61.
39. Buist I, Bredeweg SW, Lemmink KA, van Mechelen W, Diercks RL. Predictors of running-related injuries in novice runners enrolled in a systematic training program: a prospective cohort study. *Am J Sports Med*. 2010; 38: 273-80.
40. Hubbard TJ, Carpenter EM, Cordova ML. Contributing factors to medial tibial stress syndrome: a prospective investigation. *Med Sci Sports Exerc*. 2009; 41: 490-6.
41. Plisky MS, Rauh MJ, Heiderscheit B, Underwood FB, Tank RT. Medial tibial stress syndrome in high school cross-country runners: incidence and risk factors. *J Orthop Sports Phys Ther*. 2007; 37: 40-7.
42. Raissi GR, Cherati AD, Mansoori KD, Razi MD. The relationship between lower extremity alignment and medial tibial stress syndrome among non-professional athletes. *Sports Med Arthrosc Rehabil Ther Technol*. 2009; 1: 11-8.
43. Reinking MF, Austin TM, Hayes AM. Exercise-related leg pain in collegiate cross-country athletes: extrinsic and intrinsic risk factors. *J Orthop Sports Phys Ther*. 2007; 37: 670-8.
44. Cornwall MW, McPoil TG. Relative movement of the navicular bone during normal walking. *Foot Ankle Int*. 1999; 20: 507-12.
45. Vinicombe A, Raspovic A, Menz HB. Reliability of navicular displacement measurement as a clinical indicator of foot posture. *J Am Podiatr Med Assoc*. 2001; 91: 262-8.
46. Welton EA. The Harris and Beath footprint: interpretation and clinical value. *Foot Ankle*. 1992; 13: 462-8.
47. Cavanagh PR, Rodgers MM. The arch index: a useful

48. Hawes MR, Nachbauer W, Sovak D, Nigg BM. Footprint parameters as a measure of arch height. *Foot Ankle*. 1992; 13: 22-6.
49. McCroy JL. Arch index as a predictor of arch height. *Foot*. 1997; 7: 79-81.
50. Knutzen KM, Price A. Lower extremity static and dynamic relationships with rearfoot motion in gait. *J Am Podiatr Med Assoc*. 1994; 84: 171-80.
51. Rose GK. Pes planus. In: Jahss, M, ed., *Disorders of the Foot and Ankle: Medical and Surgical Management*, 2nd ed. WB Saunders, Philadelphia, 1991.
52. Thomson CE. An investigation into the reliability on the valgus index and its validity as a clinical measurement. *Foot*. 1994; 4: 191-7.
53. Song J, Hillstrom HJ, Secord D, Levitt J. Foot type biomechanics. Comparison of planus and rectus foot types. *J Am Podiatr Med Assoc*. 1996; 86: 16-23.
54. Burns J, Keenan AM, Redmond A. Foot type and overuse injury in triathletes. *J Am Podiatr Med Assoc*. 2005; 95: 235-41.
55. Redmond A. An initial appraisal of the validity of a criterion based, observational clinical rating system for foot posture. *J Orthop Sports Phys Ther*. 2001; 31: 160.
56. Redmond A. *The Foot Posture Index User Guide and Manual*. 2005.
57. Redmond AC, Crosbie J, Ouvrier RA. Development and validation of a novel rating system for scoring standing foot posture: the Foot Posture Index. *Clin Biomech (Bristol, Avon)*. 2006; 21: 89-98.
58. Noakes H, Payne C. The reliability of the manual supination resistance test. *J Am Podiatr Med Assoc*. 2003; 93: 185-9.
59. Yates B, White S. The incidence and risk factors in the development of medial tibial stress syndrome among naval recruits. *Am J Sports Med*. 2004; 32: 772-80.
60. Menz HB, Munteanu SE. Validity of 3 clinical techniques for the measurement of static foot posture in older people. *J Orthop Sports Phys Ther*. 2005; 35: 479-86.
61. Scharfbillig R, Evans AM, Copper AW, Williams M, Scutter S, Iasiello H, Redmond A. Criterion validation of four criteria of the foot posture index. *J Am Podiatr Med Assoc*. 2004; 94: 31-8.
62. Keenan AM, Redmond AC, Horton M, Conaghan PG, Tennant A. The Foot Posture Index: rasch analysis of a novel, foot-specific outcome measure. *Arch Phys Med Rehabil*. 2007; 88: 88-93.
63. Redmond AC, Crane YZ, Menz HB. Normative values for the Foot Posture Index. *J Foot Ankle Res*. 2008; 1: 1-9.
64. Cornwall MW, McPoil TG, Lebec M, Vicenzino B, Wilson J. Reliability of the modified Foot Posture Index. *J Am Podiatr Med Assoc*. 2008; 98: 7-13.
65. Cain LE, Nicholson LL, Adams RD, Burns J. Foot morphology and foot/ankle injury in indoor football. *J Sci Med Sport*. 2007; 10: 311-9.
66. Morrison SC, Ferrari J. Inter-rater reliability of the Foot Posture Index (FPI-6) in the assessment of the paediatric foot. *J Foot Ankle Res*. 2009; 2: 26-30.
67. Nielsen RG, Rathleff MS, Moelgaard CM, Simonsen O, Kaalund S, Olesen CG, Christensen FB, Kersting UG. Video based analysis of dynamic midfoot function and its relationship with Foot Posture Index scores. *Gait Posture*. 2010; 31: 126-30.
68. Chuter VH. Relationships between foot type and dynamic rearfoot frontal plane motion. *J Foot Ankle Res*. 2010; 3: 9-14.

〈窪田　智史〉

第2章
足部のバイオメカニクス

　足部のスポーツ障害が，スポーツで発生する外傷・障害に占める割合は低い．外科的治療を選択するケースが少なく，多くは保存療法による治療が試みられる．したがって，足部のスポーツ障害の治療に関しては，運動療法や物理療法などのリハビリテーションの領域に期待される部分が大きい．特に，インソールや足部テーピングなどの補装具は，治療の即時効果が期待できるだけでなく，足部スポーツ障害の発生予防にも貢献できると考えられており，スポーツ現場で活用されるケースが多い．

　足底腱膜炎，疲労骨折などの代表的な足部スポーツ障害は，足部のアライメント異常とオーバーユースにより発生することが明らかとなっている．インソールや足部テーピングの目的は，症状を誘発するアライメント異常や機械的ストレスをコントロールすることにある．よって，これらの適用や限界を把握するために，病態を有する足部に生じているキネマティクスの異常やその使用によるキネマティクスの変化を検証し，科学的知見を確立させることもリハビリテーション領域が担うべき重要な役割であるといえる．しかし，インソールや足部テーピングは，臨床現場で活用され一定の治療効果をあげていると考えられるものの，足部バイオメカニクスに与える影響に関しては十分に検証されていない．

　本章では，足部スポーツ外傷に関する足部バイオメカニクスについて文献的な検討を行う．まず，基本動作である歩行・走行における足部のバイオメカニクスに関する知見を整理し，運動時における正常な足部バイオメカニクスと，症状を有する異常バイオメカニクスの違いについて精査する．次に，インソールの使用が足部バイオメカニクスに与える影響について知見を整理する．最後に，テーピング使用時における足部バイオメカニクスの変化について整理し，臨床的な効果について文献的な知見をもとに検証する．

　本章が取り扱う領域で重要なキーワードは「足部アーチ」と「足底圧」である．床面から下肢に伝わる衝撃を吸収する役割を担う足部アーチの変化は，症状の発生を左右する重要な因子である．また，足底圧は足部周囲組織に炎症を引き起こす局在的な圧の有無を判断するパラメータである．足部アーチと足底圧に着目しながら，これまでに報告された文献をもとにインソール，テーピングがもたらす足部バイオメカニクスの変化を検討し，これらの臨床的な効果について現時点での結論と課題を導きたい．

第2章編集担当：吉田　昌弘

4. 足部の動作分析

はじめに

　足部はスポーツ競技のさまざまな動作において最初に荷重を受ける身体部位である。そのため，足部の構造体はスポーツ競技中にさまざまなストレスを受け障害発生にいたる。したがって，足部のスポーツ障害の発生メカニズムを理解するためには，まず正常な足部のバイオメカニクスに関する知見を整理する必要がある。また，疾患を有していない「正常」とされる健常者においても，足部アライメントに個体差が存在することが報告された。このようなアライメントの個体差が足部の異常な関節運動を引き起こし，足部および近位関節の障害へとつながることが示唆された。

　本項では，まず健常者を対象とした歩行および走行動作における足部関節の運動学的・力学的データを整理する。次に，健常者における足部アライメントをローアーチ・ハイアーチ足に分類し，歩行および走行動作中の運動学的・力学的データに関する研究報告を提示する。

A. 文献検索方法

　文献検索にはPubMedを使用し，「foot」「biomechanics」「gait」「running」をキーワードにヒットした文献から，本項のテーマに関連した文献を採用した。また，選択した文献に引用された文献も適宜追加した。

B. 足部の動作解析方法

1. 歩行周期・走行周期の定義

　主に歩行および走行動作における立脚期のデータを提示する。歩行周期の分類には，近年の報告で多く採用されているランチョ・ロス・アミーゴ方式を用いた（図4-1）[1]。ランチョ・ロス・アミーゴ方式による歩行周期の分類では，初期接地期（initial contact）を足が地面に接触した瞬間，荷重応答期（lording response）を初期接地期から反対側の足が離地するまでの相，立脚中期（mid stance）を反対側の足が離地した瞬間から観察肢の踵が床から離れた瞬間までの相，立脚終期（terminal stance）を観察肢の踵が床から離れた瞬間から反対側の初期接地までの相，前遊脚期（pre-swing）を反対側の初期接地から観察肢のつま先が床から離れた瞬間までの相と定義する。走行に関しては，立脚期を詳細に分類する方法は確立されていないため，本項では走行の立脚期0〜50％を立脚期前半，50〜100％を立脚期後半と定義する。

2. 足部の運動学的データの計測方法

　足部の運動学に関する研究では，体表マーカーや骨マーカーを用いた三次元動作解析装置が広く用いられている。体表マーカーを用いた動作解析では，下腿，後足部，中足部，前足部の骨のランドマーク上に取り付けた体表マーカーをカメラで撮影することで，各セグメント間の角度を算出する。また，舟状骨粗面に体表マーカーを貼付する

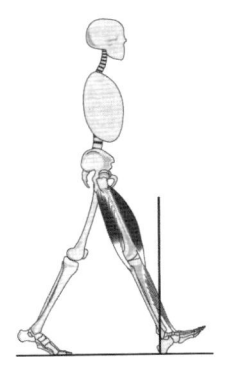

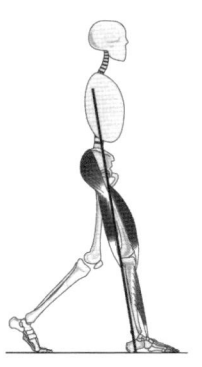

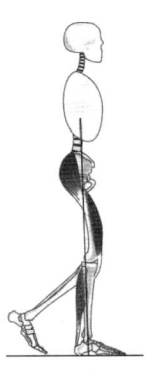

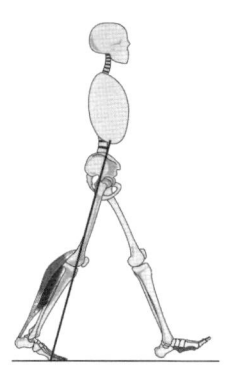

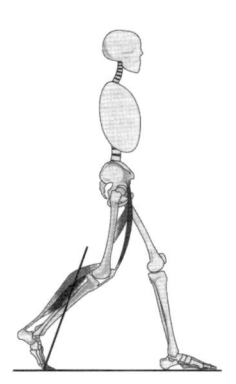

第2章 足部のバイオメカニクス

図4-1 ランチョ・ロス・アミーゴ方式による歩行周期分類（文献1より改変）

初期接地期	荷重応答期	立脚中期	立脚終期	前遊脚期
initial contact	lording response	mid stance	terminal stance	pre-swing
0%	0〜19%	19〜50%	50〜81%	81〜100%

ことで動作中の舟状骨高の動態が計測できる。一方，骨マーカーを用いた動作解析では，骨に直接挿入したピンに付着したマーカーをカメラで撮影することで，距骨下関節，距舟関節などの個々の関節角度を算出する。

体表マーカーによる計測は簡便で非侵襲的であるというメリットがある一方，多数の関節から構成される足部を2〜3の剛体の複合体としてとらえて計測する点や，皮膚によるアーチファクトが発生するなどのデメリットがある。骨マーカーによる計測は，個々の関節運動を計測できるメリットがあるが，侵襲的な方法であることから研究の際の対象者数が減少し一般化が可能なデータが得られにくいといったデメリットがある。計測方法が異なる場合は両者のデータ間に差が生じるため，研究間のデータを比較する際には注意が必要である[2]。

3. 足部の力学的データの計測方法

歩行および走行中の力学的データを報告した研究では，主に圧力中心，足底圧，床反力が変数として計測された。

C. 正常な足部のバイオメカニクス

健常者を対象とし，歩行および走行中における足部関節の運動学的・力学的データを提示する。

1. 歩 行
1）体表マーカーによる運動学的データ

Leardiniら[3]は，健常者10名を対象に歩行中の足部関節運動を計測した。その結果，後足部は荷重応答期から立脚中期にかけて回内運動，立脚終期から前遊脚期にかけて回外運動を生じた。中足部は荷重応答期から立脚終期まで回内運動，前遊脚期に回外運動を生じた。前足部は荷重応答期において回外，立脚中期において回内，立脚終期において回外，前遊脚期において回内する運動パターンを示した（図4-2）。Pohlら[4]，Huntら[5]も歩行中の後足部および前足部の運動に関して同様の結果を報告しており，一定のコンセンサスが得られている。

健常者の歩行中の足部関節運動の個人差を示すデータとして，Cornwallら[6]は健常者274名を対象に歩行中の後足部の前額面運動を計測し，後足部の前額面運動はtypical／prolonged／delayed／early eversionの4つのパターンに分

4. 足部の動作分析

類されることを示した（**図4-3**）。

歩行中の舟状骨高の動態に関する運動学的データは，複数の報告がみられる。Dicharry[7]は体表マーカーを用い，歩行中の舟状骨高を計測した。舟状骨高は荷重応答期から立脚終期まで約5 mm低下し，その後，前遊脚期に上昇した。ほかの研究報告[5, 8]からも歩行中の舟状骨高の動態に関して同様の結果が得られており，一定のコンセンサスが得られている。

2）骨マーカーによる運動学的データ

Lundgrenら[9]は，健常男性6名を対象に歩行中の足部関節運動を骨マーカーを用いて計測した（**図4-4**）。距骨下関節は荷重応答期において回内，立脚終期から前遊脚期にかけて回外した。また，Arndtら[10]も距骨下関節に関して同様の運動パターンを示すことを報告した。距舟関節は荷重応答期において回内，立脚終期から前遊脚期にかけて回外した。一方，内側楔舟関節は荷重応答期において回外，前遊脚期にかけて回内した。歩行中の個々の足部関節運動に関しては，報告数が少なく，研究内における対象者数も少ないことから，

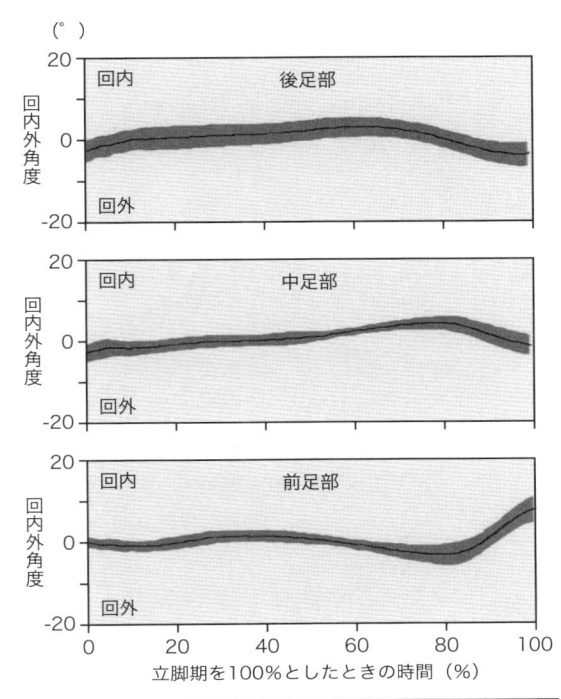

図4-2　体表マーカーによる歩行中の足部関節運動の計測データ（文献3より引用）
後足部は荷重応答期から立脚中期にかけて回内運動，立脚終期から前遊脚期にかけて回外運動を生じた。中足部は荷重応答期から立脚終期まで回内運動，前遊脚期に回外運動を生じた。前足部は荷重応答期において回外，立脚中期において回内，立脚終期において回外，前遊脚期において回内する運動パターンを示した。

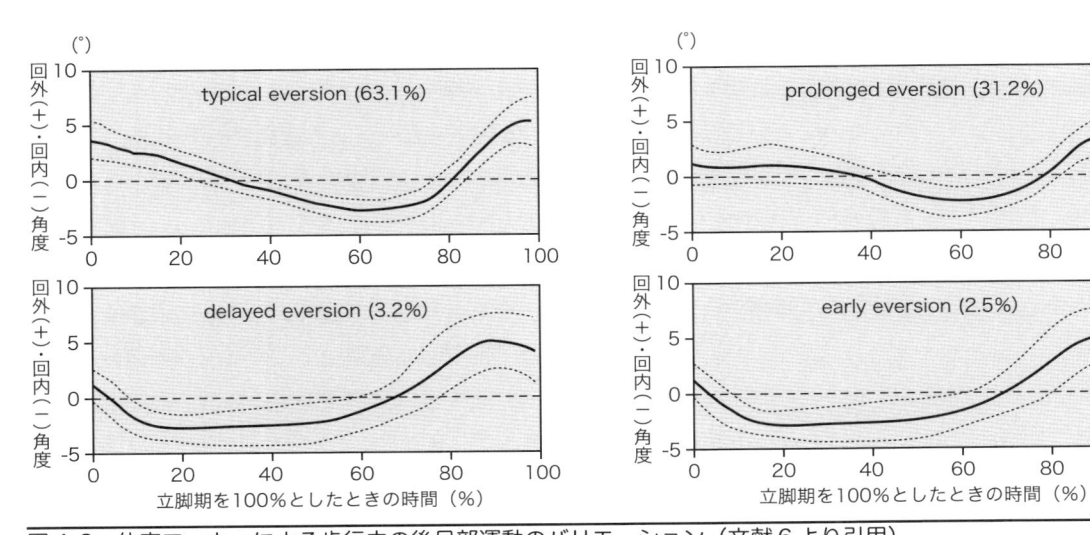

図4-3　体表マーカーによる歩行中の後足部運動のバリエーション（文献6より引用）
後足部の前額面運動は typical / prolonged / delayed / early eversion の4つのパターンに分類される。

第2章 足部のバイオメカニクス

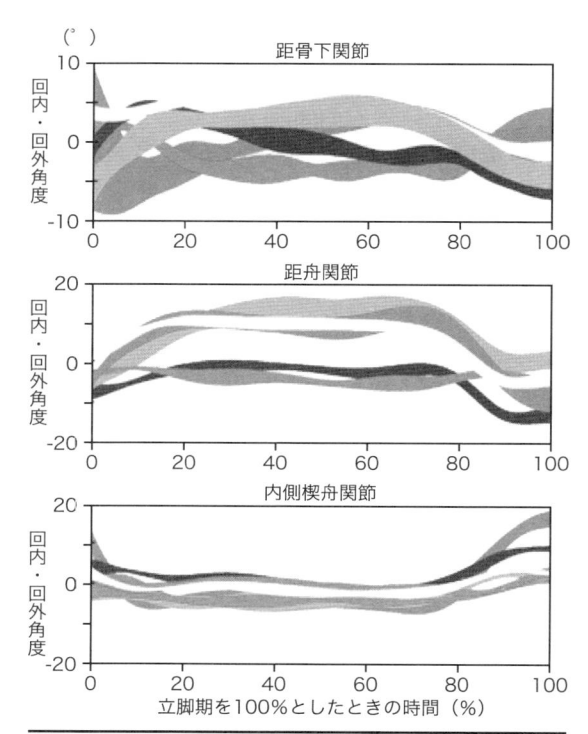

図4-4 骨マーカーによる歩行中の足部関節運動の計測データ（文献9より引用）
各線は対象者6名の関節運動を示し，線の幅は標準偏差を表わす。距骨下関節は荷重応答期において回内，立脚終期から前遊脚期にかけて回外した。

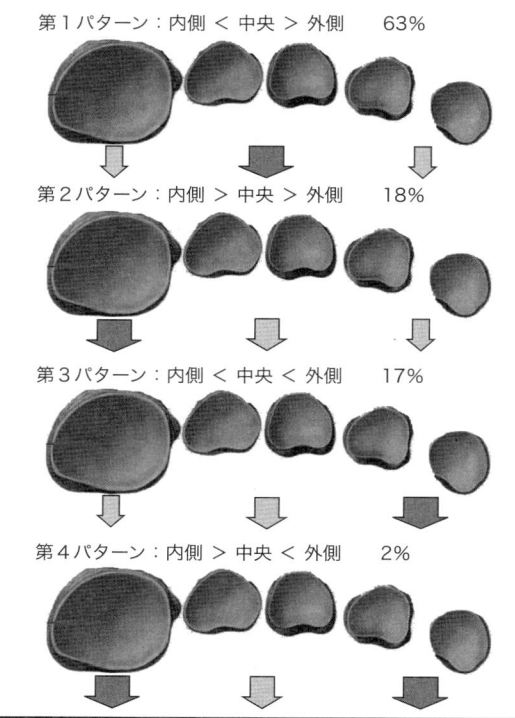

図4-5 歩行中の中足骨頭部の足底圧のパターン
中足骨頭部の足底圧分布には個人差があり，4つのパターンに分類された。

一般化が可能な知見が得られるにはいたっていない。

3）歩行中の足部の力学的データ

Katohら[11]は，健常者30名の歩行中の圧力中心の偏位を計測した。歩行中の圧力中心は初期接地期において踵骨中央の外側部，立脚中期では中足部外側に位置し，前遊脚期において第1, 2中足骨頭間へ移行した。ほかの報告[12]でも，歩行中の圧力中心の偏位に関しては，同様の結果が得られた。

Kanatliら[13]は，健常者106名を対象に歩行中の足底の7領域における足底圧を計測した。立脚中期および立脚終期における中足骨頭下の足底圧は，第1中足骨頭および第4, 5中足骨頭領域と比較し，第2, 3中足骨頭領域において有意に大きい値を示した。また，立脚中期から立脚終期における中足骨頭領域の足底圧分布には個人差があり，4つのパターンに分類した（**図4-5**）。

2. 走 行

1）体表マーカーによる運動学的データ

Pohlら[14]は，健常者12名を対象に3種類の走行様式（heel strike, forefoot strike, toe running）における足部関節運動および運動学的データを計測した（**図4-6**）。Heel strikeの走行では，下腿が立脚期前半に内旋，立脚期後半に外旋し，後足部は立脚期前半に回内，立脚期後半に回外した。前足部は立脚期0〜20％で回内し，立脚期60〜80％で回外，立脚期80〜100％で再び回内した。Pohlら[4]は，先行研究においてもheel strikeの走行において同様の結果を報告

4. 足部の動作分析

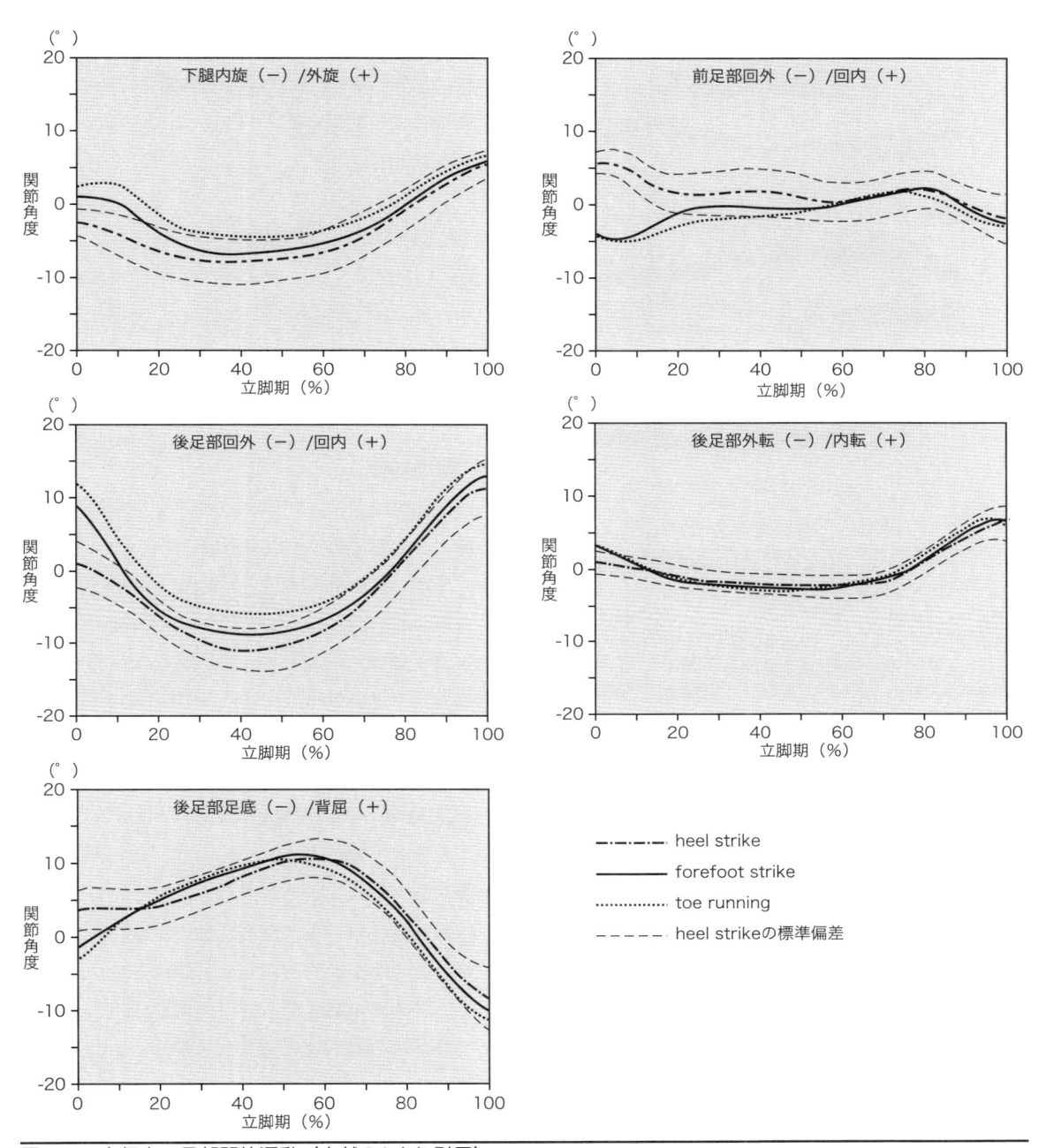

図4-6 走行中の足部関節運動（文献14より引用）
横軸は立脚期，縦軸は運動方向の関節角度を示す。

した。以上のように，heel strike の走行パターンにおける後足部・前足部の運動に関しては一定のコンセンサスが得られている。運動学的データに関しては，heel strike の走行では，下腿内旋，後足部回内，前足部背屈・外転の全可動域が forefoot strike, toe running と比較して有意に小さいことが示された。Heel strike の走行では，後足部最大回内角度および下腿最大内旋角度が forefoot strike, toe running と比較して有意に大きく，前足部最大背屈・外転角度の到達時間が

第2章 足部のバイオメカニクス

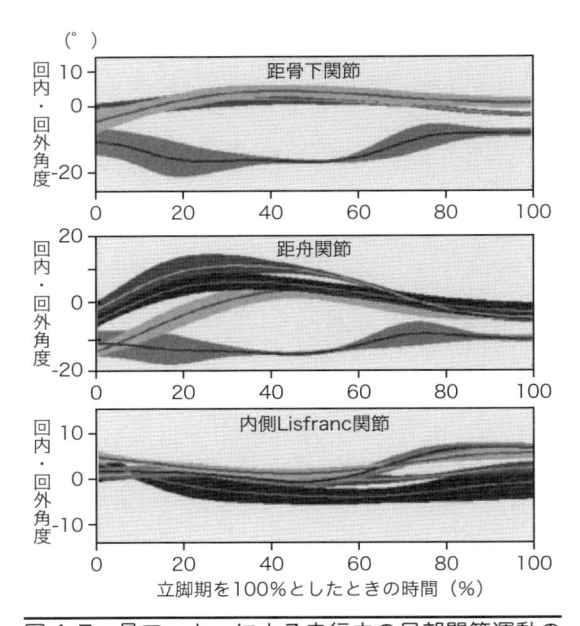

図4-7 骨マーカーによる走行中の足部関節運動の計測データ（文献15より引用）
各線は対象者4名の関節運動を示し，線の幅は標準偏差を表わす．距骨下関節は立脚期前半で回内，立脚期後半で回外，距舟関節は立脚期前半で回内，立脚期後半で回外，内側リスフラン関節は立脚期前半で回外，立脚期後半で回内した．

有意に遅延した．

走行中の下腿・後足部・前足部の関節角度の相関関係では，3種類のすべての走行様式において，後足部の回内／回外と下腿の内旋／外旋および前足部底屈／背屈は強い相関を示し（r＞0.94，r＜－0.86），後足部の回内／回外運動は前足部外転／内転運動と強い相関を示す（r＞0.92）ことを報告した．Dicharry[7]は，走行中の舟状骨高を計測し，舟状骨高は立脚期前半にて約10 mm低下し，立脚期後半に上昇することを報告した．

2）骨マーカーによる運動学的データ

Arndtら[15]は健常男性4名を対象に，走行中の足部の関節運動を骨マーカーを用いて計測した（図4-7）．距骨下関節は立脚期前半で回内，立脚期後半で回外した．距舟関節は立脚期前半で回内，立脚期後半で回外した．内側Lisfranc関節は立脚期前半で回外，立脚期後半で回内した．歩行と同様に，走行中の個々の足部関節運動に関しては研究数および対象者数が少ないことから，一般化が可能な知見が得られるにいたっていない．

3）走行中の足部の力学的データ

De Cockら[16]は，健常者215名を対象に，走行中の圧力中心の偏位を計測した．その結果，踵骨中央，中足部外側，第2，3中足骨頭下の順に移行することが示された．

3．着地動作

Arampatzisら[17, 18]は，6名の女子体操選手を対象に，着地動作時の足部関節運動を，体表マーカーを用いて計測した．その結果，足部接地から0～80 msの期間において，後足部は背屈・回内・外転運動，内側および外側前足部は背屈・回内運動，下腿は後足部に対し内旋運動を生じた．また，Arampatzisら[17]は，台の高さが1.0 m，1.5 m，2.0 mと高い条件となるほど，着地時の外側前足部の回内角度は増加したことを報告した．さらに，Arampatzisら[18]は，6名の女子体操選手を対象に，硬さの異なる3種類のマット上への着地動作中の足部関節運動を計測した．その結果，軟らかいマット上への着地動作では，内側および外側前足部の最大回内角度がほかのマット上の条件と比較して増加した．Fukanoら[19]は，10名の健常男性を対象に，ビデオフルオロスコピーにより撮影された矢状面画像から，着地動作時の内側・外側縦アーチ角を計測した．その結果，足部アーチ角は足部接地から50～80 ms後に最大値を示し，足部接地後から内側縦アーチ角は3.5±3.3°，外側縦アーチ角は7.9±3.2°増加した（図4-8）．また，踵骨に対して第1中足骨は0.68±0.25 cm，第五中足骨は0.00±0.12 cmの前方並進運動を生じた．さらに，Fukanoら[20]は，11名の健常男性，8名の健常女性を対

4. 足部の動作分析

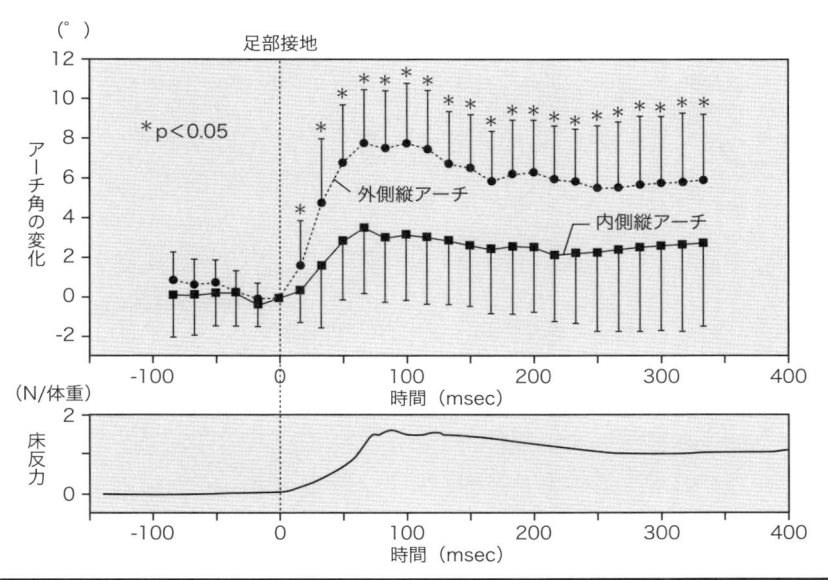

図4-8 着地動作時の内側縦アーチ角・外側縦アーチ角（文献19より引用）
上図の縦軸は着地動作における内側縦アーチ角，外側縦アーチ角の角度を示す．横軸は足部接地を0 msとした着地動作における時間軸．下図の縦軸は床反力の体重による補正値で，横軸は上グラフと同じ．

象に，非荷重条件および荷重条件における静止姿勢時および着地動作時の内側・外側縦アーチ角を計測した．その結果，荷重条件における静止立位時および着地動作時の内側・外側縦アーチ角は，男性と比較し女性において有意に高い値を示した．Powellら[21]は，健常者20名を対象に足部をローアーチおよびハイアーチに分類し，着地動作時の足部関節運動を計測した．その結果，ハイアーチ足はローアーチ足と比較し，着地動作における後足部最大回内角度が有意に減少した．また，Queenら[22]は，ローアーチ足群は正常足群と比較し，着地動作時の内側中足部の最大反力が有意に増加し，中間前足部の最大反力が有意に減少したことを報告した．

以上のように，着地動作において後足部は背屈・回内・外転し，前足部は背屈・回内運動を生じることが一致して報告されてきた．また，着地動作において足部接地後に内側および外側縦アーチ角は増加し，その増加量は外側縦アーチにおいて大きいことが報告された．さらに，近年ローア

ーチ足とハイアーチ足の着地動作時の足部関節運動および足底圧に関する報告がされており，今後研究報告の蓄積が期待される．

4. カッティング動作

McLeanら[23]は，サイドカッティング動作における後足部の運動を計測した．その結果，後足部は立脚期の約0～80％に回外運動を生じ，その足部離地まで回内運動を生じた．また，女性は男性と比較し，後足部最大回内角度が有意に大きかった．Jenkynら[24]は，サイドカッティング動作における後足部，中足部，内側前足部，外側前足部の運動を体表マーカーから計測し，後足部は立脚期において回外運動を生じた後，回内運動を生じることを報告した．Queenら[22]は，12名の健常足群および10名のローアーチ足群を対象に，クロスカッティングおよびサイドカッティング動作時の足底反力を計測した．その結果，ローアーチ足群は正常足群と比較し，クロスカッティング動作時の内側中足部の接地面積が有意に増加

第 2 章　足部のバイオメカニクス

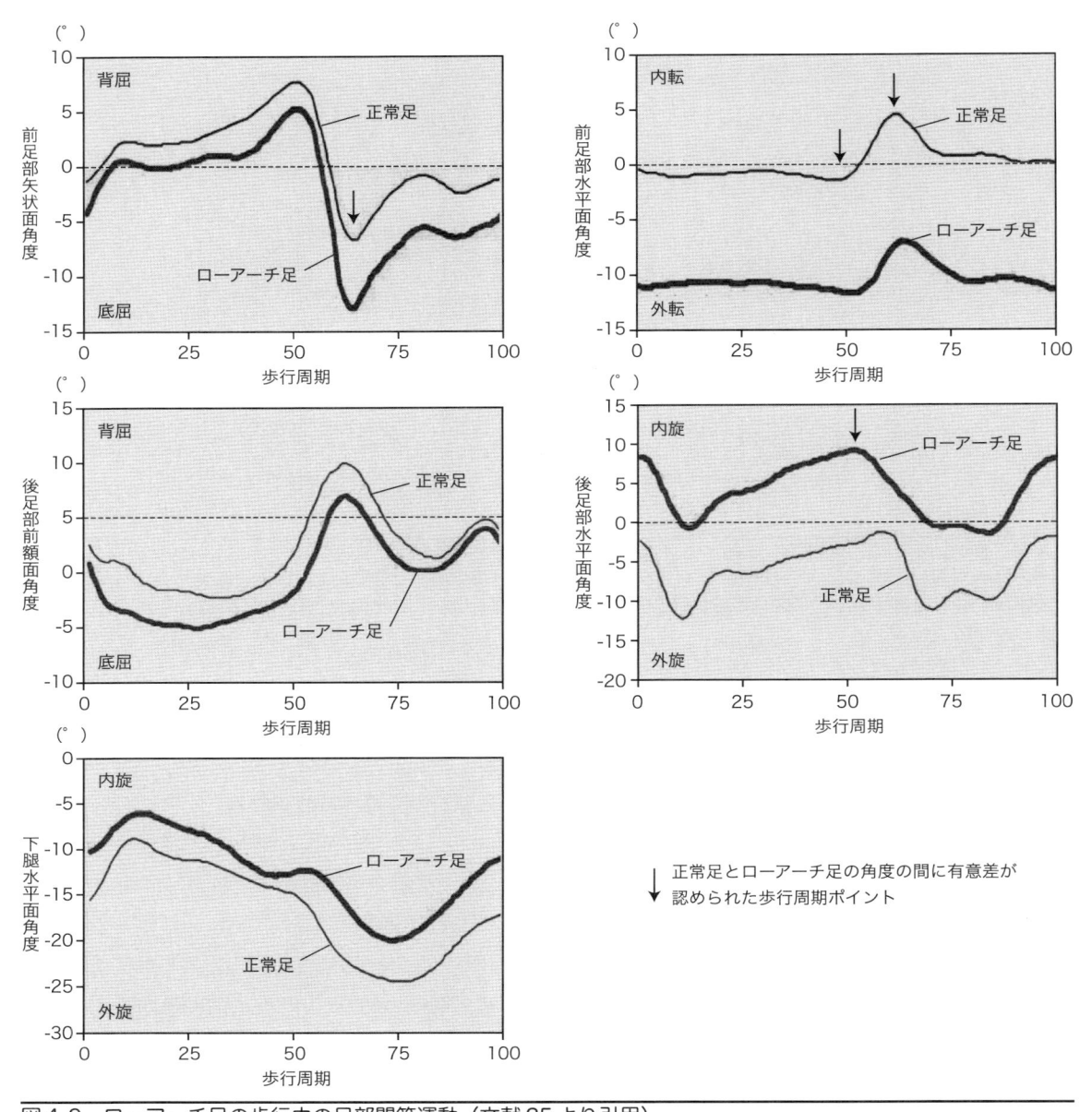

図 4-9　ローアーチ足の歩行中の足部関節運動（文献 25 より引用）

し，サイドカッティング動作時の内側中足部および外側中足部の接地面積，反力-時間積分値，最大反力が有意に増加した．以上のように，カッティング動作時の足部関節運動を計測した研究報告は少なく，今後中足部および前足部を含めた運動学的データの蓄積が期待される．

D. ローアーチ・ハイアーチ足のバイオメカニクス

健常者の足部をローアーチまたはハイアーチに分類し，歩行および走行中の足部の運動学的・力学的データを示した研究を提示する．

1. ローアーチ足の運動学的データ

Levingerら[25]は，X線学的パラメータから健常者の足部を正常足，ローアーチ足に分類し，歩行中の足部関節運動を体表マーカーを用いて計測した（**図4-9**）。その結果，ローアーチ足は正常足と比較し，前足部の最大底屈・外転角度が有意に大きく，最大内転角度が有意に小さかった。また，ローアーチ足では正常足と比較し，後足部の最大内転角度が有意に大きかった。有意差は認められなかったが，ローアーチ足では正常足と比較し下腿の最大内旋角度および後足部の最大回内角度が大きい傾向があった。Twomeyら[26]は，94名の児童を対象とした研究で，ローアーチ足は正常足と比較し，後足部の運動に有意差を認めず，前足部の最大回内角度が有意に小さく，最大外転角度が有意に大きい結果を示した。また，ローアーチ足は正常足と比較し，アーチ角の最大値が有意に大きかった。Huntら[27]は，扁平足または回内足を有する対象者と健常者の足部関節運動を計測した。その結果，扁平足または回内足では正常足と比較し，立脚期21％において後足部の底屈角度が有意に大きく，前遊脚期における前足部内転角度が有意に小さいことが示された。

以上のように，ローアーチ足では健常足と比較し，前足部の最大外転角度が有意に大きいことが共通の結果として報告されているが，その他の関節運動に関しては一定の見解が得られていない。その原因としては，足部アライメントの分類方法が統一されていないことが考えられる。

2. ローアーチ足・回内足の力学的データ

Chuckpaiwongら[28]は，健常者20名の足部を正常足とローアーチ足に分類し，歩行中のシューズ内の足底圧・足底接地面積・反力を計測した。ローアーチ足は正常足と比較し，荷重応答期〜立脚中期における中足部内側部の足底接地面積が有意に大きく，立脚終期における前足部外側の最大

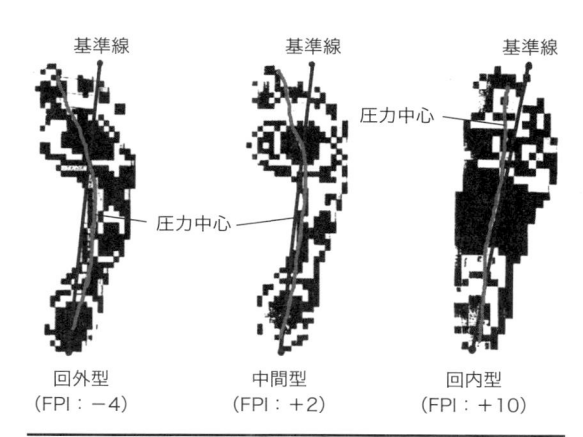

図4-10 足部アライメントと歩行中の圧力中心（文献31より引用）
FPI：foot posture index。回外足になるほど歩行中の圧力中心が外側偏位になる。

足底圧および最大反力が有意に小さかった。Teyhenら[29]は，foot posture indexの値と歩行中の中足部および第1中足骨の接地面積，母趾領域への最大圧に正の相関が認められ，回内足になるほど，歩行中の中足部および第1中足骨の接地面積，母趾領域への最大圧が大きくなることを報告した。

3. ハイアーチ足の運動学的データ

Powellら[21]は，健常者20名を対象にローアーチ足とハイアーチ足に分類し，歩行中および走行中の足部関節運動を計測した。その結果，ハイアーチ足はローアーチ足と比較し，歩行中および走行中の後足部・前足部の最大回内角度が有意に小さかった。また，歩行中の中足部の最大回内角度に関しても，ハイアーチ足が有意に小さかった。

4. ハイアーチ・回外足の力学的データ

Teyhenら[30]は，健常者1,000名を対象とし，立位姿勢におけるアーチ高率と歩行中の足底圧を計測した。その結果，アーチ高率と歩行中の後足部外側および第1中足骨頭部への反力-時間積分値に正の相関が認められた（$r = 0.54$，$p <$

0.001，r＝0.33，p＜0.001）。また，アーチ高率と前足部外側（第3，4，5中足骨頭部）における平均圧に正の相関が認められた（r＝0.38，p＜0.001）。Teyhenら[28]は，foot posture indexのスコアと歩行中の足底圧・反力・足底接地面積を計測し，回外足となるほど，前足部外側（第3，4，5中足骨頭部）への反力および第1中足骨頭部への平均圧が大きくなることを示した。Wongら[31]は，健常者83名を対象にfoot posture indexのスコアと歩行中の圧力中心の偏位を計測した。その結果，回外足になるほど歩行中の圧力中心の外側偏位領域が大きくなることが示された（図4-9）。

E. まとめと今後の課題

1. すでに真実として承認されていること

● 歩行中，後足部は荷重応答期で回内し，立脚終期から前遊脚期にかけて回外運動を生じる。
● 歩行中，前足部は荷重応答期で回外，立脚中期で回内，立脚終期で回外，前遊脚期で回内運動を生じる。
● 歩行中，舟状骨高は荷重応答期から立脚終期で低下し，前遊脚期で上昇する。
● 走行中，下腿は立脚期前半で内旋し，立脚期後半で外旋運動を生じる。
● 走行中，後足部は立脚期前半で回内し，立脚期後半で回外運動を生じる。
● 走行中，前足部は立脚期前半で回内し，立脚期後半で回外に次いで回内運動を生じる。
● 走行中，舟状骨高は立脚期前半で低下し，立脚期後半で上昇する。
● 着地動作では，足部接地後に後足部は背屈・回内・外転運動を，前足部は背屈・回内運動を生じる。
● 着地動作において，足部接地後に内側縦アーチ角および外側縦アーチ角は増加し，その増加量は外側縦アーチにおいて大きい。
● サイドカッティング動作では，立脚期に後足部は回外運動を生じた後，回内運動を生じる。

2. 議論の余地はあるが，今後重要な研究テーマとなること

● 健常者における歩行および走行中の足部の個々の関節運動。
● 健常者における歩行および走行中の足部関節運動の個体差。
● 健常者における歩行および走行中の足部関節運動と圧力中心・足底圧の関係性。
● 健常者における足部の各関節運動に関する運動学的データおよび力学的データの蓄積。
● 足部の関節アライメントを詳細に分類したうえでの荷重動作における足部関節運動の分類。

文献

1. 月城慶一，江原義弘，山本澄子，盆子原秀三 訳（Kirsten Götz-Neumann）．観察による歩行分析．医学書院，東京，2005; pp. 11-3.
2. Nester C, Jones RK, Liu A, Howard D, Lundberg A, Arndt A, Lundgren P, Stacoff A, Wolf P. Foot kinematics during walking measured using bone and surface mounted markers. *J Biomech*. 2007; 40: 3412-23.
3. Leardini A, Benedetti MG, Berti L, Bettinelli D, Nativo R, Giannini S. Rear-foot, mid-foot and fore-foot motion during the stance phase of gait. *Gait Posture*. 2007; 25: 453-62.
4. Pohl MB, Messenger N, Buckley JG. Forefoot, rearfoot and shank coupling: effect of variations in speed and mode of gait. *Gait Posture*. 2007; 25: 295-302.
5. Hunt AE, Smith RM, Torode M, Keenan AM. Inter-segment foot motion and ground reaction forces over the stance phase of walking. *Clin Biomech*. 2001; 16: 592-600.
6. Cornwall MW, Mcpoil TG. Classification of frontal plane rearfoot motion patterns during the stance phase of walking. *J Am Podiatr Med Assoc*. 2009; 99: 399-405.
7. Dicharry JM. Differences in static and dynamic measures in evaluation of talonavicular mobility in gait. *J Orthop Sports Phys Ther*. 2009; 39: 1-7.
8. Hageman ER, Hall M, Sterner EG, Mirka GA. Medial longitudinal arch deformation during walking and stair navigation while carrying loads. *Foot Ankle Int*. 2011; 32: 623-9.
9. Lundgren P, Nester C, Liu A, Arndt A, Jones R, Stacoff A, Wolf P, Lundberg A. Invasive *in vivo* measurement of

rear-, mid- and forefoot motion during walking. *Gait Posture*. 2008; 28: 93-100.
10. Arndt A, Westblad P, Winson I, Hashimoto T, Lundberg A. Ankle and subtalar kinematics measured with intracortical pins during the stance phase of walking. *Foot Ankle Int*. 2004; 25: 357-64.
11. Katoh Y, Chao EY, Laughman RK, Schneider E, Morrey BF. Biomechanical analysis of foot function during gait and clinical applications. *Clin Orthop Relat Res*. 1983; 177: 23-33.
12. Stolwijk NM, Duysens J, Louwerens JW, Keijsers NL. Plantar pressure changes after long-distance walking. *Med Sci Sports Exerc*. 2010; 42: 2264-72.
13. Kanatli U, Yetkin H, Simsek A, Oztürk AM, Esen E, Besli K. Pressure distribution patterns under the metatarsal heads in healthy individuals. *Acta Orthop Traumatol Turc*. 2008; 42: 26-30.
14. Pohl MB, Buckley JG. Changes in foot and shank coupling due to alterations in foot strike pattern during running. *Clin Biomech*. 2008; 23: 334-41.
15. Arndt A, Wolf P, Liu A, Nester C, Stacoff A, Jones R, Lundgren P, Lundberg A. Intrinsic foot kinematics measured *in vivo* during the stance phase of slow running. *J Biomech*. 2007; 40: 2672-8.
16. De Cock A, Vanrenterghem J, Willems T, Witvrouw E, De Clercq D. The trajectory of the centre of pressure during barefoot running as a potential measure for foot function. *Gait Posture*. 2008; 27: 669-75.
17. Arampatzis A, Morey-Klapsing G, Bruggemann GP. The effect of falling height on muscle activity and foot motion during landings. *J Electromyogra Kinesiol*. 2003; 13: 533-44.
18. Arampatzis A, Bruggemann GP, Klapsing GM. A three-dimensional shank-foot model to determine the foot motion during landings. *Med Sci Sports Exerc*. 2002; 34: 130-8.
19. Fukano M, Fukubayashi T. Motion characteristics of the medial and lateral longitudinal arch during landing. *Eur J Appl Physiol*. 2009; 105: 387-92.
20. Fukano M, Fukubayashi T. Gender-based differences in the functional deformation of the foot longitudinal arch. *Foot (Edinb)*. 2012; 22: 6-9.
21. Powell DW, Long B, Milner CE, Zhang S. Frontal plane multi-segment foot kinematics in high- and low-arched females during dynamic loading tasks. *Hum Mov Sci*. 2011; 30: 105-14.
22. Queen RM, Mall NA, Nunley JA, Chuckpaiwong B. Differences in plantar loading between flat and normal feet during different athletic tasks. *Gait Posture*. 2009; 29: 582-6.
23. McLean SG, Lipfert SW, van den Bogert AJ. Effect of gender and defensive opponent on the biomechanics of sidestep cutting. *Med Sci Sports Exerc*. 2004; 36: 1008-16.
24. Jenkyn TR, Shultz R, Giffin JR, Birmingham TB. A comparison of subtalar joint motion during anticipated medial cutting turns and level walking using a multi-segment foot model. *Gait Posture*. 2010; 31: 153-8.
25. Levinger P, Murley GS, Barton CJ, Cotchett MP, Mcsweeney SR, Menz HB. A comparison of foot kinematics in people with normal- and flat-arched feet using the Oxford Foot Model. *Gait Posture*. 2010; 32: 519-23.
26. Twomey D, Mcintosh AS, Simon J, Lowe K, Wolf SI. Kinematic differences between normal and low arched feet in children using the Heidelberg foot measurement method. *Gait Posture*. 2010; 32: 1-5.
27. Hunt AE, Smith RM. Mechanics and control of the flat versus normal foot during the stance phase of walking. *Clin Biomech*. 2004; 19: 391-7.
28. Chuckpaiwong B, Nunley JA, Mall NA, Queen RM. The effect of foot type on in-shoe plantar pressure during walking and running. *Gait Posture*. 2008; 28: 405-11.
29. Teyhen DS, Stoltenberg BE, Eckard TG, Doyle PM, Boland DM, Feldtmann JJ, Mcpoil TG, Christie DS, Molloy JM, Goffar SL. Static foot posture associated with dynamic plantar pressure parameters. *J Orthop Sports Phys Ther*. 2011; 41: 100-7.
30. Teyhen DS, Stoltenberg BE, Collinsworth KM, Giesel CL, Williams DG, Kardouni CH, Molloy JM, Goffar SL, Christie DS, Mcpoil T. Dynamic plantar pressure parameters associated with static arch height index during gait. *Clin Biomech (Bristol, Avon)*. 2009; 24: 391-6.
31. Wong L, Hunt A, Burns J, Crosbie J. Effect of foot morphology on center-of-pressure excursion during barefoot walking. *J Am Podiatr Med Assoc*. 2008; 98: 112-7.

〔野崎　修平〕

5. インソールと足部バイオメカニクス

はじめに

静止立位や移動している間，足部は常に外部からの力学的ストレスにさらされている。正常な機能を有した足部では，靱帯，腱，筋などによる身体の内部構造によってこれらの外力に対応している。正常な機能が失われると，関節運動に変化が起こり，組織に過大なストレスが生じてさまざまな障害が発生する。足部の障害を引き起こす力学的ストレスを最小限にするために，臨床現場ではインソールが用いられる。静的アライメントの補正や異常な動的アライメントを抑制し，特定の部位に集中する負荷を軽減させるという考えのもと，外傷・障害の治療と予防に活用されている。本項では，インソールの使用により動作時の足部バイオメカニクスに生じる変化についてレビューを行った。

A. 文献検索方法

文献検索にはPubMedを用い，「insoles」「orthoses」「arch support」「orthotic devices」「foot」「biomechanics」のキーワードを組み合わせて検索した。そのなかから，足部の整形外科的な疾患に関する文献を中心に抽出し，最終的に29文献を採用した。

B. インソール使用時のキネマティクス

足部のオーバーユース障害を引き起こす原因として，ローアーチやハイアーチなどの静的アライメント異常がある。これらの静的アライメント異常は，運動時に足部の過回内を誘発し，症状を増悪させるものと考えられている。インソールに関する文献には，これらの現象をキネマティクスの観点から検証したものが多く，測定パラメータには，主に足部の回内角度および角速度が用いられている。

足部回内・回外を示す用語は報告によって異なり，"inversion／eversion"または"pronation／spination"が用いられている。近年の研究では足部回内・回外角度の計測には三次元動作解析装置が用いられている。足部回内・回外角度の算出には，下腿および後足部に貼付したマーカーから下腿セグメントに対する足部セグメントの角度を計測する手法が一般的である。角度を示す用語も報告により異なるが，本項では"後足部回内角度"とする。

インソールの種類は多様であり，カスタムインソール，内側ウェッジ，縦アーチサポート，フラットインソールに大別される。カスタムインソールは個人の足ごとに採型され，前足部や後足部を中間位にコントロールするように作製されたものである。

1. 歩行中の足部回内角度・角速度

Nesterら[1, 2]は，健常人15名を対象に歩行中の足部キネマティクスを計測した。後足部から第1中足骨頭にかけて10°の傾斜がついた内側ウェッジ，10°の外側ウェッジ，シューズのみの3条件で足部回内角度を比較した。その結果，内側ウ

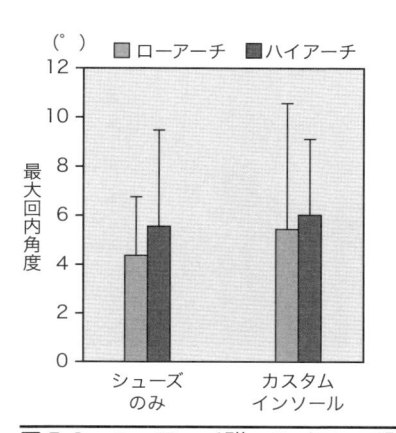

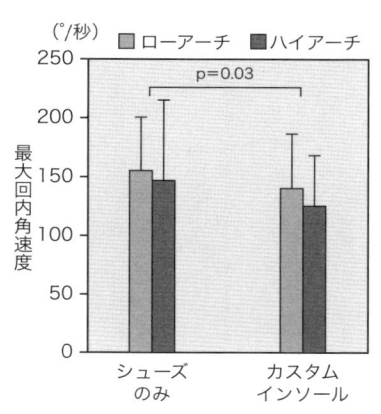

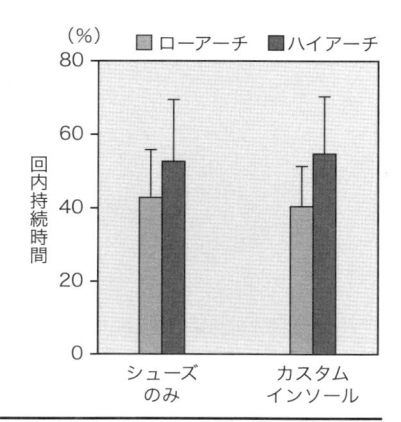

図5-1 ローアーチ群,ハイアーチ群におけるカスタムインソール使用時の後足部キネマティクス（文献3より引用）
ローアーチ群,ハイアーチ群ともに,インソール使用による接地時の最大回内角度に有意な変化はみられなかったが,最大回内角速度に関してはシューズのみの場合と比較して有意に減少した。回内持続時間（踵接地から回外運動へ切り替わるまでの時間）はハイアーチ群で有意に長かった。

ェッジ群はシューズのみ群と比較して,接地時の後足部回内角度が有意に減少した。Zifchockら[3]は,アーチ高率を用いて対象をローアーチ群とハイアーチ群の2群に分け,それぞれカスタムインソールの有無による回内角度と角速度の変化を比較した。ローアーチ群,ハイアーチ群ともに,インソール使用による接地時の最大回内角度に有意な変化はみられなかったが,最大回内角速度に関してはカスタムインソールなしの場合と比較して有意に減少した。アーチの形状による違いは回内持続時間（踵接地から回外運動へ切り替わるまでの時間）（単位％；立脚期を100％としたときの割合）に表われ,ハイアーチ群で有意に長かった。つまり,ローアーチにおいて回内位を呈している時間が短い（**図5-1**）。健常足と比較していないため優劣の議論は難しいが,アーチ高が異なれば運動のタイミングが異なるといえる。これらの研究より,内側ウェッジは歩行時の後足部回内角度を減少させることで,健常人の後足部のアライメントをコントロールできると考えられる。ローアーチとハイアーチに対するカスタムインソールは,歩行時の回内角速度を変化させる可能性が示唆されたが,研究数が少なく今後のさらなる研究が待たれる。

2. 走行中の足部回内角度・速度

Davisら[4]は,走行時にカスタムインソールを使用することで,シューズのみの場合より回内外角度の変化量が減少すると報告した。MacLeanら[5]は,健常人を対象にシューズ群とカスタムインソール使用群に分け,走行中の後足部最大回内角度と回内角速度を比較した。その結果,カスタムインソール使用群では,接地期間中の最大回内角度が有意に減少した。さらに,回内角度は接地相の15〜50％,回内角速度は接地相の0〜15％で有意に減少し,接地初期の足部キネマティクスに変化がみられた（**図5-2**）。Eslamiら[6]も同様に,カスタムインソールを用いると立脚相初期の60％区間における後足部回内角度が減少すると報告した。これらの研究から,カスタムインソールを使用することで,特に接地初期のアライメントをコントロールできることが明らかになった。また,Stackhouseら[7]は,後足部接地と前足部接地によるカスタムインソールの効果の違いを検討したが,接地方法の違いによってカスタムインソールの効果は変わらないと報告した。

第2章 足部のバイオメカニクス

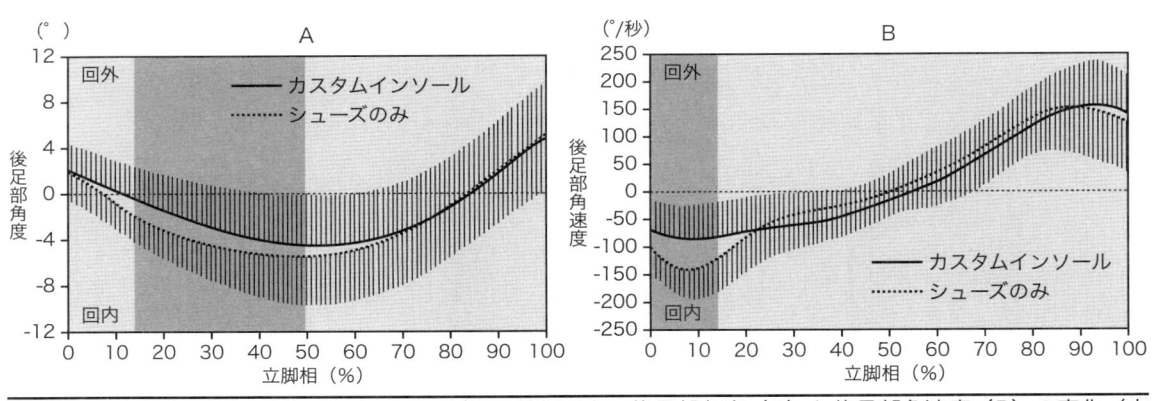

図5-2 インソールの有無によるランニング中の前額面上の後足部角度（A）と後足部角速度（B）の変化（文献5より引用）
灰色の濃い範囲がインソールの装着によって有意に変化がみられる範囲（A：15〜50％，B：0〜15％）。
縦線は標準偏差。

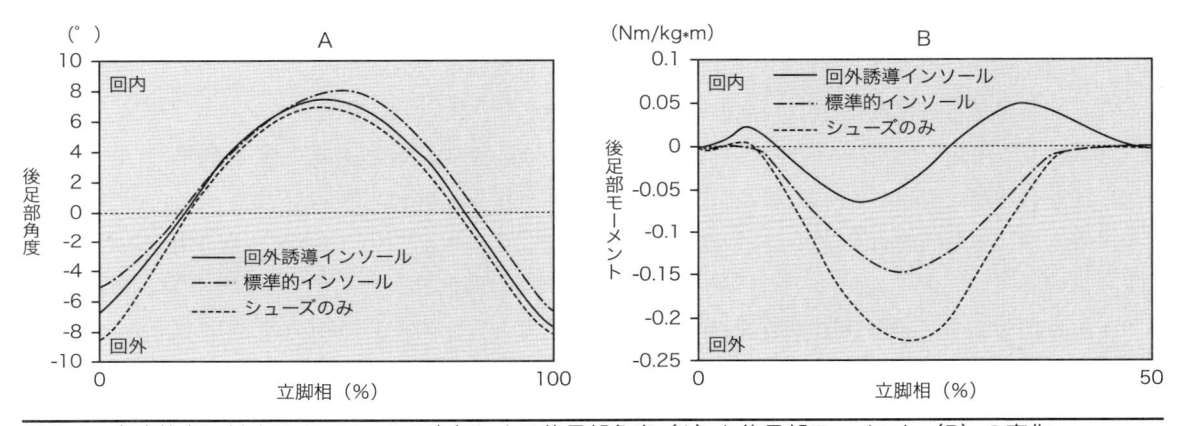

図5-3 有症状者に対するインソールの有無による後足部角度（A）と後足部モーメント（B）の変化
いずれも全対象者の平均値。標準偏差は表示していない。

内側ウェッジと内側縦アーチサポートを用いて走行中のキネマティクスの変化を検証した研究[8]では，どちらのタイプのインソールでもインソールなしと比較して，走行中の踵骨回内角度に有意な変化がみられなかった。対象者が5名と少ないことに限界があるが，介入による差よりも個人間の差のほうが大きいことが，有意差が出なかった原因として考察された。Mündermannら[9]は，後足部から前足部まで内側を6 mm高くしたインソールを使用した場合，フラットなインソールと比較して有意に最大足部回内角度と角速度が減少したと報告した。以上より，使用するインソールの種類によって，走行中のアライメントの変化が異なることが考えられる。

MacLeanら[10]は，膝および下腿に症状を有する女性ランナーを対象に動作解析を行った。カスタムインソール群とシューズのみ群とを比較し，カスタムインソール群では走行中の後足部最大回内角度・角速度ともに有意に減少していた。Williamsら[11]も，膝および下腿に症状を有するランナー11名を対象に回外誘導インソール（内側縦アーチサポートと内側ウエッジを組み合わせ

表5-1 シューズのみとインソール使用時と衝撃力とローディングレートの結果の比較（文献16より引用）

		ミッドソールの固さ		
		柔らかめ	普通	固め
衝撃力（BW）	シューズのみ	1.96 ± 0.26	1.94 ± 0.26	1.92 ± 0.27
	シューズ＋インソール	1.92 ± 0.22	1.82 ± 0.26	1.81 ± 0.29
最大ローディングレート（BW/秒）	シューズのみ	77.72 ± 11.26	83.82 ± 14.09	79.59 ± 16.40
	シューズ＋インソール	73.88 ± 12.44	72.70 ± 12.41	77.39 ± 12.95

たもの）装着時の後足部アライメントを計測した。その結果，最大回内角度に有意な変化はみられなかったが，インソール着用によって最大回外モーメントが有意に減少した（図5-3）。いずれの研究もインソール使用により足部のアライメントが変化しており，症状の軽減にも貢献していることが明らかにされた。以上より，走行中の足部キネマティクスに関しては，カスタムインソールが後足部回内角度をコントロールするのに有用であると考えられる。

C. インソール使用時の床反力

足部のオーバーユース障害発生の要因として，足部回内角度などのキネマティクスのほかに，床面からの衝撃力の増加もあげられる。ここでは，インソールによる衝撃吸収の効果を床反力から検証した研究を整理する。

床から加わる衝撃力の計測には，床反力計を用いて，最大衝撃力（単位：N，BW）とローディングレート（N/秒，BW/秒）が用いられる。健常人を対象として，走行時の衝撃力を計測した報告は多数みられる。その多くは，シューズのみと比較してインソール使用時に最大衝撃力，ローディングレートが減少したと報告された[6,12,13]。一方で，有意差はないとする報告もみられた[5]。これらの結果の違いは，前者の報告ではショック吸収素材を用いたインソールが使用されているに対して，後者では回内防止を主な目的としたカスタムインソールを使用していることが原因と考えられる。したがって，衝撃力のコントロールにインソールを用いる場合，力学的特性を考慮して使用する必要があろう。

アライメント不良や疼痛を有している者を対象とした研究が報告された。Kulcuら[14]は，足部アーチが低下した者に対して，ショック吸収を目的としたインソールを用いて歩行時の床反力を計測した。その結果，シューズのみの場合とインソール使用時で有意差は認められなかった。MacLeanら[9,15]は，膝に疼痛を有するランナーに対して，回内修正に加えて衝撃吸収機能を有したインソール（エチレンビニルアセテート素材，18 mmのヒールキャップ，表面はマイクロセルパフ）を着用させ，シューズのみと床反力を比較した。さらに，両条件下でシューズのミッドソールの固さを変えて比較した。その結果，ミッドソールの固さに関係なく，インソールを使用すると衝撃力が低下した（表5-1）。衝撃吸収は，インソールの素材に依存するところが大きく[16]，ショック吸収機能を有したインソールは衝撃力やローディングレートを減少させる可能性があると考えられる。

D. インソール使用時の足底圧分布

足底の特定の部位への圧迫ストレスも足部スポーツ障害の要因とされ，圧分散の効果を期待しインソールが使用される場合がある。先行研究では，

第2章 足部のバイオメカニクス

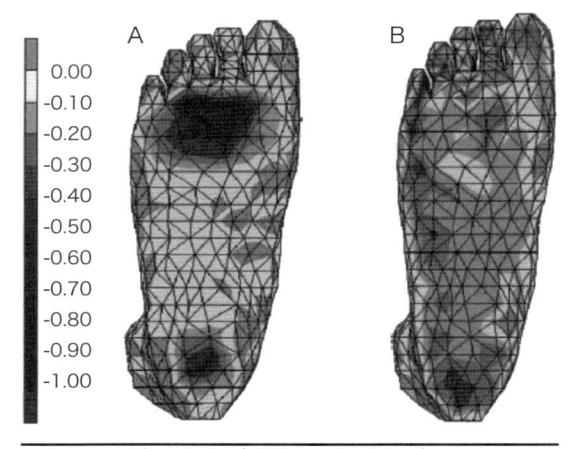

図5-4 足底圧分布（文献17より引用）
A：フラットインソール，B：カスタムインソール。
Bでは中足骨頭部の圧力が減少し，全体的に分散されている様子がわかる。

健常人を対象に有限要素解析を用いて，フラットインソールとカスタムインソールの足底圧分布を比較した研究がみられる。いずれの研究も共通した結果が得られ，カスタムインソールにおいて中足部の最大足底圧が増加し，踵や中足骨頭などの部位は減少した（図5-4）[17〜19]。このことから，カスタムインソールは足底に生じる圧力を分散させる作用があると考えられる。また，Van Gheluweら[20]は，前足部は3°外反，フラット，3°内反，6°内反，後足部は4°外反，フラット，4°内反，8°内反とそれぞれ角度の異なるウェッジを装着させ，足底圧計を用いて，歩行時の最大足底圧と部位別の足底圧を計測した。その結果，前足部，後足部ともに内反ウェッジの角度が増えると内側の足底圧が増加し，外反ウェッジの角度が増えると外側の足底圧が増加した。さらに，前足部と後足部の関係については，後足部のウェッジは前足部の足底圧に有意な変化を与えず，同様に前足部のウェッジも後足部の足底圧に有意な変化を与えなかった。以上から，ウェッジの種類や角度，使用部位により，足底圧分布が変化することが示された。

ローアーチやハイアーチを対象とした足底圧分布の研究によると，インソール群では踵・前足部に生じる圧が減少し，中足部では接触面積が増加して，最大圧力が減少した[21, 22]。対象が足底腱膜炎でも同様の結果が報告された[23]。したがって，アライメント不良や足底腱膜炎に対するインソールは，接触面積を増加させ，特定の部位に過剰に生じる足底圧を減少させる効果があると考えられる。

足底圧に影響を与えるインソールの要素として，厚さ，固さ，アーチ高，適合度などがあり，

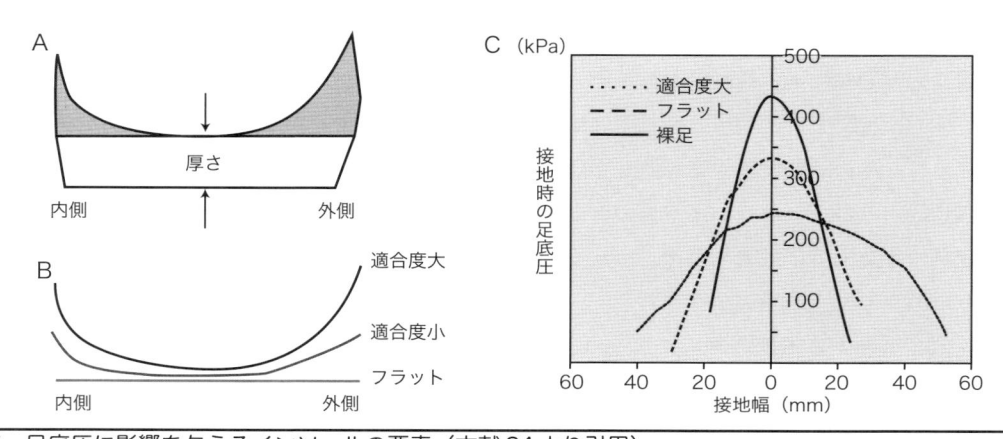

図5-5 足底圧に影響を与えるインソールの要素（文献24より引用）
A：インソールの厚さ，B：インソールの適合度，C：適合度による足底圧の差。

これらの違いによる足底圧の変化の検証も重要である。Goskeら[24]は，インソールの厚さと適合度を変えて，踵に生じる足底圧を有限要素解析にて分析した。その結果，インソールが厚いほど踵に生じる最大足底圧が減少し，適合度が大きいほど最大足底圧が減少した（図5-5）。また，異なる固さで作製したカスタムインソールも比較された。柔らかいインソールでは足底圧が中足骨頭で40.7％，踵で31.6％の減少率を示したのに対し，固いインソールではそれぞれ23.2％，24.4％であった[18]。このことから，インソールの固さも足底圧の変化に関連していることがわかる。

E. 最近の研究の動向

これまで紹介した研究において，対象者数不足や障害の統一がなされていないことなどが限界としてあげられる。ここでは，報告数が少数であるためコンセンサスが得られていないが，これらの限界点を考慮した近年の報告について検討する。

Stolwijkら[26]によって，204名を対象にカスタムインソールの有無で足底圧を比較した大規模調査が報告された。結果は，インソール使用時には中足骨頭と踵部で足底圧が減少し，中足骨幹部の圧が有意に増加した。この結果は，これまでの結果をより強く支持していた。特定の疾患に対するインソールの効果を検証した報告もみられる。踵骨骨端症患者を対象にヒールキャップとヒールウェッジの2種類を用いて疼痛の変化を比較し，ヒールキャップで有意に疼痛が減少したとする報告[27]や，踵骨骨折患者14名に対してカスタムインソールを用いると，ストライド長の延長や底屈パワーの増加がみられたとする報告[28]がある。今後は，疾患別にインソールの臨床効果を裏づけるさらなるデータの報告が待たれる。

無作為化臨床試験によりインソールの効果を検討した報告も散見される。Shihら[29]は，膝と足部に疼痛を有する回内足のランナー24名を，後足部への内側ウェッジを用いた介入群とソフトインソールを使用した対照群に無作為に分け，疼痛の変化を比較した。その結果，即時効果，短期的効果どちらにおいても，介入群に有意に疼痛の減少が認められた。今後，症状の変化に伴うバイオメカニクスの変化という視点をもったエビデンスレベルの高い研究報告が期待される。

F. まとめ

1. すでに真実として承認されていること
- 健常人に対するカスタムインソールは，走行中の立脚初期において後足部回内角度・回内角速度を減少させる。
- 衝撃吸収を目的に作製されたカスタムインソールでは，接地時の最大衝撃力を減少させる。
- カスタムインソールは中足骨頭や踵の圧を減少させ，中足部の圧を増加させることで圧を分散させる。

2. 議論の余地はあるが，今後の重要な研究テーマとなること
- 有疾患者やアライメント不良の者に対するインソールの介入効果。

3. 真実と思われていたが実は疑わしいこと
- 内側ウェッジや内側縦アーチサポート単独使用による走行時の後足部回内コントロール。

G. 今後の課題

- 個人間のデータのばらつきを減少させるため，対象者の足部アライメントの特徴や障害名を統一すること。
- 後足部回内角度だけではなく，アーチ高や前足部・中足部などの，骨同士の詳細なアライメン

第2章 足部のバイオメカニクス

ト変化の解明。

文 献

1. Nester CJ, Hutchins S, Bowker P. Effect of foot orthoses on rearfoot complex kinematics during walking gait. *Foot Ankle Int*. 2001; 22: 133-9.
2. Nester CJ, van der Linden ML, Bowker P. Effect of foot orthoses on the kinematics and kinetics of normal walking gait. *Gait Posture*. 2003; 17: 180-7.
3. Zifchock RA, Davis I. A comparison of semi-custom and custom foot orthotic devices in high- and low-arched individuals during walking. *Clin Biomech (Bristol, Avon)*. 2008; 23: 1287-93.
4. Davis IS, Zifchock RA, Deleo AT. A comparison of rearfoot motion control and comfort between custom and semicustom foot orthotic devices. *J Am Podiatr Med Assoc*. 2008; 98: 394-403.
5. MacLean C, Davis IM, Hamill J. Influence of a custom foot orthotic intervention on lower extremity dynamics in healthy runners. *Clin Biomech (Bristol, Avon)*. 2006; 21: 623-30.
6. Eslami M, Begon M, Hinse S, Sadeghi H, Popov P, Allard P. Effect of foot orthoses on magnitude and timing of rearfoot and tibial motions, ground reaction force and knee moment during running. *J Sci Med Sport*. 2009; 12: 679-84.
7. Stackhouse CL, Davis IM, Hamill J. Orthotic intervention in forefoot and rearfoot strike running patterns. *Clin Biomech (Bristol, Avon)*. 2004; 19: 64-70.
8. Stacoff A, Reinschmidt C, Nigg BM, van den Bogert AJ, Lundberg A, Denoth J, Stüssi E. Effects of foot orthoses on skeletal motion during running. *Clin Biomech (Bristol, Avon)*. 2000; 15: 54-64.
9. Mündermann A, Nigg BM, Humble RN, Stefanyshyn DJ. Foot orthotics affect lower extremity kinematics and kinetics during running. *Clin Biomech (Bristol, Avon)*. 2003; 18: 254-62.
10. MacLean CL, Davis IS, Hamill J. Short- and long-term influences of a custom foot orthotic intervention on lower extremity dynamics. *Clin J Sport Med*. 2008; 18: 338-43.
11. Williams DS, Mcclay Davis I, Baitch SP. Effect of inverted orthoses on lower-extremity mechanics in runners. *Med Sci Sports Exerc*. 2003; 35: 2060-8.
12. Dixon SJ. Influence of a commercially available orthotic device on rearfoot eversion and vertical ground reaction force when running in military footwear. *Mil Med*. 2007; 172: 446-50.
13. O'Leary K, Vorpahl KA, Heiderscheit B. Effect of cushioned insoles on impact forces during running. *J Am Podiatr Med Assoc*. 2008; 98: 36-41.
14. Kulcu DG, Yavuzer G, Sarmer S, Ergin S. Immediate effects of silicone insoles on gait pattern in patients with flexible flatfoot. *Foot Ankle Int*. 2007; 28: 1053-6.
15. MacLean CL, Davis IS, Hamill J. Influence of running shoe midsole composition and custom foot orthotic intervention on lower extremity dynamics during running. *J Appl Biomech*. 2009; 25: 54-63.
16. Dixon SJ, Waterworth C, Smith CV, House CM. Biomechanical analysis of running in military boots with new and degraded insoles. *Med Sci Sports Exerc*. 2003; 35: 472-9.
17. Chen W-P, Ju C-W, Tang F-T. Effects of total contact insoles on the plantar stress redistribution: a finite element analysis. *Clin Biomech (Bristol, Avon)*. 2003; 18: S17-24.
18. Cheung JT-M, Zhang M. A 3-dimensional finite element model of the human foot and ankle for insole design. *Arch Phys Med Rehabil*. 2005; 86: 353-8.
19. Cheung JT-M, Zhang M. Parametric design of pressure-relieving foot orthosis using statistics-based finite element method. *Med Eng Phys*. 2008; 30: 269-77.
20. Van Gheluwe B, Dananberg HJ. Changes in plantar foot pressure with in-shoe varus or valgus wedging. *J Am Podiatr Med Assoc*. 2004; 94: 1-11.
21. Redmond A, Lumb PS, Landorf K. Effect of cast and noncast foot orthoses on plantar pressure and force during normal gait. *J Am Podiatr Med Assoc*. 2000; 90: 441-9.
22. Burns J, Crosbie J, Ouvrier R, Hunt A. Effective orthotic therapy for the painful cavus foot: a randomized controlled trial. *J Am Podiatr Med Assoc*. 2006; 96: 205-11.
23. Chia KKJ, Suresh S, Kuah A, Ong JLJ, Phua JMT, Seah AL. Comparative trial of the foot pressure patterns between corrective orthotics, formthotics, bone spur pads and flat insoles in patients with chronic plantar fasciitis. *Ann Acad Med Singap*. 2009; 38: 869-75.
24. Goske S, Erdemir A, Petre M, Budhabhatti S, Cavanagh PR. Reduction of plantar heel pressures: insole design using finite element analysis. *J Biomech*. 2006; 39: 2363-70.
25. House CM, Dixon SJ, Allsopp AJ. User trial and insulation tests to determine whether shock-absorbing insoles are suitable for use by military recruits during training. *Mil Med*. 2004; 169: 741-6.
26. Stolwijk NM, Louwerens JW, Nienhuis B, Duysens J, Keijsers NL. Plantar pressure with and without custom insoles in patients with common foot complaints. *Foot Ankle Int*. 2011; 32: 57-65.
27. Perhamre S, Lundin F, Norlin R, Klassbo M. Sever's injury; treat it with a heel cup: a randomized, crossover study with two insole alternatives. *Scand J Med Sci Sports*. 2011; 21: e42-7.
28. Ocguder A, Gok H, Heycan C, Tecimel O, Tonuk E, Bozkurt M. Effects of custom-made insole on gait pattern of patients with unilateral displaced intra-articular calcaneal fracture: evaluation with computerized gait analysis. *Acta Orthop Traumatol Turc*. 2012; 46: 1-7.
29. Shih YF, Wen YK, Chen WY. Application of wedged foot orthosis effectively reduces pain in runners with pronated foot: a randomized clinical study. *Clin Rehabil*. 2011; 25: 913-23.

〈森田 寛子〉

6. 足部テーピングのバイオメカニクス

はじめに

スポーツに伴う足部オーバーユース障害に対する治療や予防的介入の方法として足部テーピングがある。有疾患者を対象に足部テーピング介入の効果を検証した研究では，疼痛軽減や機能改善の効果が示された[1～3]。これらの効果は，足部にテーピングをすることにより，症状を誘発する足部や足関節の異常運動が制動されるためと考察された。したがって，科学的な効果を検証するためには，足部テーピング使用時のバイオメカニクスの詳細を十分に把握する必要がある。

現在までに報告された足部テーピングのバイオメカニクスに関する研究の多くは健常人を対象としたものであり，有疾患者のデータは少ない。また，検証されているテーピングは足部過回内制動を目的とした手法のものに限られており，臨床現場で用いられるその他のテーピングについては，効果を裏づける科学的データが不足している。

本項では，健常足もしくは回内足に対する足部テーピングの使用が，足部バイオメカニクスに及ぼす影響を整理することを目的とした。なお，回内足の定義については各研究[4～7]で「navicular drop test 10 mm 以上の者」としていたことから，本項でもその定義に準ずることとした。

A. 文献検索方法

検索エンジンは PubMed を使用し，「taping/tape」「bandage」「biomechanics」「foot」のキーワードを組み合わせて検索した。検索結果から 2000 年以降に発表された足部テーピング使用時の足部バイオメカニクスに関する文献をレビューした。その他，足部疾患に対するテーピングの治療効果をみたもの，テーピング方法に関する文献も参考にした。

B. 足部テーピングの種類と貼付方法

本項でレビューした研究で使用された足部テーピング方法は，①Low-Dye taping，②High-Dye taping，③Modified Low-Dye taping，④Augmented Low-Dye taping の 4 つの方法である。足部テーピングの使用目的は足部過回内の制動であり，使用したテープは 38 mm 幅[4, 6～11]もしくは 50 mm 幅[5, 12]の非伸縮テープであった。

1. Low-Dye taping

Low-Dye taping（図 6-1）は 1939 年に Dye によって提唱された方法であり[13]，最も研究数が多いテーピング方法である。テーピング方法は以下のとおりである[8]。①第 1 中足骨頭から踵後方を経由し，第 5 中足骨頭までテープを貼る。②足底面を覆う横断テープを第 5 中骨頭から第 1 中足骨まで貼る。③先の横断テープを半分覆うように次の横断テープを足部外側から内側へ貼り，後足部まで繰り返す。④最後に第 1 中足骨頭から第 5 中足骨頭までテープを貼り，横断テープを固定する。

第2章 足部のバイオメカニクス

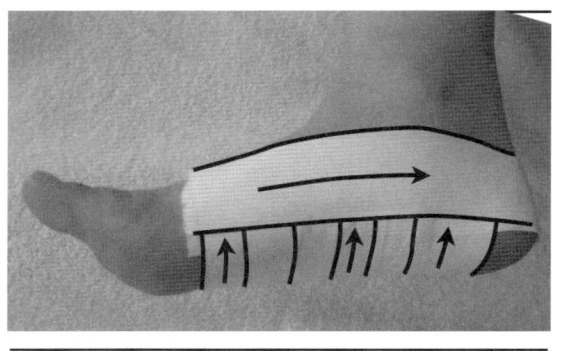

図6-1 Low-Dye taping
①第1中足骨頭から踵後方を経由し，第5中足骨頭までテープを貼る。②足底面を覆う横断テープを第5中骨頭から第1中足骨まで貼る。③先の横断テープを半分覆うように次の横断テープを足部外側から内側へ貼り，後足部まで繰り返す。④最後に第1中足骨頭から第5中足骨頭までテープを貼り，横断テープを固定する。

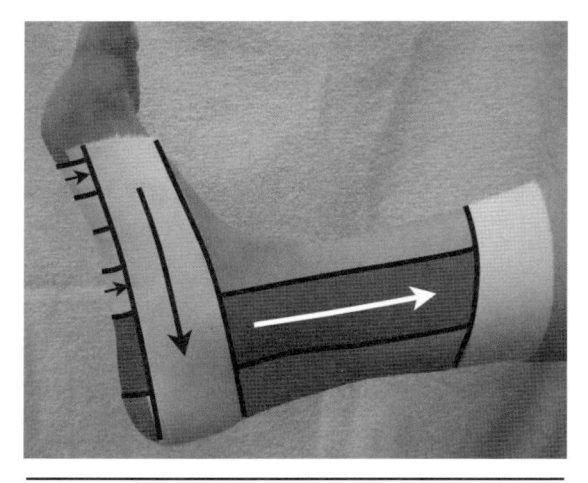

図6-2 High-Dye taping
テーピング方法は Low-Dye taping に準ずるが，下腿遠位1/3にアンカーテープを貼り，後足部の横断テープを下腿遠位まで延長する。

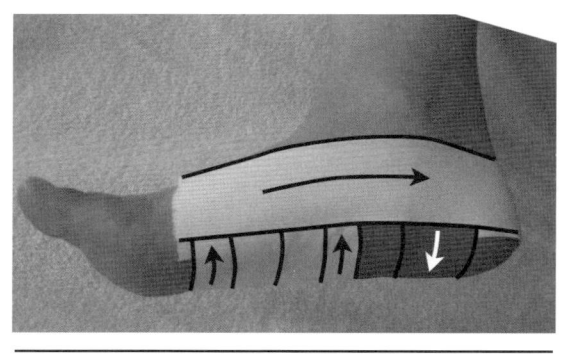

図6-3 Modified Low-Dye taping
テーピング方法は Low-Dye taping に準ずるが，後足部の横断テープを足部内側から外側へ貼付する。

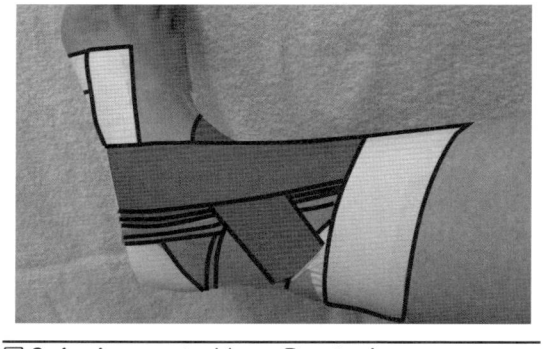

図6-4 Augmented Low-Dye taping
Low-Dye taping に後足部をコントロールする calcaneal sling と reverse 6 strips の2種類のテーピングを加えた方法。

2. High-Dye taping

High-Dye taping（**図6-2**）は Low-Dye taping と同時に Dye によって提唱されたテーピング方法であるが[11]，研究数はわずかである。テーピング方法は Low-Dye taping に準ずるが，下腿遠位1/3にアンカーテープを貼り，後足部の横断テープを下腿遠位まで延長した方法である。

3. Modified Low-Dye taping

Modified Low-Dye taping（**図6-3**）は Holmes ら[10]が提唱した方法であり，研究数はわずかである。テーピング方法は Low-Dye taping に準ずるが，後足部の横断テープを足部内側から外側へ貼付した変法である。

4. Augmented Low-Dye taping

Augmented Low-Dye taping（**図6-4**）は Low-Dye taping に後足部をコントロールする calcaneal sling と reverse 6 strips の2種類のテーピングを加えた方法であり[8]，研究数は Low-

6. 足部テーピングのバイオメカニクス

Dye taping に次いで多い。テーピング方法は以下のとおりである。①Low-Dye taping 貼付後，②下腿遠位1/3にアンカーテープを貼る。③Calcaneal sling はアンカーテープの前面から下腿内側，アキレス腱・踵後方を斜めに経由し，足底面から後足部と中足部の中間を内側経由し，アンカーテープまで巻く方法で3本貼付する。④Reverse 6 strips は，内果から中足部の足背を経由し，中足部の足底部を外側から内側へ通り，アンカーテープまで巻く方法で3本貼付する。

C. 足部テーピング使用時の足部バイオメカニクス

足部や下肢のオーバーユース障害の発生には，足部内側縦アーチの低下とそれに付随する足部の過回内が関与するとされる[7]。これらの不良アライメントにより，筋および軟部組織に機械的ストレスが加わることで，足部の症状が惹起されると考えられている。これらの現象をバイオメカニクスの観点から解明するためには，内側縦アーチ，後足部アライメント（回内外角度，内転角度など），足底圧の内側偏位などが重要であり，多くの研究で計測されてきた。

足部テーピングの目的は，足部の過回内を制動するとともに足部内側縦アーチを上昇させ，内側に偏位した中足部足底圧を外側方向へ変化させ，正常な荷重を得ることである。以下に，先行研究で報告された足部テーピング使用時の足部バイオメカニクスについて述べる。

1. 内側縦アーチ変化

足部バイオメカニクスの領域では，内側縦アーチの変化は舟状骨高やアーチ高，アーチ高率などのパラメータによって比較し，その効果の有無について検証されている。

Holmes ら[10]は健常足の静止立位における舟状

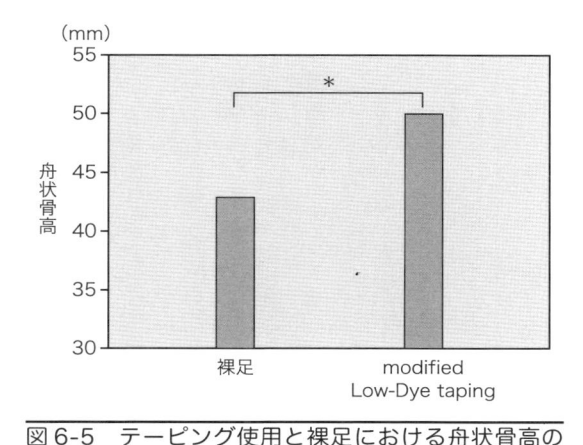

図6-5 テーピング使用と裸足における舟状骨高の変化
テーピングの使用によって舟状骨高が有意に増加した（＊p＜0.05）。

骨高を modified Low-Dye taping 使用時と裸足で比較し，裸足の舟状骨高が42.9 mm であったのに対しテーピング使用時は50.1 mm であったと報告した（図6-5）。また，回内足を対象に augmented Low-Dye taping を使用した研究では，静止立位時のアーチ高率[7]，アーチ高[4]ともに裸足に比べ有意に増加したと報告された。これらから，足部テーピングの使用は，健常足および回内足に対して静止立位時の内側縦アーチを上昇させる効果があるといえる。

Vicenzino ら[7]は，回内足における歩行時および走行時の内側縦アーチ高率を裸足と augmented Low-Dye taping 使用時で比較し，歩行，走行ともに裸足に比べ augmented Low-Dye taping 使用時にアーチ高率が増加したと報告した。この結果から，足部テーピングの使用によって歩行時や走行時の内側縦アーチを上昇させたといえるが，対象数が少なかったため十分な共通認識が得られたとは判断できない。また，歩行・走行以外の動作時の内側縦アーチ変化に関する報告はみられなかった。

足部テーピングの使用は健常足・回内足にかかわらず，荷重下での静止立位において内側縦アー

第2章 足部のバイオメカニクス

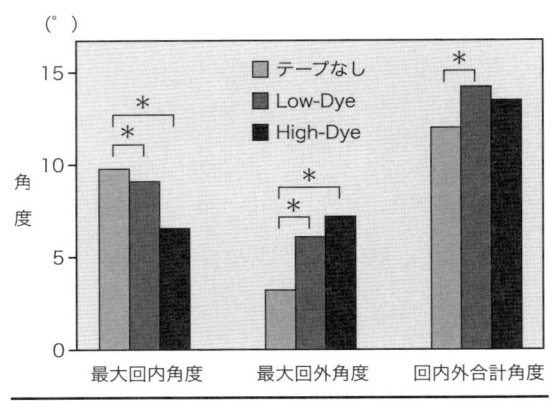

図6-6 テーピング使用の有無による健常足の歩行時後足部アライメントの比較
テーピングの使用によって、最大回内角度が減少し、最大回外角度が増加した（＊p＜0.05）。

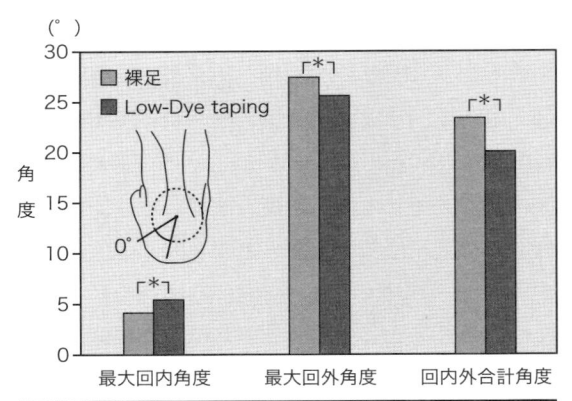

図6-7 テーピングの使用の有無による回内足の歩行時後足部アライメントの変化
任意の角度（特定の回内位）を0°とし、基準からの角度を計測し、回内角度が小さいほど回内位とする（＊p＜0.05）。

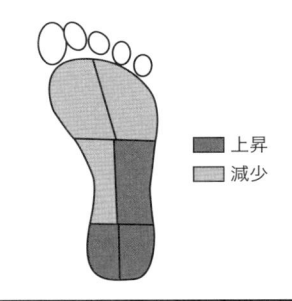

図6-8 テーピングの使用による健常足の歩行時足底圧の変化
Low-Dye taping使用により中足部外側の足底圧が増加した。

チを上昇させることが示唆されたが、内側縦アーチの変化と症状の変化の関連性を調査した研究はない。足部テーピングは臨床的な観点から効果があると考えられ、広く普及しているにもかかわらず、治療および予防効果は科学的に十分に検証されていない。

2. 後足部アライメント変化

Keenanら[11]は健常足を対象にLow-Dye taping使用、High-Dye taping使用と裸足の3条件で後足部最大回内角度・最大回外角度・回内外合計角度を比較した。その結果、Low-Dye taping使用、High-Dye taping使用とも裸足に比べ最大回内角度が減少し、最大回外角度が増加した（**図6-6**）。O'Sullivanら[6]は回内足を対象にLow-Dye taping使用と裸足の2条件で後足部最大回内角度・最大回外角度・回内外合計角度を比較した。その結果、裸足に比べLow-Dye tapingの使用によって3項目すべての角度が減少した（**図6-7**）。健常足・回内足ともに、いずれのテーピング方法でも歩行中の最大回内角度は減少したが、最大回外角度、回内外合計角度に関しては結果が異なっていた。

足部テーピングの使用は健常足・回内足にかかわらず、歩行時の後足部回内角度を減少させることが示唆されたが、扁平足で同様に増加するとされている後足部内転角度を調査した研究はない。また、後足部アライメントの変化と症状の変化の関連性を調査した研究もない。後足部アライメントの変化に関しても臨床的な観点からは効果があると考えられているが、治療および予防効果は科学的に十分に検証されていない。

3. 足底圧変化

回内足ではテーピング使用により中足部外側の

6. 足部テーピングのバイオメカニクス

足底圧が増加すると報告されていることから，ここではテーピング使用による足底圧変化について中足部に限定してまとめる。Russoら[12]は健常足を対象に裸足とLow-Dye taping使用における歩行時の足底圧を比較した。その結果，Low-Dye taping使用により中足部外側の足底圧が増加した（図6-8）。回内足を対象にした歩行時の足底圧は複数報告された（図6-9）。Low-Dye taping使用の有無で足底圧を比較した研究では，Low-Dye taping使用により中足外側の最大足底圧[5,6]，平均足底圧[5]が増加したと報告された。Augmented Low-Dye tapingでも同様の結果が報告された[9]。以上から，健常足・回内足にかかわらず，足部テーピングの使用により歩行時の中足部の足底圧を外側方向へ変化することが示唆される。走行時の足底圧についてもaugmented Low-Dye tapingの使用により健常足[8]，回内足[9]ともに中足部外側の最大足底圧[7,8]，平均足底圧[9]の増加が報告された。このことから，健常足・回内足にかかわらず，足部テーピングの使用により，走行時の中足部足底圧を外側方向へ変化させる効果があるといえる。

足部テーピングの使用により，歩行時・走行時とも中足部の足底圧が外側方向へ変化した。これは，足部テーピングの使用によって足部アライメントや関節運動が変化したためと考えられる。しかし，足底圧と足部バイオメカニクスの関連について報告されていないため[5]，現状では推測の域を出ない。また，有疾患者を対象とした足部テーピング使用時の足底圧変化と症状変化に関する報告はみられない。足底圧変化に関しても臨床的な観点からは効果があると考えられているが，足部テーピングによる治療および予防効果は十分に検証されてはいない。

4. 足部テーピングの効果の持続

Holmesら[10]はmodified Low-Dye taping装着後10分間歩行前後での舟状骨高を比較した。その結果，歩行後の舟状骨高は歩行前に比べ低下するが，裸足に比べると高位であった（図6-10）。Franettovichら[4]もaugmented Low-Dye taping使用にてアーチ高を比較し，同様の結果を報告した。10分間歩行後には装着直後より，内側縦アーチは低下するものの，裸足時に比べ高位に維持できた。ただし，負荷や時間，運動強度が増

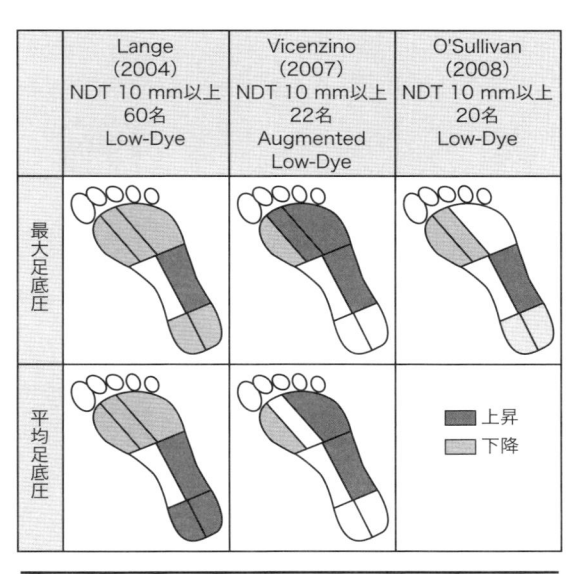

図6-9 テーピングの使用による回内足の歩行時足底圧の変化
NDT：navicular drop test。

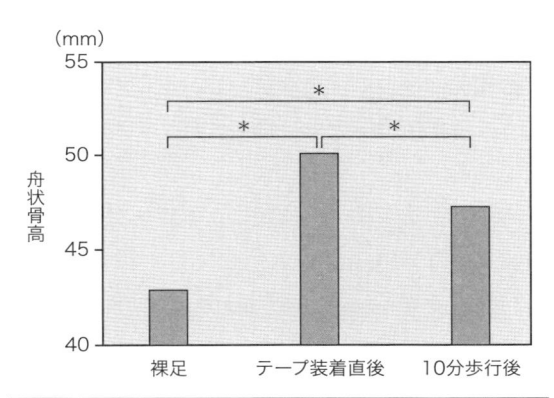

図6-10 テーピングの使用の有無による10分間歩行前後での舟状骨高変化
テーピングの使用により歩行後の舟状骨高は歩行前に比べ低下するが，裸足に比べると高位であった。

加した場合に同様の結果が示されるかは不明である。また後足部アライメントや足底圧の変化は報告されておらず，テーピング使用による変化がどの程度継続するかは不明である。

D. 最近の研究動向

近年，足部テーピング使用による足部アライメント，下肢筋活動量，下肢筋活動パターンに着目したデータが少数報告された。Franettovichら[14]は，扁平足の健常人を対象に後脛骨筋，前脛骨筋，長腓骨筋，腓腹筋内側頭のすべての筋でaugmented Low-Dye taping使用時に裸足に比べ有意な筋活動量の減少を認めたと報告した。足部テーピング使用時に足部の運動に関与する筋群の筋活動量は減少する可能性があるが，足部テーピング使用時の足部の運動に関与する筋の筋活動に関する報告は少なく，足部テーピング使用が足部の筋に及ぼす影響は十分に検証されていないのが現状である。

持続的なテーピング使用による足部機能変化も検討された。Franettovichら[15]は，12±2日以上の継続的なaugmented Low-Dye tapingの使用前後における裸足歩行時の足部アライメントや下肢筋活動パターンを比較した。Augmented Low-Dye taping介入後のアーチ高率は，介入前に比べ有意に増加したが，下肢筋活動パターンは介入前後で変化は認められなかった。この結果から，継続的に足部テーピングを使用することで，使用時に認められた足部アライメント変化がテーピング非使用時においても維持される可能性があると考察された。しかしながら，テーピングの持続的な効果に関する報告は少数であり，結論を得るためには，今後さらなる検証が必要である。

E. まとめ

1. すでに真実として承認されていること

- 足部テーピングの使用により，種類に関係なく，荷重下の静止立位において足部内側縦アーチを上昇させる。
- 足部テーピングの使用は健常足・回内足ともに歩行中の後足部回内運動を制動する。
- 足部テーピングの使用は健常足・回内足ともに歩行中・走行中の中足部足底圧を外側方向に変化させる。

F. 今後の課題

- 足部テーピングによる介入の治療や予防効果に関する科学的根拠を十分にするためには，健常者を対象とした報告だけでなく，有疾患者を対象とした報告と症状に対する介入効果の関係を明らかにする必要がある。
- 現在，足部テーピング使用時の足部バイオメカニクスに関する報告は限られており，臨床場面で用いられているテーピング使用時の足部バイオメカニクスを明らかにするとともに，報告数の増加が期待される。
- 足部テーピング使用時に足底圧を変化させる要因を特定するために，足底圧変化と足部アライメントや関節運動との関連を明らかにする必要がある。
- 足部テーピング使用によるバイオメカニクス変化の効果の持続を検証することは，臨床においてテーピングを使用する際に重要な知見となる。

文献

1. Radford JA, Landorf KB, Buchbinder R, Cook C. Effectiveness of low-Dye taping for the short-term treatment of plantar heel pain: a randomised trial. *BMC Musculoskelet Disord*. 2006; 7: 64-71.
2. Osborne HR, Allison GT. Treatment of plantar fasciitis

by LowDye taping and iontophoresis: short term results of a double blinded, randomised, placebo controlled clinical trial of dexamethasone and acetic acid. *Br J Sports Med*. 2006; 40: 545-9; discussion 549.
3. Hyland MR, Webber-Gaffney A, Cohen L, Lichtman PT. Randomized controlled trial of calcaneal taping, sham taping, and plantar fascia stretching for the short-term management of plantar heel pain. *J Orthop Sports Phys Ther*. 2006; 36: 364-71.
4. Franettovich M, Chapman A, Vicenzino B. Tape that increases medial longitudinal arch height also reduces leg muscle activity: a preliminary study. *Med Sci Sports Exerc*. 2008; 40: 593-600.
5. Lange B, Chipchase L, Evans A. The effect of low-Dye taping on plantar pressures, during gait, in subjects with navicular drop exceeding 10 mm. *J Orthop Sports Phys Ther*. 2004; 34: 201-9.
6. O'Sullivan K, Kennedy N, O'Neill E, Ni Mhainin U. The effect of low-Dye taping on rearfoot motion and plantar pressure during the stance phase of gait. *BMC Musculoskelet Disord*. 2008; 9: 111-20.
7. Vicenzino B, Franettovich M, McPoil T, Russell T, Skardoon G. Initial effects of anti-pronation tape on the medial longitudinal arch during walking and running. *Br J Sports Med*. 2005; 39: 939-43; discussion 943.
8. Kelly LA, Racinais S, Tanner CM, Grantham J, Chalabi H. Augmented low dye taping changes muscle activation patterns and plantar pressure during treadmill running. *J Orthop Sports Phys Ther*. 2010; 40: 648-55.
9. Vicenzino B, McPoil T, Buckland S. Plantar foot pressures after the augmented low dye taping technique. *J Athl Train*. 2007; 42: 374-80.
10. Holmes CF, Wilcox D, Fletcher JP. Effect of a modified, low-dye medial longitudinal arch taping procedure on the subtalar joint neutral position before and after light exercise. *J Orthop Sports Phys Ther*. 2002; 32: 194-201.
11. Keenan AM, Tanner CM. The effect of high-Dye and low-Dye taping on rearfoot motion. *J Am Podiatr Med Assoc*. 2001; 91: 255-61.
12. Russo SJ, Chipchase LS. The effect of low-Dye taping on peak plantar pressures of normal feet during gait. *Aust J Physiother*. 2001; 47: 239-44.
13. Radford JA, Burns J, Buchbinder R, Landorf KB, Cook C. The effect of low-Dye taping on kinematic, kinetic, and electromyographic variables: a systematic review. *J Orthop Sports Phys Ther*. 2006; 36: 232-41.
14. Franettovich MM, Murley GS, David BS, Bird AR. A comparison of augmented low-Dye taping and ankle bracing on lower limb muscle activity during walking in adults with flat-arched foot posture. *J Sci Med Sport*. 2012; 15: 8-13.
15. Franettovich M, Chapman A, Blanch P, Vicenzino B. Continual use of augmented low-Dye taping increases arch height in standing but does not influence neuromotor control of gait. *Gait Posture*. 2010; 31: 247-50.

〈盛　智子〉

第3章
前足部障害
（Lisfranc関節を含む）

　足部は7つの足根骨と5つの中足骨，それより末梢となる趾骨（基節骨・中節骨・末節骨）から構成されており，多くの関節面をもつ複合関節である。このため可動性に乏しいものの運動軸が複雑に交錯しており，足部の可動性と安定性を決定している。さらには，多くの筋や腱（腱膜）が存在し，3つの足底アーチ構造やウインドラスメカニズムによる荷重伝達構造を有している。これらの作用により，動作時において，下肢筋力から得られたエネルギーを効率よく変換する運動器である。特に前足部（Lisfranc関節を含む）は，ダッシュやジャンプといったパフォーマンスを引き出すうえで重要な役割を担っており，各関節や筋・軟部組織の受ける機械的ストレスも非常に大きい。このため荷重の影響や下肢のアライメント異常を基因としてさまざまな疾患を発症しやすい。

　本章では前足部に生じる多くの疾患のなかでも，スポーツ外傷・障害の代表的疾患として，①hallux valgus（外反母趾），②metatarsalgia（中足骨頭痛），③Morton's neuroma（モートン神経腫），④Freiberg's desease（フライバーグ病），⑤Lisfranc joint injury（リスフラン損傷・楔状骨離開），⑥metatarsal stress fracture（中足骨疲労骨折），⑦Jones fracture（Jones骨折）の7疾患を取り上げた。そして疾患ごとに「疫学・危険因子」，「病態・診断・評価」，「保存療法」という枠組みで，これまで国際的に報告されている論文を収集し，整理した。

　いずれの疾患における研究報告でもスポーツ障害に絞り込まれた論文報告は少なく，その多くは一般人や高齢者を含むものであった。このような事情もあり，必ずしもスポーツ障害に限っているわけではないものの，一般の対象者を含む論文報告からスポーツ障害を中心にデータを抽出して，疾患特性を考慮するうえでは共通している知識を整理している。

　本章をまとめるにあたってさまざまな用語の問題も取り上げられたが，できるかぎり統一した表現としている。代表的な用語として母趾の外反角として，hallux valgus angle（HVA）とmetatarsophalangeal joint angle（MTP angle）という表記をされている論文が存在していたが，本章ではすべて"HVA"と統一して表記していることを付け加えておきたい。

第3章編集担当：横山　茂樹

7. 前足部障害の疫学および危険因子

はじめに

足部スポーツ障害を臨床で扱う機会は多い。しかし，Lisfranc関節を含む前足部障害は，後足部に比べ頻度が少なく，詳細な病態や疫学，危険因子が不明な疾患も多い。そこで本項では，前足部スポーツ障害のうち，①外反母趾，②中足骨頭痛，③楔状骨間離開，④中足骨疲労骨折，⑤Jones骨折に対象を絞り文献のレビューを行い，それぞれの疫学（発生率・性差・好発年齢・好発部位・スポーツ種目・受傷機転・競技復帰までの期間など）と危険因子（内的因子・外的因子）について整理した。

A. 文献検索方法

文献検索にはPubMed，CINAHLを使用し，「疾患名」に対し，「epidemiology」「risk factor」「sports」「athlete」を第二検索語として抽出した。さらにハンドサーチを加え，各疾患について（表7-1）に示す文献数を採用しレビューを行った。

B. 外反母趾

1. 疫学

対象をアスリートに限定した外反母趾に関する疫学的調査はみられなかった。Nixら[1]は，外反母趾に関連する6,974件の論文を収集し，一定の基準に該当した76件を対象にシステマティックレビューおよびメタ解析を行い，一般人における発生率や男女差を検討した。年代により3群に分けた発生率を（表7-2）に示す。加齢に伴って発生率が増加し，各年代とも女性のほうが男性よりも発生率が高かった。また一般人を対象とした発生率の報告では20〜70％とばらつきがみられた。各報告における外反母趾の診断方法や対象患者数にばらつきがあり，前向きな調査を行った研究がなかったことから，正確な疫学的な検討は困難であると結論づけた。

2. 危険因子

1）内的因子

外反母趾の発生・進行の危険因子として以下に

表7-1 文献検索用語と該当件数

	Hallux valgus	Metatarsalgia	Lisfranc injury	Metatarsal, Stress fracture	Jones fracture
Epidemiology	94	11	6	26	129
Risk factor	55	16	2	36	102
Sports	75	22	16	105	74
Athlete	21	8	10	81	39
採用件数	10	9	7	16	8

第3章　前足部障害（Lisfranc関節を含む）

表7-2　外反母趾の年代と性別でみた発生率〔（　）内は95％信頼区間〕（文献1より引用）

	全体	男性	女性
18歳以下	7.8 (6.2〜9.5)	5.7 (3.7〜7.6)	15.0 (7.7〜22.3)
18〜65歳	23.0 (16.3〜29.6)	8.5 (1.4〜15.6)	26.3 (16.5〜36.2)
65歳以上	35.7 (29.5〜42.0)	16.0 (10.6〜21.3)	36.0 (26.9〜45.1)

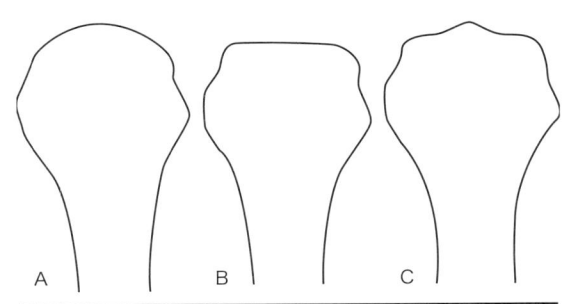

図7-1　第1中足骨頭の形状（文献6より改変）
A：外反母趾患者の90％以上で認められた円形の骨頭，B・C：健常群の80％で認められた角状の骨頭。

示す要因が報告されていた。

①遺伝：外反母趾患者91人中57人（63％）に血縁者もしくは同胞に家族歴があった[2]。また外反母趾手術患者41人中28人（68％）に家族歴があった。このうち21人（52％）は肉親の家族歴であった[3]。

②BMI：BMIが30 kg/m²を超える女性において，外反母趾の発生率が高かった[4]。

③扁平足・回内足：男性の回内足で外反母趾の発生と関連性が認められた[4]。扁平足では荷重時の母趾回内方向への軸回旋ストレスを高めると推察された[5]。

④第1中足骨の長さおよび形状：外反母趾患者110名と健常人100名を比較し，外反母趾患者の77％で第2中足骨に対して第1中足骨が長かった（健常群では28％）。また外反母趾患者では，第1中足骨頭の形状は円形が多かった（91％）のに対し，健常群では角状が多かった（80％）（図7-1）。さらに，外反母趾患者全例に長い第1中足骨と円形の中足骨頭の合併が認められ，危険因子であるとされた[6]。

⑤筋のインバランス：外反母趾患者20名と健常者20名を対象に，母趾屈曲・伸展・外転・内転の最大自動運動における各筋の筋活動を比較した。その結果，外反母趾患者では母趾外転筋の筋活動が著明に低下していた。また，母趾外転筋の母趾屈曲作用が増大しており，母趾外転筋と母趾内転筋のインバランスと外反母趾進行との関連性が示唆された[7]。

⑥腰椎前弯症：X線像で腰椎前弯の強度を評価したところ，外反母趾患者では腰椎前弯が増大していた。腰椎前弯の増大は，重心が前方へ移動し，前足部への荷重を増大させ，外反母趾の発生・進行のリスクとなると考察された[8]。

以上，外反母趾の発生・進行に関与する内的危険因子をあげたが，各要因とも異なる報告もある。これらの因子が外反母趾を誘発する危険因子であるのか変形の結果であるのか不明な点も多い。

2）外的因子

外反母趾の発生に関連する外的因子として靴の影響が指摘された。Sim-fookら[9]は靴の使用の有無による外反母趾の罹患率を比較した。靴使用群の罹患率は33％であったのに対し，使用しない群の罹患率は1.9％であった。Kleinら[10]は858人の幼稚園児1,579足を対象に，靴のサイズと外反母趾の関連性を調査した。70％以上の児童が足長に対し小さいサイズの靴を履いており，57.8％の児童に4°以上の外反母趾がみられた。また，小さいサイズの靴を履いている児童ほど母趾角が大きかった。Nguyenら[4]は，70歳以上の高齢者を対象に，20〜64歳のときにハイヒールを使用した経験と外反母趾発生の関係を調査した。常時ハイヒールを使用していた群の外反母趾

の発生率は，ハイヒールを使用していなかった群と比較して20％高かったと報告した．以上より，足長に対して小さいサイズの靴や，ハイヒールなどつま先の狭い靴の使用は，外反母趾発生・進行の危険因子であると考えられる．

C. 中足骨頭痛

中足骨頭痛の病因として，さまざまな疾患や形態異常，機能障害，環境因子が報告された（**表7-3**）[11]．Morton病（神経腫）とFreiberg病の疫学・危険因子について述べる．

表7-3 中足骨頭痛の病因（文献11より改変）

疾　患
趾間神経腫
中足趾節関節炎・滑膜炎
Freiberg病
Morton病・Morton神経腫
形態異常・機能障害
Morton足
第1・2列の底屈を伴う扁平足
第1列過可動性
中足骨頭隆起の底外側の突出
アキレス腱のタイトネス
環境因子
ハイヒールの着用

1．Morton病（神経腫）

1）疫　学

Morton病とは，内側・外側足底神経から分枝した総底側趾神経が，中足骨遠位部で深横中足靱帯と中足骨頭および腱膜で形成されるトンネル内で絞扼されることで起こる絞扼性神経障害の1つである．主な症状としてしびれや灼熱感，足趾への放散痛がある．第3～4中足骨間が好発部位（64～91％）とされているが，ほかの趾間の報告もある[12]（**表7-4**）．Wuの91人の患者を対象とした調査[13]では，男女比は1：9と報告された．さらに中年女性に多いとの報告[14]もあった．

2）危険因子

①内的因子

Nunanら[15]は回内足との関連性について，内側縦アーチの延長による神経への伸張ストレスが原因であると考察した．また，構造上第3～4中足骨間の可動性が大きいことも関与していると考察した．

②外的因子

Finneyら[16]は，アスリートにとってtoe box（先芯）の狭い靴やスパイクなどポイントがある靴が危険因子であると述べた．ハイヒールによる前足部荷重の増大も危険因子であると報告された[11]．

2．Freiberg病

Freiberg病は第2～5中足骨頭に生じる無腐性骨壊死であり，1914年にFreibergによって報告された．1915年にKöhlerによっても報告されており，第2 Köhler病とも呼ばれている．

1）疫　学

発生原因として先天的な骨軟骨症，疲労骨折

表7-4 各中足骨間におけるMorton病（神経腫）の発生頻度（％）（文献12より引用）

報告者（発表年）	対象数（人）	第1～2中足骨間	第2～3中足骨間	第3～4中足骨間	第4～5中足骨間
Bartolomeiら（1983）	233	1	29	64	6
Addanteら（1986）	100	2.5	18	66	4
Bannettら（1995）	100	—	32	68	—
Frisciaら（1992）	222	—	—	91	—

第3章　前足部障害（Lisfranc関節を含む）

などの外傷，血管病変が報告された[11]。68〜82％が第2中足骨頭での発症であると報告された[17〜19]。また，好発年齢は11〜17歳であり，青年期の女性に多く男女比は平均1：5程度（1：1〜11：1）であると報告された[19]。主な症状は，中足趾節関節部分の疼痛と可動域制限で，荷重や活動によって疼痛が増悪する。また，関節周囲の浮腫と軟部組織の肥厚を認める[19]。一般的な原因として，中足骨骨頭の単発もしくは繰り返しの外傷や血管の損傷があげられた[19]。

2）危険因子

①内的因子

正確な発生因子は特定されていないが，足の形態，機能解剖学的制約によって反復して加わる外力が成長障害をまねくと考えられている。最も長い中足骨頭での発症が認められた。通常，第2中足骨が最も長く可動性に乏しいことから，この部位での発生が多いと推察された[19]。

②外的因子

ハイヒールの着用は，中足趾節関節の伸展強制と軸圧の増加を起こし，これにより中足骨背側でのインピンジメントが生じる。このため，発生が増加する因子となるとの報告もあるが，異なる報告もあり，詳細は不明である[19]。

D. 楔状骨間離開

Lisfranc関節は5個の中足骨と内側〜外側楔状骨からなる。第2中足骨はほかの中足骨より長く，その基部は楔状骨で形成されるほぞ穴（モーティス mortise）に挟まれる。内側・中間楔状骨，第3中足骨と強固な靱帯結合を有するが，第1・2中足骨間には靱帯性の結合はない。そのため，この部分に離開力が加わった場合，内側楔状骨-第2中足骨間靱帯，内側・中間楔状骨間靱帯に断裂が起こり，楔状骨間に離開を生ずる。受傷側のX線診断のみでは見逃されることが多いため，両側のX線像を比較し，疼痛が遷延している場合には注意が必要である。

1. 疫　学

楔状骨間離開の発生率は低く，一般人を対象とした報告では年間5〜6万人に1人とされた[20, 21]。Meyerら[22]は大学アメリカンフットボールチームを対象に1987〜1991年の5年間追跡調査を行った。23名（24件）の発生がみられ，年間発生率は平均4％であった。コンタクトプレーや方向転換動作の多いフットボール，サッカー，バスケットボール，体操で多くみられ，足部固定具によるウインドサーフィンでの発生もあった[22〜25]。競技復帰までの期間は，手術群，非手術群ともに平均3〜4ヵ月程度と報告された[23〜25]。Meyerら[22]は，練習開始までの期間は平均13.8日，完全治癒までは平均40.5日であったと報告した。

2. 危険因子

Peichaら[26]は，解剖学的因子として中足楔状関節のほぞ穴構造の適合性に着目した（表7-5）。ほぞ穴構造の安定性には内側楔状骨と第2中足骨関節面の適合が重要であると述べ，内側楔状骨-第2中足骨間靱帯の強固な連結が，楔状骨間離開の予防因子として重要と考えた。ほぞ穴構造の適合性低下は，受傷の危険因子となりうると結論づけた。また，アーチ低下を危険因子として報告している報告もみられたが，関連性を裏づける詳細なデータの記載はみられなかった。また，外的因子についての報告はみられなかった。

E. 中足骨疲労骨折

障害部位を中足骨に限った報告は認められなかったため，骨盤を含む下肢疲労骨折を対象とした

7. 前足部障害の疫学および危険因子

表7-5 楔状骨間離開の危険因子としてのほぞ穴構造の適合性調査（文献26より引用）

【対象】
・中足楔状関節損傷患者33名（男性23名，女性10名，平均年齢37.6歳），全例スポーツにて損傷，診断はCT・MRIを使用。
・対照群：屍体標本84体（男性42体，女性：42体，平均年齢65歳）。

【測定方法】
・中足楔状関節損傷患者：X線正面・45°斜位像にて，内側-中間楔状骨間の深さ（A），外側-中間楔状骨の深さ（B），第2中足骨の長さ（C）を測定。
・対照群：ノギスにて骨標本を直接測定。

【結果】
・A（内側関節面の距離）：損傷群8.95 mm，対照群11.61 mmで有意差あり。
・(A＋B)/2で算出したほぞ穴の深さ：損傷群6.85 mm，対照群8.31 mmで有意差あり。
・C/Aで算出したほぞ穴構造へのレバーアームの長さ：損傷群8.63 mm，対照群6.50 mmで有意差あり。

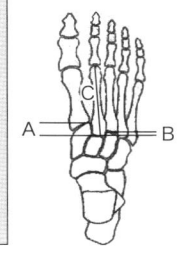

表7-6 中足骨疲労骨折の発生率

報告者（発表年）	研究デザイン	対象	診断方法	発生率[※1]
Matheson（1987）	Prospective	アスリート 318下肢疲労骨折	骨スキャン，理学的検査	28骨折（8.8％）
Orava（1980）	明記なし	スポーツ障害 194下肢疲労骨折	X線，RI検査	36骨折（18.6％）
Hulkko（1987）	Prospective	アスリート 357下肢疲労骨折	X線，骨スキャン	73骨折（20.4％）
Brudvig（1983）	Prospective	新兵（トレーニング） 339下肢疲労骨折	X線	96骨折（28.3％）
Ohta（2002）	Prospective	20歳以下アスリート 171下肢疲労骨折	X線，骨スキャン	63骨折（36.8％）
Barrow（1988）	Prospective	大学長距離ランナー 140下肢疲労骨折	X線，骨スキャン	29骨折（20.7％）
Shaffer（2006）	Prospective	海軍トレーニング群 181下肢疲労骨折	X線，シンチ	40骨折（22.1％）

[※1]：骨盤を含む下肢疲労骨折に占める中足骨疲労骨折の割合。

表7-7 中足骨疲労骨折発生の性差

報告者（発表年）	研究デザイン	対象	診断方法	性差
Matheson（1987）	Prospective	アスリート 28中足骨疲労骨折	骨スキャン，理学的検査	男性10，女性18
Korpelainen（2001）	Retrospective	アスリート 28中足骨疲労骨折	X線，骨シンチ	男性13，女性15
Brukner（1996）	明記なし	スポーツ病院受診者 43中足骨疲労骨折	X線，骨スキャン，CT	男性16，女性27
Brudvig（1983）	Prospective	新兵（トレーニング） 91中足骨疲労骨折	X線	男性64，女性27

報告から中足骨疲労骨折の発生件数を抽出し，疫学的検討を行った。

1．疫 学

アスリートを対象とした調査では，下肢疲労骨折に占める中足骨疲労骨折の割合は平均22.3％（8.8〜36.8％）であった（表7-6）。骨盤を含む下肢疲労骨折のなかでも中足骨疲労骨折の発生率は比較的高かった。また男性より女性の発生率が高い傾向にあり（表7-7），Hullkoら[29]は女性の

第3章　前足部障害（Lisfranc関節を含む）

表7-8　中足骨疲労骨折の好発部位

報告者（発表年）	研究デザイン	対象	診断方法	好発部位
Hulkko（1987）	Prospective	アスリート 73 中足骨疲労骨折	X線，骨スキャン	第1中足骨　0％ 第2中足骨 32％ 第3中足骨 40％ 第4中足骨 13％ 第5中足骨 15％
Barrow（1988）	Prospective	大学長距離ランナー 29 中足骨疲労骨折	X線，骨スキャン	第1中足骨　0％ 第2中足骨 52％ 第3中足骨 24％ 第4中足骨 14％ 第5中足骨 10％
Shaffer（2006）	Prospective	海軍トレーニング群 40 中足骨疲労骨折	X線，骨シンチ	第1中足骨　5％ 第2中足骨 35％ 第3中足骨 48％ 第4中足骨 10％ 第5中足骨　2％

表7-9　中足骨疲労骨折の発生競技

種目	報告者			
	Brukner	Iwamoto	Orava	Korpelainen
陸上（トラック・フィールド）	9	2	22	3
陸上（長距離）	5	−	7	20
ダンス	18	−	−	−
バスケットボール	1	8	−	−
エアロビクス	3	1	−	−
フットボール	2	−	−	−
サッカー	−	1	−	−
ラケットスポーツ	1	−	−	−
ボールゲーム	−	−	3	2
スキー	−	−	3	−
トライアスロン	1	−	−	−
ボート	1	1	−	−
武道	1	−	−	−
その他	−	6	−	−

　発生率は男性の3.5〜10倍，Ohtaら[31]は女性の発生率は男性の3.5倍以上と推察した。しかし，女性の発生率は競技種目ごとの女性の参加率によっても変わると考えられる。

　好発部位は第2・3中足骨に多発していた（表7-8）。Orava[28]は36例の中足骨疲労骨折患者の発生部位を調査し，第2・3中足骨体部の前方に多いと報告した。

　発生しやすい競技としては，中足骨への繰り返しストレスが加わる動作やジャンプ・カッティング動作が多い短距離・長距離などの陸上競技，ダンス，バスケットボールがあげられた（表7-9）。復帰までの期間は2〜12週と幅広く（表7-10），骨折の程度や部位，競技種目により復帰までに要する期間が異なると考えられた。

7. 前足部障害の疫学および危険因子

表7-10 中足骨疲労骨折の競技復帰までの期間

報告者（発表年）	デザイン	対象	診断方法	競技復帰
Matheson（1987）	Prospective	アスリート 28 中足骨疲労骨折	骨スキャン，理学的検査	7.9週
Hulkko（1987）	Prospective	アスリート 73 中足骨疲労骨折	X線，骨スキャン	2〜4週 15骨折 4〜8週 42骨折
Ohta（2002）	Prospective	20歳以下アスリート 63 中足骨疲労骨折	X線，骨スキャン	4〜12週 45骨折

2. 危険因子

下肢疲労骨折における内的・外的危険因子を表7-11に示した。対象を中足骨疲労骨折に限った危険因子の報告は認められず，詳細は不明な点も多い。

1）内的因子

Barrowら[32]は241人の女性ランナーを対象に月経状況と疲労骨折の発生状況を調査し，月経異常が重度（年間の月経回数が少ない）なほど疲労骨折の発生率が高かったと報告した。Jonesら[37]，Pepperら[38]，Dixsonら[39]は，思春期の女性において，①摂食障害，②無月経，③骨粗鬆症の三徴候が加わることで，急激な骨密度低下を引き起こし，疲労骨折の発生が高まると報告した。Lloydら[40]やBarrowら[32]も，月経異常のある女性アスリートでは，疲労骨折の発生率が1.3〜3.3倍高いと報告した。

下肢疲労骨折に影響を及ぼすアライメント異常として，内反膝・脛骨内反・距骨下内反・前足部内反・回内足・内側縦アーチの延長など多くの要因が報告された[27, 34, 37]。このうち中足骨の疲労骨折では，回内足（pronated foot）を有する者は少なく，ハイアーチ足（cavus foot）を有する者で発症が多かった[27]。

2）外的因子

外的危険因子として，練習量の急激な増加や練習方法の急激な変化，路面・シューズの影響があ

表7-11 中足骨疲労骨折の危険因子（文献37より引用）

内的因子
　人口統計学的特徴：女性（無月経・生理不順など）・加齢
　解剖学的要因：ハイアーチ・反張膝・Q角増大・脚長差
　骨環境：骨幾何学・骨密度
　体力要素：有酸素性能力低下・筋力低下・柔軟性低下・身長・体重
　健康・生活スタイル：座り仕事・生活・喫煙・エストロゲンの使用・傷病の既往

外的因子
　競技種目
　トレーニング：練習量・強度・頻度・時間
　用具：シューズ・インソール・装具
　環境：路面

げられた。Milgromら[41]は衝撃吸収材を用いた足底板の使用が疲労骨折の発生率に及ぼす影響を陸軍新兵を対象として調査した。その結果，14週間のトレーニング中における中足骨疲労骨折の発生率は，足底板未使用群（152名）では8件（5.3％）であったのに対し，足底板使用群（113名）では2件（1.8％）であった（両群での有意差はなし）。

F. Jones骨折

Jones骨折は1902年，Robert Jonesによりはじめて報告された[42]。第5中足骨基部が第4中足骨と立方骨との間で靱帯と関節包により強固に連結されているため，ここに外力が作用した場合に脱臼ではなく横骨折が生じると推測された。

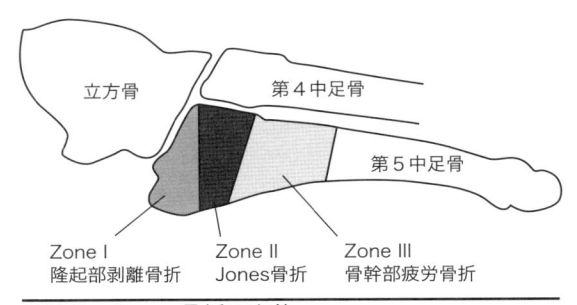

第3章　前足部障害（Lisfranc関節を含む）

図7-2　Jones骨折の定義

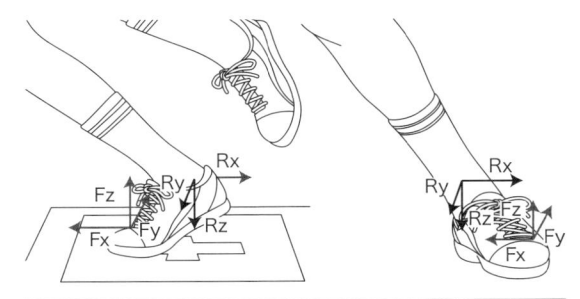

図7-3　Jones骨折の受傷機転（文献48より作図）

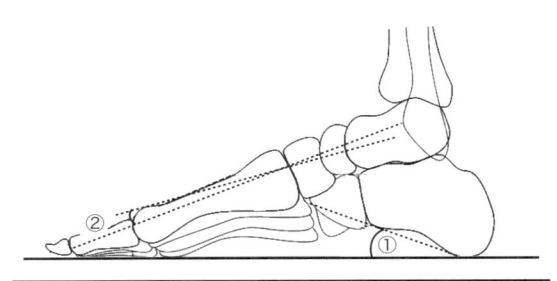

図7-4　Jones骨折の解剖学的危険因子
①Calcaneal pitch angle：荷重位側面像にて，踵骨隆起内側突起の底面〜第5中足骨頭底面に引いた基線と，踵骨隆起内側突起の底面〜踵立方関節を結んだ線のなす角度．正常は20°以下．②Meary angle：距骨長軸線に対する第1中足骨長軸線のなす角度．正常は5°以下．それぞれ基準値以上を内反足と診断．

Jones骨折はzone Ⅱ（図7-2）に起こる骨幹と骨幹端を結ぶ横断的な骨折であり，前駆症状のない急性の骨折であると定義された[43]．そこで本項では，zone ⅡでのJones骨折のみを調査対象として疫学的な検討を行った．

1．疫　学

Zone ⅡのJones骨折の発生率はすべての足部骨折のうちの0.7〜1.9％程度と，発生頻度は低かった[44]．発生しやすい競技として，サッカーやアメリカンフットボールなど，急激な方向転換やストップ動作の多いポジションで多発していると報告された[45]．

Jones骨折は免荷と固定により6〜8週で骨癒合が得られると述べられたが[43,46]，非手術群では遷延癒合例も多く，競技復帰に30週を要したとの報告もみられた[46]．最近は，競技レベルの高いアスリートに対しては手術療法が推奨されており，競技復帰までの期間は平均12週前後であると報告された[47]．

受傷機転については，ヒールレイズによる前足部荷重と足部内反による第5中足骨基部へのストレスの増大が原因であると報告された[42,43,46]．Kavanaughら[48]は，図7-3に示したように受傷機転動作を再現し，床反力計により第5中足骨基部にかかる力を分析した．床からの垂直方向の力（F_z）と水平方向の力（F_x）に対し，足関節からの垂直・水平方向への力（R_z・R_x）により足部内反動作が阻害され，結果として合力である前後方向への力（F_y・R_y）により第5中足骨基部へのストレスが増大し，Jones骨折が引き起こされると考察した．このため，重心移動に対しスムーズな足部内反動作が阻害されることがJones骨折の発生に影響しており，単純な内反ストレスによって生じる骨折ではないと説明した．

2．危険因子

Lawrenceら[43]は，Jones骨折の発生に年齢や性別による差はないと述べた．Raikinら[49]は，Jones骨折の発生と後足部アライメントの関連について分析した．21例のJones骨折患者を対象に，X線側面像から後足部アライメントを評価し（図7-4），21例中18例で後足部内反アライメン

トを認めた。そのため，後足部内反アライメントはJones骨折の解剖学的危険因子として重要であるとした。外的因子についての報告は認められなかった。

G. まとめ

1. すでに真実として承認されていること

- 外反母趾は高齢になるに従って発生率が増加し，女性の発生率が高く，発生には遺伝が関与している。
- 外反母趾の発生・進行に，サイズの小さい靴の使用・toe boxの狭いハイヒールの長期間の使用が影響している。
- Morton病（神経腫）は第3～4中足骨間で多く，中年の女性に多い。
- Freiberg病は第2中足骨での発生頻度が高く，10歳代の女性に多い。
- アスリートにおける楔状骨間離開の受傷機転は，足関節底屈位でのLisfranc関節への軸圧や，方向転換動作による内側-中間楔状骨間への離開力である。
- 中足骨疲労骨折は女性アスリートでの発生頻度が高く，月経異常による骨密度低下が影響している。
- 中足骨疲労骨折の外的危険因子として，シューズ・路面環境の影響が大きい。

2. 議論の余地はあるが，今後の重要な研究テーマとなること

- 外反母趾の発生・進行に関し，扁平足・回内足，第1中足骨の長さ・形状など，第1列のアライメントの影響が疑われる。
- 中足骨疲労骨折患者の足部形態の特徴として，ハイアーチによる回外足の影響が疑われる。
- Jones骨折の受傷機転として，ヒールレイズによる前足部荷重と足部内反による第5中足骨基部へのストレスだけでなく，足部外側への重心移動に対してスムーズな足部内反動作の阻害が影響因子として疑われる。
- Jones骨折の解剖学的危険因子として，後足部内反アライメントの影響が疑われる。

H. 今後の課題

- 外反母趾，中足骨頭痛（Morton病，Freiberg病），楔状骨間離開において，アスリートを対象とした前向きな疫学的調査と危険因子との関連性の検討。
- 中足骨疲労骨折のみを調査対象とした競技別の発生率や，危険因子との関連性の検討。
- Jones骨折発生にかかわる外的因子の検討。

文　献

1. Nix S, Smith M, Vicenzino B. Prevalence of hallux valgus in the general population: a systematic review and meta-analysis. *J Foot Ankle Res*. 2010; 27: 21-9.
2. Hardy RH, Crapham JC. Observations on hallux valgus; based on a controlled series. *J Bone Joint Surg Br*. 1951; 33: 376-91.
3. Glynn MK, Dunlop JB, Fitzpatric D. The Mitchell distal metatarsal osteotomy for hallux valgus. *J Bone Joint Surg Br*. 1980; 62: 188-91.
4. Nguyen US, Hillstrom HJ, Li W, Doufour AB, Kiel DP, Procter-Gray E, Gagnon MM, Hannan MT. Factors associated with hallux valgus in a population-based study of older women and men: the MOBILIZE Boston Study. *Osteoarthritis Cartilage*. 2010; 18: 41-6.
5. Inman VT. Hallux valgus: a review of etiologic factors. *Orthop Clin North Am*. 1974; 5: 59-66.
6. Mancuso JE, Abramow SP, Landsman MJ, Waldman M, Carioscia M. The zero plus first metatarsal and its relationship to bunion deformity. *J Foot Ankle Surg*. 2003; 42: 319-26.
7. Incel NA, Genc H, Erdem HR, Yorgancioglu ZR. Muscle imbalance in hallux valgus: an electromyographic study. *Am J Phys Med Rehabil*. 2003; 82: 349-9.
8. Incel NA, Genc H, Yorgancioglu ZR, Erdem HR. Relation between hallux valgus deformity and lumbar and lower extremity biomechanics. *Kaohsiung J Med Sci*. 2002; 18: 329-33.
9. Sim-Fook L, Hodgson AR. A comparison of foot forms among the non-shoe and shoe-wearing chinese population. *J Bone Joint Surg Am*. 1958; 40: 1058-62.
10. Klein C, Groll-Knapp E, Kundi M, Kinz W. Increased hallux angle in children and its association with insufficient

11. Hokenbury RT. Forefoot problems in athletes. *Med Sci Sports Exerc*. 1999; 31 (7 Suppl): S448-58.
12. Thomas JL, Blitch EL 4th, Chaney DM, Dinucci KA, Eickmeier K, Rubin LG, Stapp MD, Vanore JV. Diagnosis and treatment of forefoot disorders. Secsion 3. Morton's intermetatarsal neuroma. *J Foot Ankle Surg*. 2009; 48: 251-6.
13. Wu KK. Morton's interdigital neuroma: a clinical review of its etiology, treatment, and results. *J Foot Ankle Surg*. 1996; 35: 112-9.
14. Alexander IJ, Johnson KA, Parr JW. Morton's neuroma: a review of recent concepts. *Orthopedics*. 1987; 10: 103-6.
15. Nunan PJ, Giesy BD. Management of Morton's neuroma in athlete. *Clin Podiatr Med Surg*. 1997; 14: 489-501.
16. Finney W, Wiener S, Catanzariti F. Treatmen of Morton's neuroma using percutaneous electrocoagulation. *J Am Podiatr Med Assoc*. 1989; 79: 615-8.
17. Gauthier G, Elbaz R. Freiberg's infraction: a subchondral bone fatigue fracture. A new surgical treatment. *Clin Orthop Relat Res*. 1979; 142: 93-5.
18. Hoskinson J. Freiberg's disease: a review of the long-term results. *Proc R Soc Med*. 1974; 67: 106-7.
19. Katcherian DA. Treatment of Freiberg's disease. *Orthop Clin North Am*. 1994; 25: 69-81.
20. Aitken AP, Poulson D. Dislocation of the tarsometatarsal joint. *J Bone Joint Surg Am*. 1963; 45: 246-60.
21. Hardcastle PH, Reschauer R, Kutscha-lissberg E, Schoffmann W. Injuries to the tarsometatarsal joint incidence, classification and treatment. *J Bone Joint Surg Br*. 1982; 64: 349-56.
22. Meyer SA, Callaghan JJ, Albright JP, Crowley ET, Powell JW. Midfoot sprains in collegiate football players. *Am J Sports Med*. 1994; 22: 392-401.
23. Nunley JA, Vertullo CJ. Classification investigation, and management of midfoot sprain: Lisfranc injuries in the athlete. *Am J Sports Med*. 2002; 30: 871-8.
24. Shapiro MS, Wascher DC, Finerman GA. Rupture of Lisfranc's ligament in athletes. *Am J Sports Med*. 1994; 22: 687-91.
25. Curtis MJ, Myerson M, Szura B. Tarsometatarsal joint injuries in the athlete. *Am J Sports Med*. 1993; 21: 497-502.
26. Peicha G, Labovitz J, Seibert FJ, Grechenig W, Weiglein A, Preidler KW, Quehenberger F. The anatomy of the joint as a risk factor for Lisfranc dislocation. An anatomical and radiological case control study. *J Bone Joint Surg Br*. 2002; 84: 981-5.
27. Matheson GO, Clement DB, Mckenzie DC, Taunton DR, Lioyd-Smith DR, Macintyre JG. Stress fractures in athlete: a study of 320 cases. *Am J Sports Med*. 1987; 15: 46-58.
28. Orava S. Stress fractures. *Br J Sports Med*. 1980; 14: 41-4.
29. Hulkko A, Orava S. Stress fractures in athletes. *Int J Sports Med*. 1987; 8: 221-6.
30. Brudvig TJ, Gudger TD, Obermeyer L. Stress fractures in 295 trainees: a one-year study of incidence as related to age, sex, and race. *Mil Med*. 1983; 148: 666-7.
31. Ohta-Fukushima M, Mutoh Y, Takasugi S, Iwata H, Ishii S. Characteristics of stress fractures in young athletes under 20 years. *J Sports Med Phys Fitness*. 2002; 42: 198-206.
32. Barrow GW, Saha S. Menstrual irregularity and stress fractures in collegiate female distance runners. *Am J Sports Med*. 1988; 16: 209-16.
33. Shaffer RA, Rauh MJ, Brodine SK, Trone DW, Macera CA. Predictors of stress fracture susceptibility in young female recruits. *Am J Sports Med*. 2006; 34: 108-15.
34. Korpelainen R, Orava S, Karpakka J, Siira P, Hulkko A. Risk factors for recurrent stress fractures in athletes. *Am J Sports Med*. 2001; 29: 304-10.
35. Brukner P, Bradshaw C, Khan KM, White S, Crossley K. Stress fractures: a review of 180 cases. *Clin J Sports Med*. 1996; 6: 85-9.
36. Iwamoto J, Takeda T. Stress fractures in athletes: review of 196 cases. *J Orthop Sci*. 2003; 8: 273-8.
37. Jones BH, Thacker SB, Gilchrist J, Kimsey CD Jr, Sosin DM. Prevention of lower extremity stress fracture in athletes and soldiers: a systematic review. *Epidemiol Rev*. 2002; 24: 228-47.
38. Pepper M, Akuthota V, McCarty EC. The pathophysiology of stress fractures. *Clin Sports Med*. 2006; 25: 1-16.
39. Dixson S, Newton J. The stress fractures in the young athlete: a pictorial review. *Curr Probl Diagn Radiol*. 2011; 40: 29-44.
40. Lloyd T, Triantafyllou SJ, Baker ER, Houts PS, Whiteside JA, Kalenak A, Stumpf PG. Women athletes with menstrual irregularity have increased musculoskeletal injuries. *Med Sci Sports Exerc*.1986; 18: 374-9.
41. Milgrom C, Giladi M, Kashtan H, Simkin A, Chisin R, Margulies J, Steinberg R, Aharonson Z, Stein M. A prospective study of the effect of a shock-absorbing orthotic device on the incidence of stress fractures in military recruits. *Foot Ankle*.1985; 6: 101-4.
42. Jones R. Fracture of the base of the fifth metatarsal bone by indirect violence. *Ann Surg*. 1902; 35: 697-700.
43. Lawrence SJ, Botte MJ. Jones' fractures and related fractures of the proximal fifth metatarsal. *Foot Ankle*. 1993; 14: 358-65.
44. Josefsonn PO, Karlsson M, Redlundjohnell I, Wendeberg B. Closed treatment of Jones fracture. Good result in 40 cases after 11-26 years. *Acta Orthop Scand*. 1994; 65: 545-7.
45. Low K, Nobin JD, Browne JE, Barnthouse CD, Scott AR. Jones fractures in the elite football player. *J Surg Orthop Adv*. 2004 ; 13: 156-60.
46. Chuckpaiwong B, Queen RM, Easley ME, Nunley JA. Distinguishing Jones and proximal diaphyseal fractures of the fifth metatarsal. *Clin Orthop Relat Res*. 2008; 466: 1966-70.
47. Mindrebo N, Shelbourne KD, Van Meter CD, Rettig AC. Outpatient percutaneous screw fixation of the acute Jones fracture. *Am J Sports Med*. 1993; 21: 720-3.
48. Kavanaugh JH, Brower TD, Mann RV. The Jones fracture revisited. *J Bone Joint Surg Am*. 1978; 60: 776-82.
49. Raikin SM, Slenker N, Ratigan B. The association of a varus hindfoot and fracture of the fifth metatarsal metaphyseal-diaphyseal junction: the Jones fracture. *Am J Sports Med*. 2008; 36: 1367-72.

〈松本　武士〉

8. 前足部障害の病態・診断・評価

はじめに

前足部は，歩行や各種パフォーマンスにおいて，衝撃吸収や蹴り出す際のレバーアームなど多くの重要な身体機能を担う。そのため，応力も集中しやすく，機能障害とともに多彩な症状が出現する。これらの病態を明確にして診断にいたる過程を理解することは，効果的なリハビリテーションプログラムを立案するために不可欠なものといえる。本項では前足部障害における代表的な疾患の病態・診断・評価についてレビューした。

A. 文献検索方法

文献検索にはPubMedおよびCINAHLを使用した。「forefoot」「pathophysiology」「diagnosis」「evaluation」「sports」「athlete」のキーワードを組み合わせヒットした600件から，疾患と内容を吟味し，また引用文献を参考に必要に応じて適宜採用し61件の論文を抽出した。

B. 外反母趾

1. 病態

外反母趾は，第1基節骨の外側偏位と第1中足骨の内側偏位を伴うとされた[1〜3]。その病態について Coughlin ら[1] は第1中足骨の内反，短母趾屈筋，母趾外転筋，母趾内転筋などの足底部の内在筋群や足底腱膜の外側偏位，基節骨の回内，外側への逸脱，種子骨の外側亜脱臼（図8-1）などをあげた。これらは病態の結果因子と推測され，外反母趾に陥るメカニズムの詳細については不明な点が多い[1〜3]。

外反母趾の病態にかかわる解剖学的要因として，扁平足[4]，第1中足骨の長さや第1中足骨頭の扁平や円形などの形状[1,3]，第1中足楔状関節の過可動性，不安定性[1,3,4]，母趾外転筋，母趾内転筋の筋力低下，母趾外転筋の母趾屈曲作用増大[1]（図8-2）などの筋インバランス[1,5]，腰椎前弯症[6] などが報告された。しかしコンセンサスが得られていないものが多く，病因なのか結果な

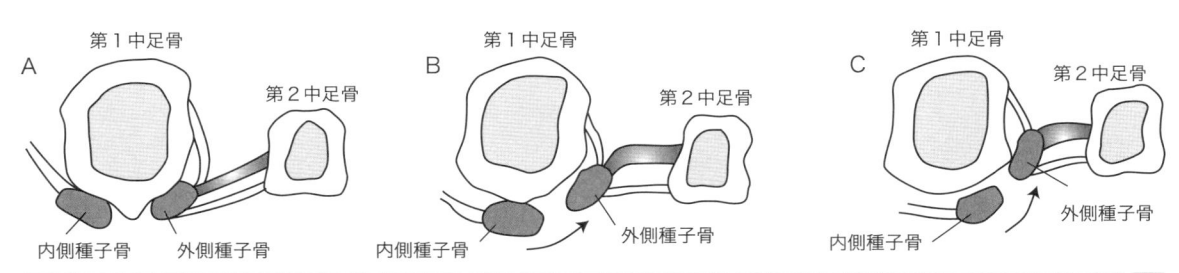

図8-1 種子骨の外側偏位（文献1より改変）
A：正常なアライメントの種子骨，B：第1中足骨が内側に転位すると中足骨の種子骨稜は削り取られ，内側種子骨はより中心部へ入り込む（矢印），C：変形が重度になると外側種子骨は内側種子骨の背側へ縦に並び（矢印），外側の軟部組織の拘縮が起こる。

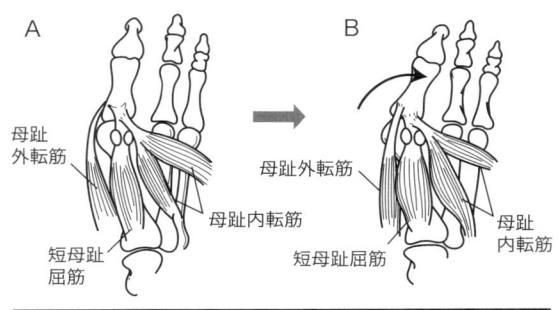

第3章　前足部障害（Lisfranc関節を含む）

図8-2　母趾外転筋の母趾屈曲作用の増大（文献1より改変）
A：第1基節骨の外側偏位のみ生じている。B：第1基節骨の回内と母趾外転筋腱の底側偏位も生じている。外反母趾の進行とともに母趾外転筋腱は足底部へ偏位し，母趾屈曲作用が増大する。

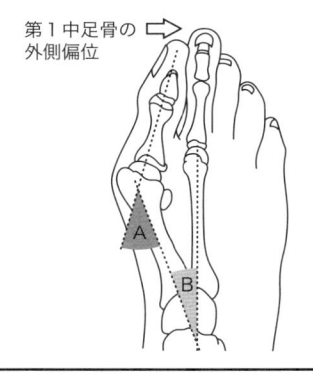

図8-3　外反母趾におけるX線所見（文献1～4より作図）
A．母趾外反角（hallux valgus angle）：第1中足骨と基節骨の長軸のなす角で，正常値<15°，軽度<30°，中等度30～40°，重度>40°以上。B．中足骨間角（intermetatarsal angle）：第1中足骨，第2中足骨の長軸のなす角で，正常値<9°，軽度<10°，中等度10～15°，重度>15°。

のかは不明である。

2．歩行の特徴

外反母趾症例における歩行の特徴に関する研究報告が散見される。フォースプレートを用いた研究において，外反母趾患者では外側への荷重増大がみられ[7]，重症になるにつれてその傾向はより大きくなる[8]という特徴がみられた。また三次元動作分析による研究において，健常者と比較し，外反母趾症例では後足部内反位，脛骨の外旋減少，母趾の背屈不足，母趾の過回内がみられた[9]。

3．診　断

X線による診断について，第1中足骨と基節骨の長軸のなす角である母趾外反角（hallux valgus angle）と，第1中足骨と第2中足骨の長軸のなす角である中足骨間角（intermetatarsal angle）が多く報告されてきた。重症度分類が確立され，信頼性は高い（**図8-3**）[1～4]。母趾外反角は基節骨の外側偏位の程度を意味し[1,4]，中足骨間角は第1中足骨の内反や第1，第2中足骨間の広がりの程度を意味する[1,3,4]。さらに中足骨間角は第1中足骨の過可動性の指標にもなりうるとの報告もみられた[1,3,4,10]。

外反母趾の主な症状は，第1中足骨頭内側隆起部の疼痛である。靴によるこの部位への圧迫が症状を増強させるといわれている[1,2,4,11]。またHockenbury[11]は，アスリートにおいて無症候性の外反母趾は治療対象でないと報告した。

4．評　価

身体評価として，扁平足，アキレス腱の拘縮や母趾回内の有無，中足基節関節の自動・他動関節可動域，中足楔状関節の不安定性の確認，難治性の足底部角質増殖や胼胝の確認などがあげられてきた[1,4,12]。ただし，徒手による中足楔状関節の不安定性の評価（**図8-4**）の信頼性は低いという報告がみられた[3,13,14]。またSmithら[15]は8mm以上の背側への過可動性を異常としたが，その根拠は実証されていないと報告した。

C．中足骨頭痛

1．病　態

中足骨頭痛は，さまざまな足部の問題によって二次的に生じており，多くの原因が存在している

8. 前足部障害の病態・診断・評価

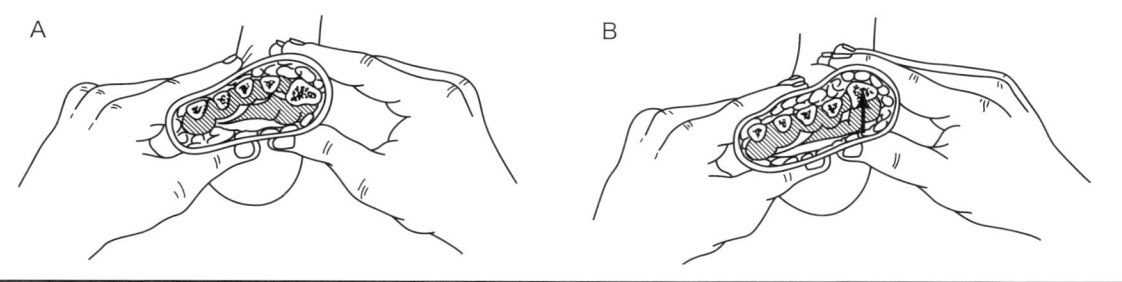

図8-4 第1列中足楔状関節不安定性の評価（文献13〜15より作図）
A：示指と母指で第2〜5中足骨部を把持する。他方の示指と母指で第1中足骨を把持し，踵骨を正中位とする。
B：中足楔状関節を固定し中足骨頭を背底側方向へ動かす。

表8-1　中足骨頭痛の分類と原因（文献18より引用）

タイプ	問題	原因・病理	病態
一次性	中足骨長の不一致	先天性	中足骨頭下に局所的な圧の増加
	中足骨の過度な底屈	先天性（凹足），神経性（凹足），癒合不全（骨折，骨切り，固定）	中足骨頭下に局所的な圧の増加
	第1列の機能不全	第1中足楔状関節過可動性，外反母趾変形（進行性の第1中足骨内反），中足骨短縮症，扁平足	第2〜5中足骨への圧の変位
	前足部尖足	先天性，凹足，下腿三頭筋の拘縮	中足骨頭下に局所的な圧の増加
	中足骨頭の異常	遺伝性・先天性変形・関節炎・新生物・感染	中足骨頭下に局所的な圧の増加
二次性	中足骨アライメント不良	外傷	中足骨頭下に局所的な圧の増加，あるいは隣接中足骨への圧の変位
	強剛母趾	遺伝，骨軟骨症，外傷，第1中足骨の挙上	第1中足趾節の背屈制限。歩行時の早期踵挙上により，立脚中期の短縮。立脚後期の前足部回外による第2〜5中足骨の圧の変位
	中足趾節関節不安定性	全身性関節炎（例：関節リウマチ，痛風），長い第2中足骨，骨切り術，関節形成，足底プレート断裂	矢状面か水平面の不安定性による中足趾節関節周囲の軟部組織の脆弱化
	神経性疼痛	足趾節間神経腫，足根洞症候群	絞扼性神経障害による疼痛
	Freiberg病	骨壊死	圧の増加と（血液）灌流不全が第1中足骨頭の亀裂骨折につながる
医原性	前足部の手術の失敗	第1中足趾節の骨切り術や固定術後の癒合不全あるいは偽関節	手術による中足骨の短縮およびそれに伴う中足骨の底屈あるいは挙上

と報告された[11, 16, 17]。Espinosaら[18, 19]は，中足骨頭痛の原因について一次性，二次性，医原性に分類した（**表8-1**）。一次性中足骨頭痛は解剖的な中足骨に関連した異常を含み，中足骨頭部への過負荷を招来する。二次性中足骨頭痛は外傷，強剛母趾，炎症性関節病変，中足趾節関節不安定性，趾節間神経腫，足根洞症候群，Freiberg病などから引き起こされる。これらの状態すべてが直接中足骨に影響を与えるのではなく，前足部への間接的な過負荷により生じると報告した[18]。Kanatliら[20]は，健常人106名（男性61名，女性45名）を対象に，歩行時の中足骨頭への負荷について，歩行立脚相，前遊脚相の中足骨頭圧分配を内側柱，中間柱，外側柱に分類して調査した。その結果，中間柱への分配が最も高かった。また対象者の圧分配パターンは4グループに分類さ

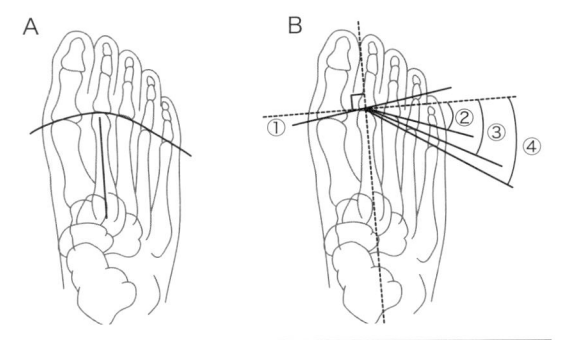

第3章　前足部障害（Lisfranc関節を含む）

図8-5　中足骨頭痛のX線による評価（文献17より改変）
A：中足骨の放物線，B：中足骨接面角度。正常可動域：①第2中足骨-第1中足骨 0〜10°，②第2中足骨-第3中足骨 10〜20°，③第2中足骨-第3中足骨 20〜30°，④第2中足骨-第5中足骨 30〜40°。

れ，約63％が中間柱への分配パターンであったと報告した（図4-5参照）。これらの現象は，立脚期における足部の衝撃吸収の役割と柔軟性の必要性を示唆すると結論した[2]。後述するMorton神経腫，Freiberg病の発生率が多い部位も中間柱を構成する中足骨を含んでいる点は興味深い。しかし同様の研究報告は少なく，コンセンサスが得られていない。

2. 診　断

X線により中足趾節関節のアライメント，関節の狭小化や亜脱臼などが確認でき，中足骨接面角度と放物線で評価される（図8-5）[17, 21]。Ashmanら[22]は非侵襲的に診断を行うにはMRIが不可欠であると報告した。Yaoら[23]も，足底板変性，滑膜炎やMorton神経腫のような関節外病変との鑑別診断にはMRIが重要であると報告した。中足骨頭痛の詳細な分類や診断には，関連する疾患が多いことからMRIが重要とされた[22〜24]。また，フットプリント[25]やフォースプレート[26]は，歩行や機能的活動時の荷重部位や圧分配の情報として重要と報告された[26]。

3. 評　価

身体評価では，足底部における皮膚の状態，足関節底背屈方向の可動性，下腿三頭筋の拘縮，後足部の回内外可動域，第1中足趾節関節の過可動性，強剛母趾の有無，各中足骨間の触診による趾間神経の圧痛などが確認事項としてあげられた[18, 19, 24]。Greisbergら[27]は，352名の足部に何らかの訴えのある者を中足骨頭痛の有無（あり64名，なし288名）で分類し，図8-6に示した方法を用いて第1列の可動性と中足骨の挙上を調査した。その結果，中足骨頭痛のある群において，第1列の過可動性と中足骨の挙上位を認めた。

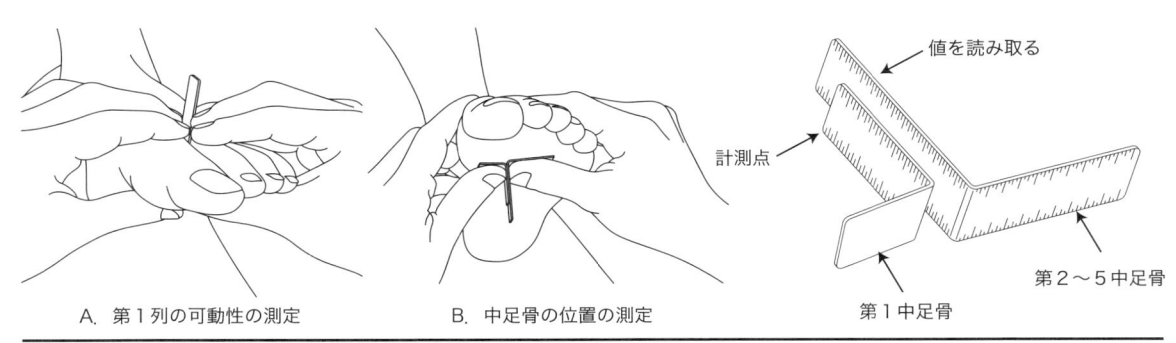

A. 第1列の可動性の測定　　B. 中足骨の位置の測定

図8-6　第1列の可動性と中足骨位置の測定方法（文献27より作図）
A：第1中足骨頭背側に器具を固定し，第2〜第5中足骨部を右手で固定し，左手で第1中足骨頭を縦方向へ動かし値を読み取る，B：底側から両側の器具を押し上げ，そのときの第1中足骨と第2〜5中足骨部の距離を読み取る。中足骨頭痛のある群において，第1列の過可動性と中足骨の挙上位が認められた。

8. 前足部障害の病態・診断・評価

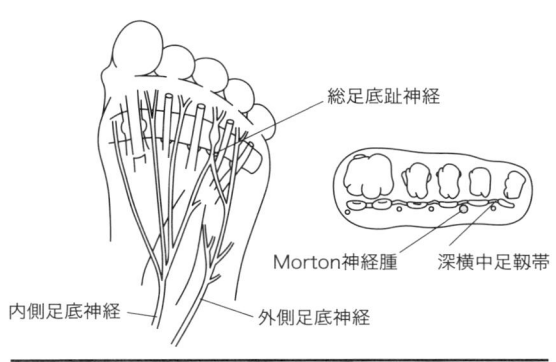

図8-7 Morton神経腫と周囲の解剖（文献28より作図）
Morton神経腫は中足骨頭部間の深横中足靱帯下での総足底趾神経の圧迫とされる。

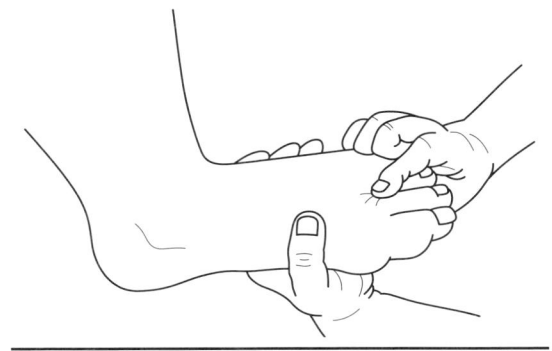

図8-8 Mulder's sign（文献30より作図）
足趾間を母指と示指でつまみ，他方の手で前足部を絞り込むことで症状の再現やクリック感を触知する。

D. Morton神経腫

1. 病態

Morton神経腫の病態は，中足骨頭部間の深横中足靱帯下での総足底趾神経の圧迫とされる（図8-7）[11,28,29]。第4趾部から第3趾間へ向かう足趾神経の交通枝が中足骨間靱帯の縁で外傷を繰り返して起こると考えられた[22,29]。また，中足骨間の滑液包の炎症が神経を圧迫し神経腫の原因になるという報告もみられた[29]。神経腫は第3・4中足骨間に多いが，ほかの中足骨間部でもみられた（表8-2）[28]。中年に多く発症し，女性に多いとされた[11,28,30]。

2. 診断

症状としては，灼熱痛，しびれ，tingling（ヒリヒリ感，チクチク感）や感覚低下などがあげられた[11,28,30]。Coughlinら[30]は疼痛やしびれなどは，底側の中足骨間に限局するが，隣接した足趾にも放散しうると報告した。これらの症状は荷重や活動性の増加で増悪する[11,28,30]。また足趾間が狭くなる靴やフィッティングの硬い靴の使用も症状を増悪させると報告された[11,28]。

X線像では神経腫の存在は確認できない。しかしThomasら[28]は，X線により筋・骨格の異常を除外する必要があることをと報告した。MRIや超音波検査は，感度，特異度が高いと報告されたが，Sharpら[29]は神経腫の直径が6 mm以下では超音波検査の感度が低下すると報告した。

3. 評価

徒手的評価として，足趾間を母指と示指でつまみ，他方の手で前足部を絞り込むことで症状の再現やクリック感を触知するMulder's sign（図8-

表8-2 各中足骨間における神経腫の頻度（％）（文献28より引用）

報告者（発表年）	患者数	第1・2中足骨間	第2・3中足骨間	第3・4中足骨間	第4・5中足骨間
Bartolomeiら（1983）	233	1	29	64	6
Addanteら（1986）	100	2.5	18	66	4
Bennettら（1995）	100	−	32	68	−
Frisciaら（1992）	222	−	−	91	−

表 8-3 Smillie の分類（文献 32, 33 より改変）

ステージ I	骨端虚血部の亀裂。この骨折は非常に狭い。亀裂の対側の海面骨には硬化像が出現する。
ステージ II	中足骨頭の軟骨下骨の沈下を伴う中心部の骨再吸収。関節面の変化により欠損した末梢部分に硝子軟骨が付加する。
ステージ III	再吸収が継続し軟骨下骨の沈み込みはさらに頭部に向かい中心的になる。正常な関節面との不整が形成される。これらは骨折になりうるが，周囲の軟部組織との付着は維持されている。この相では中足骨頭の底側の関節軟骨峡部は正常のままである。
ステージ IV	突起周囲と関節軟骨の底側峡部の骨折が起こる。関節面の連続性は崩壊し，沈下した関節面の中心部分は遊離帯となる。おそらくこの段階で骨端は閉じる。
ステージ V	平坦化の変形と関節症。軟骨骨折の最終峡部である中足骨頭の底側のみはもとの形状を保つ。遊離帯はほとんど縮小し，おそらく完全に再吸収されている。

8) の検査が一般的に行われる [11, 28〜30]。

E. Freiberg 病

1. 病態

Freiberg 病は，中足骨頭の虚脱，変形などを生じ，最終的に中足骨頭の背側部が平坦化する。この原因として，急性あるいは繰り返しの血管障害を伴う外傷と軟骨下の機能不全が推測されたが，そのメカニズムは明らかではないという報告が多い [11, 24, 31]。Smillie ら [32] は Freiberg 病を 5 つのステージに分類した（表 8-3）。

2. 診断（画像所見）

Carmont ら [33] は X 線像の特徴から次のように分類することを提唱した。ステージ 1：亀裂骨折であり，関節の炎症と滑膜炎を起こしており，関節腔の拡幅として確認できる，ステージ 2：前後像において中心部の沈下が中足骨頭の平坦化として示される，ステージ 3：中足骨頭背側部の軟骨下骨の虚脱による関節面中心部の沈下が進行するが，中足骨頭の内外側は正常と定義される，ステージ 4：内外側突起の骨折が複数の遊離体を形成し関節周囲でみられる，ステージ 5：完全な関節の変性が特徴である。しかし X 線像では，初期病変の確認は困難なことが多く，MRI や骨シンチグラフィでは初期病変も確認が可能であったとする報告がみられた [22, 24, 31]。

3. 評価

症状として，第 2 中足骨頭の局所的な疼痛 [11, 24]，荷重時や歩行での疼痛の増悪 [11, 33] などが報告された。身体評価に関して，第 2 中足趾節関節の腫脹や同部位の滑膜炎と滲出液による膨張の確認 [33]，中足骨頭部の角質増殖の有無 [11, 33] 第 2 中足趾節関節の可動域 [11, 24] などが報告された。Carmont ら [33] は，Lachman test（中足骨頭を示指と母指で把持しもう一方の手で基節骨の近位部を堅く把持し，背側へ直接的に圧を加える。関節の背側への移動を触知し，症状が再現できたときは陽性）は中足趾節関節の不安定性を診断しうると報告した。

F. Lisfranc 損傷

1. Lisfranc 関節と Lisfranc 靱帯

Lisfranc 関節（Lisfranc 関節複合体）は中足部と前足部間で構成される関節である。フランス軍従軍外科医であり，足根中足関節部での切断について記述した Jacques Lisfranc de Saint-Martin（1787〜1847）にちなんで名づけられた [34]。

第 1・2 中足骨間と内側，中間楔状骨間に靱帯性の連結がない点は足根中足関節の靱帯性の連結における特徴とされている [34〜37]。そしてこの部

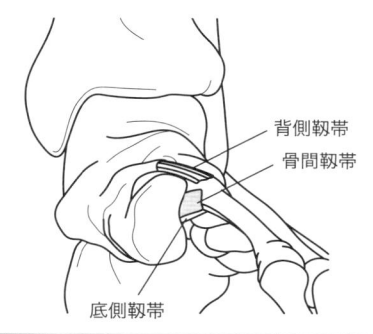

図8-9 Lisfranc靱帯複合体（文献35より改変）
破断強度が最も強いのは骨間靱帯で，底側靱帯，背側靱帯と続く。第1中足骨は取り除いてある。

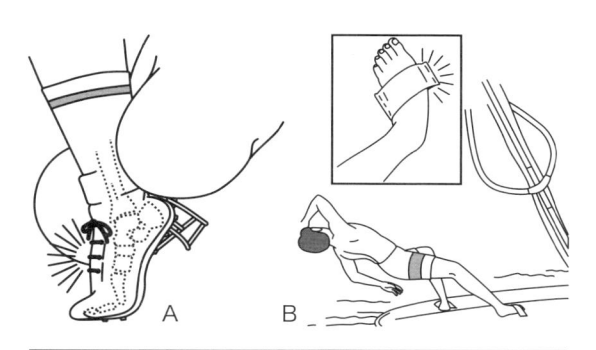

図8-10 Lisfranc関節の間接的受傷メカニズム例（文献36，38，43より作図）
A：足部底屈位，中足基節関節は最大限背屈した状態で踵に軸力が加わり受傷，B：足ストラップの使用で起こる中足部の過底屈による受傷。

位の連結は内側楔状骨から第2中足骨基部に斜走する靱帯により連結されている。この靱帯をLisfranc靱帯と呼ぶ。Lisfranc靱帯は背側，骨間，底側靱帯という構造で構成され，Lisfranc靱帯複合体とも呼ばれる[34,36]。DeOrioら[34]，Granataら[35]は，これらの破断強度は骨間靱帯が最も強く，ついで底側，背側靱帯であると報告した（**図8-9**）。

2．病　態

アスリートに多いとされるLisfranc損傷のメカニズムは，間接的負荷が加わることによって生じるとされている[34〜36]。Granataら[35]は，間接負荷メカニズムは背側あるいは内外側への変位が典型であり，これは軸力を伴う外転，内転あるいは過底屈力が加わるためであると推測した。さらに背側の靱帯や軟部組織の制動力は底側に比べ弱いため，背側への変位が特徴的となると報告した[35]。Lattermannら[36]は，足部底屈位で中足基節関節を最大限背屈した状態で踵に軸力が加わり受傷する場合（アメリカンフットボール，野球，パラシューティング）と，サーフィン，ウインドサーフィン，乗馬など足ストラップを使用する場合に起こる中足部の過底屈による受傷メカニズムを報告した（**図8-10**）。

3．画像診断

X線像の特徴としては，第2中足骨内側縁と内側楔状骨の連結の欠落，第1・2中足骨間距離の増大，第2中足骨内側縁と中間楔状骨内側縁のラインの不整，第5中足骨底面と内側楔状骨底部の距離の短縮（側方撮影）などが報告された[34〜37]。Fleck sign（第1，2中足骨間の小さな剥離骨折）やLisfranc靱帯の状態などの詳細な組織の把握，診断の難しい症例にはCTやMRIが有用との報告がみられた[35,37]。

4．分　類

診断分類はMyersonの分類[39]と，NunleyとVertulloの分類[40]がある。Granataら[35]は，Myersonの分類は病態の重症度評価として観察者間の伝達情報に用いられるが，治療方針やアウトカムの階層化の基準としては利用できないと報告した。スポーツ領域で多くみられるわずかな離開の評価，分類にはNunleyとVertulloの分類[40]（**図8-11**）が用いられている。

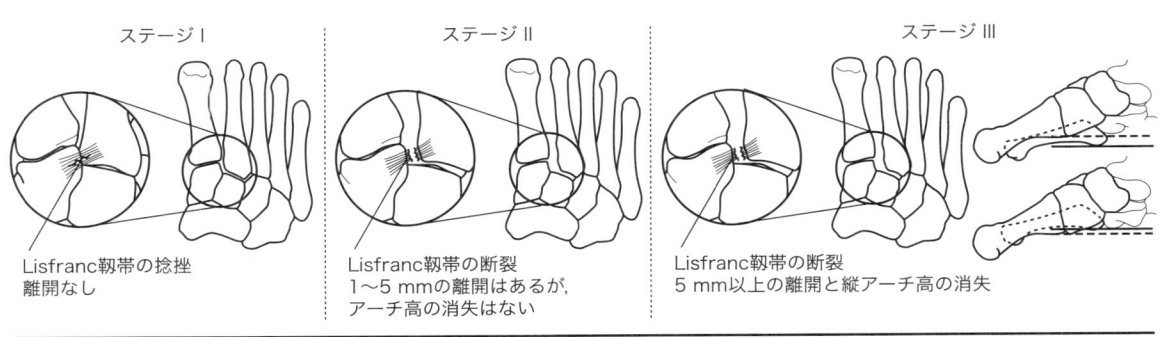

第3章 前足部障害（Lisfranc関節を含む）

図8-11 NunleyとVertulloの分類（文献40より作図）

ステージⅠ：Lisfranc靱帯の捻挫　離開なし
ステージⅡ：Lisfranc靱帯の断裂　1～5 mmの離開はあるが、アーチ高の消失はない
ステージⅢ：Lisfranc靱帯の断裂　5 mm以上の離開と縦アーチ高の消失

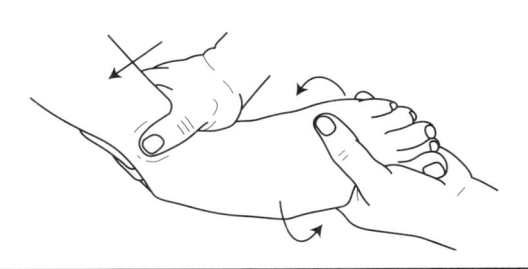

図8-12 他動的回内，外転テスト（文献38より引用）
検者は後足部を固定し，他動的な前足部の回内，外転方向の運動を優しく同時に行い，疼痛の再現などを確認する。

1）Myersonの分類

Hardcastleら[41]のものを修正して用いた[34,35,39]。タイプA：足根中足関節の全体的な不一致であり，すべての中足骨が変位している，タイプB1：第1列が孤立して分離し，内側へ脱臼した状態，タイプB2：1つ以上の外側の中足骨がさまざま方向に変位している状態，タイプC1：分岐パターンとなり，第1中足骨は内側へ変位し，ほかの中足骨はさまざまな方向へ追随して変位する，タイプC2：全体の不一致を呈した分岐パターン。

2）NunleyとVertulloの分類

荷重位X線所見（第1・2中足骨基部間距離：前後方向撮影，アーチの高さ：側方向撮影）から3つのステージに分類した[40]。

ステージⅠ：Lisfranc靱帯複合体領域に疼痛を認め，第1・2中足骨基部間の離開はみられず，アーチ高の消失もみられない。骨シンチグラムにおいて取り込みの増加がみられる。ステージⅡ：Lisfranc靱帯の断裂により第1・2中足骨基部間に1～5 mmの離開がみられるが，アーチ高の消失はみられない，ステージⅢは第1・2中足骨基部間に5 mm以上の離開がみられ，アーチ高の消失，すなわち側写像において第5中足骨と内側楔状骨の距離が減少している所見もみられる。

5．評　価

症状は中足部付近の疼痛で，頻繁にみられるのは中足部の関節上の圧痛と腫脹である[35,36,38]。また，足底部内側の斑状出血はしばしばLisfranc損傷に関連するとの報告があった[35,36]。身体評価として，他動的回内，外転テスト（図8-12）や足根中足関節の安定性，可動域の確認などがあげられた[36,38]。

G．中足骨疲労骨折

1．病　態

Donahueら[42]は発症メカニズムに関して，屍体にストレインゲージを用いて歩行条件下における第2中足骨への張力を調査し，立脚時の80％

時に中足骨への機械的ストレスがピークとなると報告した。さらに筋疲労条件にてより大きな張力が計測されたと述べた。このことから，繰り返される中足骨への張力や，筋疲労が原因となり第2中足骨の疲労骨折が生じると結論した[42]。

2. 診 断

X線像で早期診断は困難であり，発症から2〜10週間以降で可能との報告がみられた[11,43〜47]。MRIでは高い感度が報告された[44,48]。Dixonら[48]は，疲労骨折における画像診断としてMRIはゴールドスタンダードであり，疲労骨折を早期診断できる点で一般的なX線や骨CTに比べ，高い感度と特異度を有すると報告した。Majorら[49]は，MRIによって疼痛などの症状のない選手に疲労骨折を示唆する骨反応が描出できたとし，予防的なMRIの使用について報告した。Banalら[50]は超音波検査も感度（83%），特異度（76%）とも高く，早期診断に有用であり，低コストという利点もあると報告した。またMorton神経腫のような中足骨頭痛疾患との鑑別に有用であるとの報告もみられた[48]。骨シンチグラフィに関して，早期における疲労骨折の検知はX線より高く[45,51]，Jaukovicら[51]は，感度56%，特異度94%，精度67%と報告した。以上のように，X線以外の画像診断は有用性が高い報告が多かった。つまり，どのようにこれらの画像機器を用いて診断を進めるかが肝要であり，Dixonら[48]は，図8-13に示したアルゴリズムを推奨した。

3. 評 価

初期症状としては，活動時にのみ疼痛が出現し，徐々に増悪する。また，受傷部位の触診時の圧痛や荷重痛，局所的な腫脹などがあげられた[11,45〜47,52,53]。身体評価に関しては，前足部内反[54]，脚長差[54]，扁平足[54,55]，凹足[53,54]，第1列の過可動性[47,53,54]，アキレス腱の拘縮[46,54]，後足

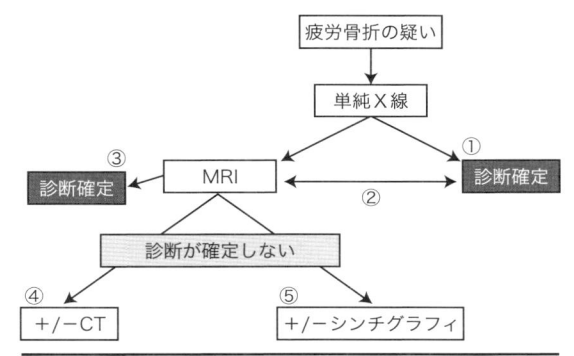

図8-13 疲労骨折の疑いのある症例の管理（文献48より改変）
①最初の骨折線の調査で単純な疲労骨折であればさらなる検査は必要ない，②X線で骨折がみられてもMRIは進行の危険性や障害の広がりについてより詳細な評価を示す，③単純X線では正常にみえてもMRIでは骨折が指摘されることがある，④CTはMRIより皮質を評価でき，類骨骨腫の疑いのある病巣を明確にしたり骨折線と骨橋（bony bridging）を示すことが可能，⑤シンチグラフィはMRIによりとって代わられたが活動性の評価には有用。

部内反[54]，Morton足（第1中足骨が短い）[47,53,54]などが確認された。しかし，これらと症状との関連性を科学的に検討した研究はみられなかった。

H. Jones骨折

1. 第5中足骨骨折とJones骨折

第5中足骨骨折は，骨折部位から3つの解剖学的部位に区分される（図7-2参照）。ゾーンIは剥離骨折，ゾーンIIは骨幹・骨幹端分岐部骨折（Jones骨折），ゾーンIIIは骨幹部の疲労骨折とされている[43,56〜58]。第5中足骨骨折について最初に記載したのはRobert Jonesであった[57〜59]。1902年第5中足骨骨幹の近位3/4部位での間接的な力による骨折として，4症例を報告した[60]ことからゾーンIIにおける骨折をJones骨折と呼ぶようになった[57〜59]。

2. 病 態

足関節底屈位で第5中足骨への大きな内転外力

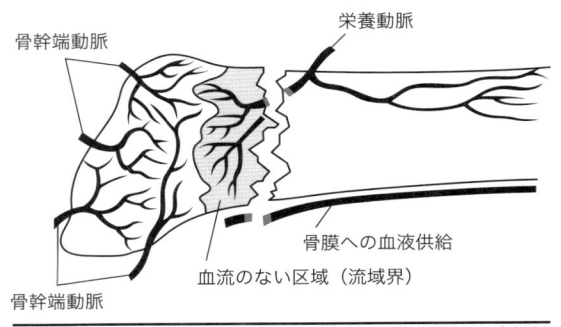

第3章 前足部障害（Lisfranc関節を含む）

図8-14 Jones骨折に生じる血液供給の問題（文献56より引用）
Jones骨折の受傷領域である骨幹，骨間端分岐部は血液供給の境界領域であり，癒合不全などが生じやすい。

表8-4 Torgの分類（文献59より改変）

タイプ	X線所見
I（初期）	髄質内骨硬化はみられない 骨折線は細く，幅の広がりはみられない 皮質の肥厚は最小である 慢性ストレスに対する骨膜反応の証拠は最小である
II（癒合遅延）	骨折線は皮質にいたる（骨折線部の骨膜は癒合） 広がった骨折線は骨吸収によるX線透過性を認める 髄質内骨硬化がみられる
III（癒合不全）	骨膜部の化骨を伴う広い骨折線 硬化骨による骨折部の髄管の完全な閉塞

と中足骨基部に付着する靱帯の固定作用により横骨折となる[43,57,61]。Jones骨折の受傷領域である骨幹，骨間端分岐部は血液供給の境界領域であり，癒合不全などが生じやすい（**図8-14**）[47,56～58]。

3．診 断

画像診断は主にX線で行われる。Torgら[59]の分類（**表8-4**）が広く用いられており，予後と治療法の選定に役立つとされる[43,56～59]。Zwitserら[57]は，MRIや骨スキャンは診断の確定に役立つが，ほとんどの症例は病歴と身体評価，X線所見により正しい診断が可能であり，高価な検査は費用効果を低下させると報告した。

4．評 価

Jones骨折は急性骨折である。Hatchら[43]は，外側に重心があり，踵が浮いた状態で急な方向転換をした際などに受傷すると報告した。このため，受傷時に突然足部外側に疼痛を生じるとともに歩行や荷重が困難になり，腫脹や斑状出血がみられ，第5中足骨に圧痛が確認される[53,57,58]。

I．まとめ

1．すでに真実として承認されていること

- 外反母趾はX線所見における母趾外反角と中足骨間角により重症度を分類できる。
- Freiberg病の初期病変の確認はX線では困難なことが多い。
- Lisfranc靱帯損傷の重症度分類にはNunleyとVertulloの分類が用いられる。
- 中足骨疲労骨折は，X線所見による早期診断が困難である。
- Jones骨折は急性発症の第5中足骨の横骨折である。

2．議論の余地はあるが，今後の重要な研究テーマとなること

- 再現性の高い第1列の可動性の評価方法の検討
- Freiberg病の原因の調査。
- 歩行時の中足骨頭圧分配と疾患発生の関連性。

3．真実と思われていたが実は疑わしいこと

- 第1列可動性の徒手的評価の信頼性。

J. 今後の課題

本項では，前足部の7疾患のレビューを行った．身体質量と身体応力を第1列で円滑に制御できないために，ほかの部位（第2列，3列や中足骨頭，第5中足骨などの局所部位）への機械的ストレスが増加し，形態的特徴や環境，繰り返すパフォーマンス動作などが修飾因子となり，多彩な症状が出現する．このため，各疾患に共通または類似する病態から，原因となる機能障害を抽出し検討する必要がある．また，後足部の状態が前足部に与える影響も重要な検討課題となる．

文献

1. Coughlin MJ, Idaho B. Hallux valgus. *J Bone Joint Surg Am*. 1996; 78: 932-66.
2. Hart ES, de Asla RJ, Grottkau BE. Current concepts in the treatment of hallux valgus. *Orthop Nurs*. 2008; 27: 274-80; quiz 281-2.
3. Ward MG, David JN, Paula ML. Hallux valgus and the first metatarsal arch segment: a theoretical biomechanical perspective. *Am Phys Ther Assoc*. 2010; 90: 110-20.
4. Easley ME, Trnka HJ. Current concepts review: hallux valgus part 1: pathomechanics, clinical assessment, and nonoperative management. *Foot Ankle Int*. 2007; 28: 654-9.
5. Arinci Incel N, Genç H, Erdem HR, Yorgancioglu ZR. Muscle imbalance in hallux valgus: an electromyographic study. *Am J Phys Med Rehabil*. 2003; 82: 345-9.
6. Incel NA, Genc H, Yorgancioglu ZR, Erdem HR. Relation between hallux valgus deformity and lumbar and lower extremity biomechanics. *Kaohsiung J Med Sci*. 2002; 18: 329-33.
7. Yavuz M, Hetherington VJ, Botek G, Hirschman GB, Bardsley L. Davis BL. Forefoot plantar shear stress distribution in hallux valgus patients. *Gait Posture*. 2009; 30: 257-9.
8. Kernozek TW, Elfessi A, Sterriker S. Clinical and biomechanical risk factors of patients diagnosed with hallux valgus. *J Am Podiatr Med Assoc*. 2003; 93: 97-103.
9. Canseco K, Rankine L, Long J, Smedberg T, Marks RM, Harris GF. Motion of the multisegmental foot in hallux valgus. *Foot Ankle Int*. 2010; 31: 146-52.
10. Glasoe WM, Allen MK, Saltzman CL. First ray dorsal mobility in relation to hallux valgus deformity and first intermetatarsal angle. *Foot Ankle Int*. 2001; 22: 98-101.
11. Hockenbury RT. Forefoot problems in athletes. *Med Sci Sports Exerc*. 1999; 31 (7 Suppl): S448-58.
12. Smith RW, Reynolds JC, Stewart MJ. Hallux valgus assessment: report of research committee of American Orthopaedic Foot and Ankle Society. *Foot Ankle*. 1984; 5: 92-103.
13. Shirk C, Sandrey MA, Erickson M. Reliability of first ray position and mobility measurements in experienced and inexperienced examiners. *J Athl Train*. 2006; 41: 93-9; discussion, 99-101.
14. Glasoe WM, Allen MK, Saltzman CL, Ludewig PM, Sublett SH. Comparison of two methods used to assess first-ray mobility. *Foot Ankle Int*. 2002; 23: 248-52.
15. Smith BW, Coughlin MJ. The first metatarsocuneiform joint, hypermobility, and hallux valgus: what does it all mean? *Foot Ankle Surg*. 2008; 14: 138-41.
16. Scranton PE. Metatarsalgia: diagnosis and treatment. *J Bone Joint Surg Am*. 1980; 62: 723-32.
17. Thomas JL, Blitch EL, Chaney DM, Dinucci KA, Eickmeier K, Rubin LG, StappMD, Vanore JV. Diagnosis and treatment of forefoot disorders. Section 2. Central metatarsalgia. *J Foot Ankle Surg*. 2009; 48: 239-50.
18. Espinosa N, Brodsky JW, Maceira E. Metatarsalgia. *J Am Acad Orthop Surg*. 2010; 18: 474-85.
19. Espinosa N, Maceira E, Myerson MS. Current concept review: metatarsalgia. *Foot Ankle Int*. 2008; 29: 871-9.
20. Kanatli U, Yetkin H, Simşek A, Oztürk AM, Esen E, Beşli K. Pressure distribution patterns under the metatarsal heads in healthy individuals. *Acta Orthop Traumatol Turc*. 2008; 42: 26-30.
21. Thomas JL, Christensen JC, Mendicino RW, Schuberth JM, Weil LS Sr, Zlotoff HJ, Roukis TS, Vanore JV. ACFAS scoring scale user guide. *J Foot Ankle Surg*. 2005; 44: 316-35.
22. Ashman CJ, Klecker RJ, Yu JS. Forefoot pain involving the metatarsal region: differential diagnosis with MR imaging. *Radiographics*. 2001; 21: 1425-40.
23. Yao L, Do HM, Cracchiolo A, Farahani K. Plantar plate of the foot: findings on conventional arthrography and MR imaging. *AJR Am J Roentgenol*. 1994; 163: 641-4.
24. Gregg JM, Schneider T, Marks P. MR imaging and ultrasound of metatarsalgia -the lesser metatarsals. *Radiol Clin N Am*. 2008; 46: 1061-78.
25. Cisneros Lde L, Fonseca TH, Abreu VC. Inter- and intra-examiner reliability of footprint pattern analysis obtained from diabetics using the Harris mat. *Rev Bras Fisioter*. 2010; 14: 200-5.
26. Orlin MN, McPoil TG. Plantar pressure assessment. *Phys Ther*. 2000; 80: 399-409.
27. Greisberg J, Prince D, Sperber L. First ray mobility increase in patients with metatarsalgia. *Foot Ankle Int*. 2010; 31: 954-8.
28. Thomas JL, Blitch EL 4th, Chaney DM, Dinucci KA, Eickmeier K, Rubin LG, Stapp MD, Vanore JV. Diagnosis and treatment of forefoot disorders. Section 3. Morton's intermetatarsal neuroma. *J Foot Ankle Surg*. 2009; 48: 251-6.
29. Sharp RJ, Wade CM, Hennessy MS, Saxby TS. The role of MRI and ultrasound imaging in Morton's neuroma and the effect of size of lesion on symptoms. *J Bone Joint Surg Br*. 2003; 85: 999-1005.
30. Coughlin MJ, Pinsonneault T. Operative treatment of interdigital neuroma. A long-term follow-up study. *J*

31. Mandell GA, Harcke HT. Scintigraphic manifestations of infraction of the second metatarsal (Freiberg's disease). *J Nucl Med*. 1987; 28: 249-51.
32. Smillie IS. Treatment of Freiberg's infraction. *Proc R Soc Med*. 1967; 60: 29-31.
33. Carmont MR, Rees RJ, Blundell CM. Current concepts review: Freiberg's disease. *Foot Ankle Int*. 2009; 30: 167-76.
34. DeOrio M, Erickson M, Usuelli FG, Easley M. Lisfranc injuries in sport. *Foot Ankle Clin*. 2009; 14: 169-86.
35. Granata JD, Philbin TM. The midfoot sprain: a review of Lisfranc ligament injuries. *Phys Sportsmed*. 2010; 38: 119-26.
36. Lattermann C, Goldstein JL, Wukich DK, Lee S, Bach BR Jr. Practical management of Lisfranc injuries in athletes. *Clin J Sport Med*. 2007; 17: 311-5.
37. Gupta RT, Wadhwa RP, Learch TJ, Herwick SM. Lisfranc injury: imaging findings for this important but often-missed diagnosis. *Curr Probl Diagn Radiol*. 2008; 37: 115-26.
38. Curtis MJ, Myerson M, Szura B. Tarsometatarsal joint injuries in the athlete. *Am J Sports Med*. 1993; 21: 497-502.
39. Myerson MS, Fisher RT, Burgess AR, Kenzora JE. Fracture dislocations of the tarsometatarsal joints: end results correlated with pathology and treatment. *Foot Ankle*. 1986; 6: 225-42.
40. Nunley JA, Vertullo CJ. Classification, investigation, and management of midfoot sprains: Lisfranc injuries in the athlete. *Am J Sports Med*. 2002; 30: 871-8.
41. Hardcastle PH, Reschauer R, Kutscha-Lissberg E, Schoffmann W. Injuries to the tarsometatarsal joint. Incidence, classification and treatment. *J Bone Joint Surg Br*. 1982; 64: 349-56.
42. Donahue SW, Sharkey NA. Strains in the metatarsals during the stance phase of gait: implications for stress fractures. *J Bone Joint Surg Am*. 1999; 81: 1236-44.
43. Hatch RL, Alsobrook JA, Clugston JR. Diagnosis and management of metatarsal fractures. *Am Fam Physician*. 2007; 76: 817-26.
44. Barr KP, Harrast MA. Evidence-based treatment of foot and ankle injuries in runners. *Phys Med Rehabil Clin N Am*. 2005; 16: 779-99.
45. Sanderlin BW, Raspa RF. Common stress fractures. *Am Fam Physician*. 2003; 68: 1527-32.
46. Kennedy JG, Knowles B, Dolan M, Bohne W. Foot and ankle injuries in the adolescent runner. *Curr Opin Pediatr*. 2005; 17: 34-42.
47. Rammelt S, Heineck J, Zwipp H. Metatarsal fractures. *Injury*. 2004; 35 Suppl 2: SB77-86.
48. Dixon S, Newton J, Teh J. Stress fractures in the young athlete: a pictorial review. *Curr Probl Diagn Radiol*. 2011; 40: 29-44.
49. Major NM. Role of MRI in prevention of metatarsal stress fractures in collegiate basketball players. *AJR Am J Roentgenol*. 2006; 186: 255-8.
50. Banal F, Gandjbakhch F, Foltz V, Goldcher A, Etchepare F, Rozenberg S, Koeger AC, Bourgeois P, Fautrel B. Sensitivity and specificity of ultrasonography in early diagnosis of metatarsal bone stress fractures: a pilot study of 37 patients. *J Rheumatol*. 2009; 36: 1715-9.
51. Jauković L, Ajdinović B, Gardasević K, Dopuda M. ^{99m}Tc-MDP bone scintigraphy in the diagnosis of stress fracture of the metatarsal bones mimicking oligoarthritis. *Vojnosanit Pregl*. 2008; 65: 325-7.
52. Jones BH, Thacker SB, Gilchrist J, Kimsey CD Jr, Sosin DM. Prevention of lower extremity stress fractures in athletes and soldiers: a systematic review. *Epidemiol Rev*. 2002; 24: 228-47.
53. Fredericson M, Jennings F, Beaulieu C, Matheson GO. Stress fractures in athletes. *Top Magn Reson Imaging*. 2006; 17: 309-25.
54. Chuckpaiwong B, Cook C, Pietrobon R, Nunley JA. Second metatarsal stress fracture in sport: comparative risk factors between proximal and non-proximal locations. *Br J Sports Med*. 2007; 41: 510-4.
55. Pepper M, Akuthota V, McCarty EC. The pathophysiology of stress fractures. *Clin Sports Med*. 2006; 25: 1-16, vii.
56. Den Hartog BD. Fracture of the proximal fifth metatarsal. *J Am Acad Orthop Surg*. 2009; 17: 458-64.
57. Zwitser EW, Breederveld RS. Fractures of the fifth metatarsal; diagnosis and treatment. *Injury*. 2010; 41: 555-62.
58. Strayer SM, Reece SG, Petrizzi MJ. Fractures of the proximal fifth metatarsal. *Am Fam Physician*. 1999; 59: 2516-22.
59. Torg JS, Balduini FC, Zelko RR, Pavlov H, Peff TC, Das M. Fractures of the base of the fifth metatarsal distal to the tuberosity. Classification and guidelines for non-surgical and surgical management. *J Bone Joint Surg Am*. 1984; 66: 209-14.
60. Jones R. Fracture of the base of the fifth metatarsal bone by indirect violence. *Ann Surg*. 1902; 35: 697-700.
61. Theodorou DJ, Theodorou SJ, Kakitsubata Y, Botte MJ, Resnick D. Fractures of proximal portion of fifth metatarsal bone: anatomic and imaging evidence of a pathogenesis of avulsion of the plantar aponeurosis and the short peroneal muscle tendon. *Radiology*. 2003; 226: 857-65.

〈杉浦　武〉

9. 前足部障害の保存療法

はじめに

一般的に前足部障害の保存療法として安静，可動域訓練，ストレッチ，筋力トレーニング，補助具療法，物理療法，薬物療法，外科的処置が紹介されてきた[1〜4]。しかし，個々の治療法に関する研究は少なく，その臨床的効果の科学的根拠も明らかとはなってない。

A. 文献検索方法

各「疾患名」に「conservative treatment」「rehabilitation」「exercise」「orthoses」「insole」の単語を加えて検索した。その結果，hallux valgus（外反母趾）は269件，metatarsalgia（中足骨頭痛）116件，Morton's neuroma（モートン神経腫）30件，Freiberg's disease（フライバーグ病）19件，Lisfranc joint injury（リスフラン関節損傷・楔状骨離開）20件，metatarsal stress fracture（中足骨疲労骨折）75件，Jones fracture（ジョーンズ骨折）の121件であった。さらにこれらの論文の内容を吟味し，参考文献から関連する文献も含めて，47件の文献を採用した。

B. 外反母趾

外反母趾に対する保存療法の適応は，①軽度外反母趾（母趾外反角25°以下）の者，②手術に抵抗する者などであり，その目的は主に疼痛の軽減や装具装着時の一時的なアライメントの改善であるが，根本的に変形を矯正することはできないとする見解が多かった。具体的な方法としては，①シューズを改良，変更する際に足先ワイドのもの，前足部パッドつきのもの，踵が低いものという点を考慮する，②カスタムメイドや部分的なパーツなどを靴にインソールを装着する，③活動量・運動量の制限や見直すこと，があげられた[1, 2, 5]。

Torkkiら[6, 7]は，209名を無作為に手術群，装具群，治療なし群の3群に分類し，その効果を比較した（**表9-1**）。6ヵ月後には治療なし群と比較し，手術群と装具群に疼痛軽減を認めたが，12ヵ月，2年後に有意差はなかった（**図9-1**）。

表9-1 無作為化臨床試験対象者209名の基礎データ（文献6，7より引用）

	手術	装具	治療なし
対象者数（名）	71	69	69
年齢（歳）	48 ± 10	49 ± 10	47 ± 9
BMI (kg/m^2)	24.0 ± 14.0	23.9 ± 13.0	24.2 ± 15.0
理学療法3回以上（名）	51	46	57
両足例（名）	38	39	47
AOFAS score (0〜100)*	60 ± 14	59 ± 11	62 ± 11
母指外反角(°)	23.4 ± 4.5	24.3 ± 5.7	23.9 ± 5.6
中足骨間角(°)	10.5 ± 2.0	11.1 ± 2.4	10.7 ± 2.3
靴の問題：なし（%）	8.4	4.4	4.2
靴の問題：中等度（%）	80.2	86.8	87.1
靴の問題：重度（%）	11.3	8.8	8.6

* American Orthopaedic Foot and Ankle Society。

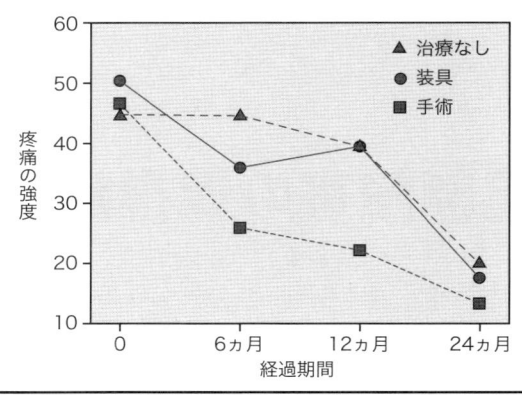

第3章 前足部障害（Lisfranc関節を含む）

図9-1 外反母趾に対する手術，装具療法，治療なしによる疼痛の変化（文献6，7より作図）
手術群と装具群では6ヵ月後には治療なし群と比較し疼痛軽減を認めたが，12ヵ月，2年後に有意差はなかった。

しかし，足部の痛みを示すVASでは，1年前よりも「よい」と答えた者が手術群83％，装具群46％，治療なし群24％，1年前よりも「悪い」と答えた者は手術群6％，装具群11％，治療なし群34％と，治療なし群と比較して手術群と装具群ともに有意に効果があることを示した。さらに手術群のほうが装具群よりも効果があることを示した（表9-2）。つまり1年後では各群に疼痛軽減の差は認めず，主観的評価では手術療法ほどの効果ではなかったものの，保存療法も有効であったといえる。

Tangら[8]はインソールの効果に関して，第1趾と第2趾を分けるバーがついたインソール（The Total Contact Insole With Fixed Toe Separator）を装着したときの母趾外反角に及ぼす即時効果を報告した。装着前と装着時の母趾外反角の変化は，右31.0°→25.3°，左33.4°→26.2°と減少傾向にあった。しかし，装着後の長期的効果に関しては検証されていない。またKilmartinら[9]は，両側または片側に母趾外反角14.5°以上の外反母趾が認められた6,000人中（9〜10歳）の122名を対象に，後足部の内外反を防止する硬性可塑性プラスチック製インソールの挿入による外反母趾の治療効果を報告した。3年後に母趾外反角，中足骨間角を測定し，片側群，両側群ともにいずれも改善効果は認められなかった。このことから，後足部内外反の矯正のみでは，前足部の外反母趾を改善することができなかったと推察される。

Groisoら[10]は56名（1ヵ月〜16歳）の外反

表9-2 外反母趾に対する1年後の治療成績の比較（文献7より引用）

		手術	装具療法	治療なし
対象者数（例）		71	69	69
6ヵ月前の痛み（VAS 0〜100）		45±54	79±65	66±67
痛みの強さ（VAS 0〜100）		23±23	40±23	40±26
仕事量（仕事復帰100）（0〜100）		89±19	81±26	83±25
見かけの異常		2.5±2.4	2.6±2.1	3.1±3.1
AOFAS score*（0（悪）〜100（良好））**		60→75±13	59→64±10	62→66±10
靴の問題	なし（％）**	8.4→35.4	4.4→4.5	4.2→7.5
	中等度（％）**	80.2→61.5	86.8→86.4	87.1→86.4
	重度（％）**	11.3→3.1	8.8→9.1	8.6→6.1
全体的な足部の自己評価（％）***	1年前よりよい	83	46	24
	1年前と同じ	11	43	42
	1年前より悪い	6	11	34

* American Orthopaedic Foot and Ankle Society，**数字表記：治療前データ→1年後のデータ，*** Global foot assessment, self-report。手術群と治療なし群の差 $p < 0.001$，装具群と治療なし群の差 $p < 0.01$，手術群と装具群の差 $p < 0.001$。

表 9-3 Morton 病の薬物療法に関する研究報告

報告者（発表年）	対象数	経過観察期間（月）	方法	結果
Greenfield（1984）	67	24	ステロイド	80％完全消失
Rasmussen（1996）	51	24～72	ステロイド	80％消失または改善
Dockery（1999）	100	13	アルコール	89％消失または改善
Fanucci（2004）	40	10	アルコール	90％消失または改善
Saygi（2005）	82	>12	ステロイド	82％完全消失，63％部分消失
Hughes（2007）	101	21.1	アルコール	94％消失または改善
Hassouna（2007）	57	>11	ステロイド	67％消失または改善
Mozena（2007）	42	11	アルコール	61％消失または改善
Markovic（2008）	39	9	ステロイド	38％完全消失

母趾患者を対象に，夜間スプリント療法と足指エクササイズの併用による保存療法に関する効果を検討した。経過観察期間は平均7年であった。母趾外反角15°以上，中足骨間角9°以上をグループA，母趾外反角15°未満をグループB，明らかな外反母趾はあるがX線像なしをグループCとした。夜間スプリントは，中足骨部を基礎として母趾基節骨を内反方向に矯正する簡易型スプリントを用いた。エクササイズは，①他動的に母趾を内反させるストレッチ，②他動的に足関節背屈位にて母趾を内反させるストレッチ，③自動的に母趾と足趾を開排するエクササイズとし，20回を1セットとし1日1セット実施させた。その結果，グループAでは，母趾外反角の角度（平均値）の変化は介入前22°（48足）→3年後6°（28足）と減少した。対象足の約50％に改善が認められたものの，7足に平均5°程度の増加も認められた。中足骨間角（平均値）は介入前11°（37足）→3年後3°（12足）と減少したものの，対象足の約32％のみの改善であった。このように若年者における外反母趾患者に対する夜間スプリントとエクササイズの併用は有用である可能性が示唆された。

ほかにも回内をコントロールするためのインソール，中足骨パッドや横アーチつま先が斜め，深さのある靴を選択，バニオンの接触を避けるために中足骨近位を内転方向へ圧迫するためのカスタム靴やインソールなどが紹介された[11]。

C. Morton 病

Morton 病の治療法としては，一般的にはハイヒールの禁止や前足部の広い靴を履くように促す生活指導，第2，3中足骨骨頭の圧を軽減および第1中足骨頭・骨幹と横アーチへの荷重を目的とした装具療法，関節へのステロイド注入や神経へのアルコール注入などの薬物療法，体外衝撃波療法などの物理療法があげられている[12～18]。薬物療法では，ステロイドで38～80％症状消失，アルコールで61～90％症状消失など良好な成績が報告された（表9-3）[19～27]。Fridmanら[13]は無作為化臨床試験にて体外衝撃波療法の効果を示した。取り込み基準を8ヵ月以上症状の継続があり，VAS 4以上の者とし，25名を対象とした。治療期間は12週間で，評価は1週，6週，12週に実施した。その結果，衝撃波群 VAS 7.23→2.46，プラセボ群 VAS 6.4→4.3であり，約50％に疼痛軽減を認め，総合評価もexcellentまたはgoodが90％を占めた。このように薬物療法や物理療法に関する研究報告は散見されるものの，靴や生活指導，装具療法に関する報告は皆無であった。

第3章 前足部障害（Lisfranc関節を含む）

表9-4 Lisfranc関節捻挫のプロトコール（文献35より引用）

損傷レベル	第1相		第2相 （2〜6週）	第3相 （6〜16週）
	受傷当日	（10〜14日）		
ステージⅠ 荷重X線 離解＜2mm	RICE処置 免荷 ・ギプス固定 ・松葉杖	X線再検査 離解2mm以上であればステージⅡ〜Ⅲの治療に移行	ギプス除去 治療内で荷重許可 ※疼痛消失の場合，第3相へ進む ※疼痛残存の場合，荷重時短下肢装具	インソール（アーチサポート）装着にて荷重 ※徐々にスポーツ復帰
ステージⅡ〜Ⅲ	手術適応			

D. Freiberg病

　Freiberg病の治療としては，中足骨頭の荷重負荷の軽減を目的として，ギプス固定や短下肢装具を装着し松葉杖歩行による免荷，靴の変更，装具装着などの方法があげられる[1, 28]。Hoskinsonら[29]は，保存療法のみを実施した16名，保存療法後に手術療法を施行した12名を対象に症状改善について調査を行った。その結果，保存療法では16名全員が症状消失，手術療法では12名中7名で症状が消失したとしており，保存療法の有効性が示された。

E. Lisfranc関節損傷

　Nunleyら[30]による損傷レベルのステージ分類が示される前の保存療法は成績が不良な報告があった[31, 32]。しかし近年では，損傷の程度をステージに分類して治療方針を決定することで，保存療法による良好な成績が示された[30, 33〜35]。

　Nunleyら[30]は治療の適応についてステージⅠ〜Ⅲ（図8-11参照）にて割り付けた。ステージⅠの7名（平均年齢21.4歳）を保存療法，ステージⅡの8名（平均年齢20.5歳）を手術療法とした。その結果，excellentが保存療法100％，手術療法97.5％であった。またスポーツ復帰期間は保存療法17.3週，手術療法15.4週と，ステージ分類で適応を見極めることで保存療法でも良好

な成績が得られることを示した。

　Lattermannら[35]は，スポーツ選手におけるLisfranc関節捻挫のプロトコールを提唱した。ステージⅠのみ保存療法の適応とし，治療経過中に再検査を行い，手術療法への移行時期の判断の基準を示した。初期（第1相）にRICE処置とギプスまたは固定ブーツの装着にて免荷し，2〜6週（第2相）で固定を除去し，徐々に荷重を開始する。圧痛が残存している間は短下肢装具またはブーツを使用し，圧痛が消失した場合はアーチサポート装具へ移行し徐々にスポーツ復帰を目指す（第3相）（表9-4）。

F. 中足骨疲労骨折

　中足骨骨幹部疲労骨折はlow risk fractureに分類され，high risk fractureとされる第2中足骨基部骨折やJones骨折とは治療方針が異なる。前者は一般的に発症時の歩行時痛がなければ固定や免荷をせずに運動制限のみとし，歩行時痛があれば初期固定（1〜3週）と松葉杖歩行にて免荷とする。トレーニングは4〜8週で実施し，復帰を目指す（表9-5）[36〜39]。具体的なトレーニングとしては，初期は非荷重でのトレーニングのみとし，徐々に痛みがないレベルのクロストレーニング（さまざまな運動の組み合わせで，自転車，水泳，水中ランニングなど）を許可していく[40]。

表9-5 Low risk疲労骨折の治療（文献36より引用）

症状	目標	治療
どのレベルでも痛い	損傷治癒	痛み消失まで4～8週 ブレース，松葉杖歩行 リスクを減らす
機能制限なく痛みあり	参加可能	痛みを減少，維持させながらの活動 リスクを減らす
機能制限あり痛みあり	参加可能	機能レベルがもどるまで活動制限 痛みを減少，維持させながらの活動
活動レベルにかかわらず限定的な痛み	損傷治癒	完全安静と固定 手術

表9-6 第5中足骨近位の骨折の治療内容（文献30，38，41～43より引用）

骨折の種類	治療
早期Jones骨折	免荷6～8週 装具8～12週 その後は術後後療法
タイプI（早期）	免荷6～8週 装具8～12週 その後は術後後療法
タイプII（遷延治癒）	早期内固定 免荷20週
タイプIII（偽関節）	手術療法 低周波治療 免荷16週

表9-7 第5中足骨骨折の治療成績（文献44より引用）

	症例数	年齢（歳）	ギプス（週）	骨癒合（月）	完全復帰（月）	遅延治癒（件）	癒合不全（件）
第5中足骨粗面	35	38.3	4.8	3.7	4	10	1
Jones骨折	10	48.6	2.8	3.5	3.5	2	0
骨幹部～1.5 cm	3	26.3	8	4.8	4.8	2	0
骨頭・骨底に近い	2	54	8	3.6	3.6	0	0
斜骨折・頸部	16	43.6	3.5	3.4	3.4	4	0

年齢	症例数	男：女	ギプス（週）	骨癒合（月）	完全復帰（月）	遅延治癒（件）	癒合不全（件）
0～10	5	1：4	4.6	1.8	1.8	0	0
11～20	10	4：6	6.4	3.3	3.5	2	0
21～30	9	3：6	6.4	4.4	4.8	4	0

G. Jones骨折

第5中足骨の骨折部位によって保存療法の適応が異なる。早期Jones骨折，タイプI（早期）は免荷（6～8週）と装具（8～12週），その後は術後後療法と同様に復帰を目指す（**表9-6**）[40～43]。

Konkelら[44]は第5中足骨骨折の部位別の治療成績を示した（**表9-7**）。Jones骨折10例はギプス固定平均2.8週，骨癒合平均3.5週，そのうち遅延例2例，骨癒合不全0例となっており，保存療法の良好な成績が示された。Chuckpaiwongら[45]は，保存療法と手術療法を比較し，骨癒合はそれぞれ6.1ヵ月，6.3ヵ月と差はなかったものの，スポーツ復帰では保存療法30週，手術療法15.3週と，保存療法のほうが早期に復帰を果たしていた（**表9-8**）。Chee-Kiddら[46]は急性Jones骨折25名（ギプス固定9名，下腿シーネ16名）を対象に調査した結果，骨癒合は平均7.8週，骨癒合不全1名，AOFAS（American Orthopaedics Foot and Ankle Society）スコアは平均97.0点と良好な成績を示した。Mologneら[47]は急性ギプス固定（ギプス群）18名，スクリュー内固定（内固定群）19名を比較した結果，治療成功者はそれぞれ10名/18名，18名/19名，骨癒合の平均期間はギプス群14.5週，内固定群6.9週，スポーツ復帰の平均期間はギプス群

表9-8 Jones骨折における保存療法と手術療法の成績（1）（文献45より引用）

		症例数	職場復帰（週）	スポーツ復帰（週）	骨癒合（月）	合併症（件）
Jones骨折	保存	17	2.65	30.0	6.1	3（17.6％）
	手術	18	5.8	15.3	6.3	4（22.2％）
近位骨幹端骨折	保存	8	2.5	26.3	4.8	1（26.7％）
	手術	22	3.2	15.2	9.8	5（22.7％）

早期手術例と遅延手術例の比較					
X線異常所見	職場復帰（週）	スポーツ復帰（週）	骨癒合（月）	術後合併症（件）	満足度75％以上
なし（24例）	3.1	13.2	8.3（3.8）	1（4％）	20（83％）
あり（16例）	6.5	18.8	8.4（3.9）	6（38％）	7（44％）

表9-9 Jones骨折における保存療法と手術療法の成績（2）（文献47より引用）

治療方法	治療成績（例）	受傷～手術（日）	骨癒合期間（週）	スポーツ復帰（週）
ギプス群（18例）	良好10，不良8	—	14.5（4.7）	15.6（3.9）
内固定群（19例）	良好18，不良1	9.4日	6.9（2.3）*	7.9（2.2）*

*$p < 0.001$ vs. ギプス群。

15.6週，内固定群7.9週となっており，内固定群と比べてギプス群のほうが成績不良であることが示唆された（**表9-9**）。

H. まとめ

1. すでに真実として承認されていること

- 外反母趾，中足部痛について装具療法による短期的効果として疼痛軽減がある。
- 第1～4中足骨骨幹部疲労骨折は，4～8週の保存療法でほぼ確立されている。
- 急性Jones骨折では，保存療法の適応もある。

2. 議論の余地はあるが，今後の重要な研究テーマとなること

- 若年性外反母趾は，装具療法とエクササイズの長期継続でアライメント改善が期待できるのではないか。
- 中足骨疲労骨折やLisfranc関節損傷は，初期に正確な診断と治療の選択ができていない場合に治癒遅延するのではないか。

I. 今後の研究課題

- 保存療法の具体的な方法の調査，効果判定が必要。
- 装具療法，物理療法，運動療法の単独，併用実施による治療効果の検証。

文献

1. Coughlin MJ, Mann RA. *Surgery of the Foot and Ankle*, 7th ed., Mosby, 1999.
2. Easley ME, Trnka HJ. Current concepts review: hallux valgus part 1: pathomechanics, clinical assessment, and nonoperative management. *Foot Ankle Int*. 2007; 28: 654-9.
3. Espinosa N, Maceira E, Myerson MS. Current concept review: metatarsalgia. *Foot Ankle Int*. 2008; 29: 871-9.
4. Magee DJZ, Quillen WS. *Pathology and Intervention in Musculoskeletal Rehabilitation*. Saunders, 2009.
5. Glasoe WM, Nuckley DJ, Ludewig PM. Hallux valgus and the first metatarsal arch segment: a theoretical biomechanical perspective. *Phys Ther*. 2010; 90: 110-20.
6. Torkki M, Malmivaara A, Seitsalo S, Hoikka V, Laippala P, Paavolainen P. Hallux valgus: immediate operation versus 1 year of waiting with or without orthoses: a randomized controlled trial of 209 patients. *Acta Orthop Scand*. 2003; 74: 209-15.
7. Torkki M, Malmivaara A, Seitsalo S, Hoikka V, Laippala P, Paavolainen P. Surgery vs orthosis vs watchful waiting for hallux valgus: a randomized controlled trial. *JAMA*. 2001; 285: 2474-80.
8. Tang SF, Chen CP, Pan JL, Chen JL, Leong CP, Chu NK.

The effects of a new foot-toe orthosis in treating painful hallux valgus. *Arch Phys Med Rehabil*. 2002; 83: 1792-5.
9. Kilmartin TE, Barrington RL, Wallace WA. A controlled prospective trial of a foot orthosis for juvenile hallux valgus. *J Bone Joint Surg Br*. 1994; 76: 210-4.
10. Groiso JA. Juvenile hallux valgus. A conservative approach to treatment. *J Bone Joint Surg Am*. 1992; 74: 1367-74.
11. Sammarco VJ, Nichols R. Orthotic management for disorders of the hallux. *Foot Ankle Clin*. 2005; 10: 191-209.
12. Adams WR 2nd. Morton's neuroma. *Clin Podiatr Med Surg*. 2010; 27: 535-45.
13. Fridman R, Cain JD, Weil L Jr. Extracorporeal shockwave therapy for interdigital neuroma: a randomized, placebo-controlled, double-blind trial. *J Am Podiatr Med Assoc*. 2009; 99: 191-3.
14. Nawoczenski DA, Janisse DJ. Foot orthoses in rehabilitation -what's new. *Clin Sports Med*. 2004; 23: 157-67.
15. Rosenfield JS, Trepman E. Treatment of sesamoid disorders with a rocker sole shoe modification. *Foot Ankle Int*. 2000; 21: 914-5.
16. Schreiber K, Khodaee M, Poddar S, Tweed EM. Clinical inquiry. What is the best way to treat Morton's neuroma? *J Fam Pract*. 2011; 60: 157-8, 168.
17. Barett SL, Woolley M. Managing Morton's entrapment. *Pracical Pain Management*. 2011; 11: 1-9.
18. Thomas JL, Blitch EL, Chaney DM, Dinucci KA, Eickmeier K, Rubin LG, Stapp MD, Vanore JV. Diagnosis and treatment of forefoot disorders. Section 3. Morton's intermetatarsal neuroma. *J Foot Ankle Surg*. 2009; 48: 251-6.
19. Dockery GL. The treatment of intermetatarsal neuromas with 4% alcohol sclerosing injections. *J Foot Ankle Surg*. 1999; 38: 403-8.
20. Fanucci E, Masala S, Fabiano S, Perugia D, Squillaci E, Varrucciu V, Simonetti G. Treatment of intermetatarsal Morton's neuroma with alcohol injection under US guide: 10-month follow-up. *Eur Radiol*. 2004; 14: 514-8.
21. Greenfield J, Rea J Jr, Ilfeld FW. Morton's interdigital neuroma. Indications for treatment by local injections versus surgery. *Clin Orthop Relat Res*. 1984; (185): 142-4.
22. Hassouna H, Singh D, Taylor H, Johnson S. Ultrasound guided steroid injection in the treatment of interdigital neuralgia. *Acta Orthop Belg*. 2007; 73: 224-9.
23. Hughes RJ, Ali K, Jones H, Kendall S, Connell DA. Treatment of Morton's neuroma with alcohol injection under sonographic guidance: follow-up of 101 cases. *AJR Am J Roentgenol*. 2007; 188: 1535-9.
24. Markovic M, Crichton K, Read JW, Lam P, Slater HK. Effectiveness of ultrasound-guided corticosteroid injection in the treatment of Morton's neuroma. *Foot Ankle Int*. 2008; 29: 483-7.
25. Mozena JD, Clifford JT. Efficacy of chemical neurolysis for the treatment of interdigital nerve compression of the foot: a retrospective study. *J Am Podiatr Med Assoc*. 2007; 97: 203-6.
26. Rasmussen MR, Kitaoka HB, Patzer GL. Nonoperative treatment of plantar interdigital neuroma with a single corticosteroid injection. *Clin Orthop Relat Res*. 1996; (326): 188-93.
27. Saygi B, Yildirim Y, Saygi EK, Kara H, Esemenli T. Morton neuroma: comparative results of two conservative methods. *Foot Ankle Int*. 2005; 26: 556-9.
28. Carmont MR, Rees RJ, Blundell CM. Current concepts review: Freiberg's disease. *Foot Ankle Int*. 2009; 30: 167-76.
29. Hoskinson J. Freiberg's disease: a review of the long-term rsults. *Proc R Soc Med*. 1974; 67: 106-107.
30. Nunley JA, Vertullo CJ. Classification, investigation, and management of midfoot sprains: Lisfranc injuries in the athlete. *Am J Sports Med*. 2002; 30: 871-8.
31. Faciszewski T, Burks RT, Manaster BJ. Subtle injuries of the Lisfranc joint. *J Bone Joint Surg Am*. 1990; 72: 1519-22.
32. Hardcatele PH. Injury to the tarsometatarsal joint, incidence, classification and treatment. *J Bone Joint Surg Br*. 1982; 64: 349-56.
33. DeOrio M, Erickson M, Usuelli FG, Easley M. Lisfranc injuries in sport. *Foot Ankle Clin*. 2009; 14: 169-86.
34. Desmond EA, Chou LB. Current concepts review: Lisfranc injuries. *Foot Ankle Int*. 2006; 27: 653-60.
35. Lattermann C, Goldstein JL, Wukich DK, Lee S, Bach BR Jr. Practical management of Lisfranc injuries in athletes. *Clin J Sport Med*. 2007; 17: 311-5.
36. Diehl JJ, Best TM, Kaeding CC. Classification and return-to-play considerations for stress fractures. *Clin Sports Med*. 2006; 25: 17-28, vii.
37. Finestone A, Novack V, Farfel A, Berg A, Amir H, Milgrom C. A prospective study of the effect of foot orthoses composition and fabrication on comfort and the incidence of overuse injuries. *Foot Ankle Int*. 2004; 25: 462-6.
38. Hatch RL, Alsobrook JA, Clugston JR. Diagnosis and management of metatarsal fractures. *Am Fam Physician*. 2007; 76: 817-26.
39. Raasch WG, Hergan DJ. Treatment of stress fractures: the fundamentals. *Clin Sports Med*. 2006; 25: 29-36, vii.
40. Gehrmann RM, Renard RL. Current concepts review: stress fractures of the foot. *Foot Ankle Int*. 2006; 27: 750-7.
41. Holmes GB Jr. Treatment of delayed unions and nonunions of the proximal fifth metatarsal with pulsed electromagnetic fields. *Foot Ankle Int*. 1994; 15: 552-6.
42. Quill GE Jr. Fractures of the proximal fifth metatarsal. *Orthop Clin North Am*. 1995; 26: 353-61.
43. Torg J, Balduini FC, Zelko RR, Pavlov H, Peff TC, Das M. Fractures of the base of the fifth metatarsal distal to the tuberosity. Classification and guidelines for non-surgical and surgical management. *J Bone Joint Surg*. 1984; 66: 209-14.
44. Konkel KF, Menger AG, Retzlaff SA. Nonoperative treatment of fifth metatarsal fractures in an orthopaedic suburban private multispeciality practice. *Foot Ankle Int*. 2005; 26: 704-7.
45. Chuckpaiwong BRMQP. Distinguishing Jones and proximal diaphyseal fractures of the fifth metatarsal. *Clin Orthop Relat Res*. 2008; 466: 1966-70.
46. Chee-Kidd C, Vivek AS. Is nonoperative treatment still indicated for Jones fracture? *Eur J Trauma Emergency Surg*. 2009; 35: 407-10.
47. Mologne TS, Lundeen JM, Clapper MF, O'Brien TJ. Early screw fixation versus casting in the treatment of acute Jones fractures. *Am J Sports Med*. 2005; 33: 970-5.

(能　　由美)

第4章
中足部・後足部障害
(Lisfranc関節より後方)

　足部のアーチ構造は衝撃を吸収するための柔軟性と力を伝えるための剛性に寄与している。アーチ構造および足部機能に大きく貢献する中後足部は，ランニングやジャンプ，カッティングなどのスポーツ動作に際して，接地面からの反力による伸張やねじれ，筋収縮による牽引，隣接する関節からの圧迫などさまざまなストレスが繰り返し加わる。そのため，スポーツによる足部障害のなかでも，中・後足部に発生する病態はオーバーユースに関連した慢性障害が多くみられる。さまざまな組織による複雑な構造をもつ部位であるため，病態を理解し治療を行ううえでは，障害部位の解剖学的・運動学的な知識の理解やストレスの特性を捉えることが必要である。

　そこで，本章では中・後足部に発生するスポーツ障害のなかから，扁平足障害，中・後足部疲労骨折，Plantar heel pain（以下，PHP）の3点に着眼し，その発生メカニズム，診断方法，治療法という観点から構成した。

　扁平足障害は，その定義を後脛骨筋機能不全と内側アーチの扁平化を伴う慢性的な足部の状態と定めた。そのうえで，年齢別やスポーツ選手における発生率や危険因子に関してまとめた。次いで，扁平足障害の発生に密接に関連する後脛骨筋機能不全の発生メカニズムについて検討し，また，その診断方法に関してまとめた。最後に，薬物療法，装具療法，運動療法の介入効果に関する報告を整理した。

　中・後足部の疲労骨折は，まず，踵骨，舟状骨および立方骨の疲労骨折の発生率に関してまとめた。発生頻度の低い踵骨および立方骨の疲労骨折に関しては，病態究明や治療に関する研究はみられなかった。そのため，舟状骨疲労骨折を中心に病態，診断方法の変遷および治療法に関してレビューを行った。特に，治療法の選択に関しては議論が分かれるテーマであるため，保存療法に要する適切な期間や手術療法の実績に関する検討を行った。

　PHPの項では，PHP全体の発生率や危険因子をレビューし，さらに足底腱膜の炎症，踵骨骨棘，足底神経の絞扼の個別の疾患に分類し，疼痛の原因となる病態やメカニズムなどの検討を行った。足底腱膜の炎症に関しては発生メカニズムおよび診断方法とその精度を，踵骨骨棘に関しては有病者および健常者における存在率や発生メカニズムを，足底神経障害に関しては好発部位を中心にまとめた。最後に，PHPの代表的な治療法である物理療法，装具療法，運動療法の介入効果に関する報告をまとめた。

第4章編集担当：鈴川　仁人

10. 扁平足障害

はじめに

　扁平足障害に対する適切なリハビリテーションプログラムを立案するためには，そこにいたるまでの詳細な疫学・危険因子・病態メカニズム・診断・評価の把握が必要とされる．広義の扁平足障害の定義は，「先天性または後天性に足部アーチの変形が生じることに伴う諸症状」[1]とされている．本項における扁平足障害の定義は，「後脛骨筋腱機能不全（以下，posterior tibial tendon dysfunction：PTTD）と内側縦アーチの扁平化を伴う慢性的な足部・足関節の状態」を示す，「後天性扁平足変形（以下，acquired adult flatfoot deformity：AAFD）」[2]としてレビューした．

A. 文献検索方法

　文献検索にはPubMedを使用した．キーワードとしては「flatfoot」1,637件，「posterior tibial tendon dysfunction」229件がヒットした．さらに「epidemiology」「incidence」「risk factor」「pathology」「diagnosis」「evaluation」「conservation」「treatment」のキーワードを加えた．全検索文献中，重複しているものなどを除き，本項で必要と思われた文献を加え，最終的に44件をレビューに用いた．

B. 疫　学

　扁平足障害の疫学については，小児期を対象とした文献が多く，AAFDやスポーツを対象とした文献はわずかであった．

　小児期では，Staheli arch indexやHarris matを使用したフットプリントから扁平足を診断した研究が多かった．大規模な横断研究から，扁平足障害の発生率は3〜4歳で65％，5〜8歳で49％，9〜12歳で25％と報告された[3]．また，6〜12歳を対象とした研究で17％という値が示された[4]．これらの報告を踏まえて，Chenら[5]は，5〜13歳の1,024名を対象とした研究で28％という発生率を示した．さらに，上記の報告と年齢を一致させた発生率を算出すると，5〜8歳で43％，9〜12歳で30％，6〜12歳で28％であった．以上より，発達段階に伴う生理的な扁平足があり，成長とともにその割合は減少していることがわかる．

　成人期では，Shibuyaら[6]による大規模な横断研究により発生率は2.2％（男性2.3％，女性2.2％）であることが示された．

　スポーツ選手におけるAAFDの発生率について，Michelsonら[7]による大学生196名（男性143名，女性53名）を対象にした報告がある．扁平足をHarris matを使用したフットプリントから診断し，その発生率は全体で14.7％であった．スポーツ種目別ではバレーボール，ランニング競技，サッカーの順で多かった（**表10-1**）．

C. 危険因子

　AAFDの危険因子は，内的因子と外的因子に分類して研究されたものが多い．内的因子では，性

第4章　中足部・後足部障害（Lisfranc関節より後方）

表10-1　スポーツ種目別の扁平足の割合（文献7より改変）

スポーツ種目	扁平足（%）
バレーボール	37.5
ランニング	26.3
サッカー	17.9
野球	15.6
アメリカンフットボール	12.1
クロスカントリー	11.8
ラクロス	9.5
フィールドホッケー	9.1
バスケットボール	5.0

別・年齢・BMI・アーチ構造・有痛性外脛骨障害の有無に関連したことがあげられる。外的因子では、スポーツ種目・職業・外傷歴・ステロイドの関与が示唆された。

1. 内的因子

小児期の生理的な扁平足と中年以降におけるAAFDの割合が増加していた[3,6]。Fariaら[8]は、中年女性81名を対象に、年齢・BMI・アーチ構造（ダイナミック・アーチ・インデックス）について調査した。その結果、BMIおよび年齢とアーチ構造との間に低～中等度の相関が示された（図10-1）。Lawsonら[9]は、タイプIIの有痛性外脛骨を有した10名に手術を行った際、後脛骨筋腱に異常がみられ、内側縦アーチの低下の関与が示唆されると報告した。

2. 外的因子

ランニングやジャンプなどが多いスポーツや農業・工業系の職種ではAAFDの割合が有意に高いことが報告された[6,7]。246名の軍人を対象とした研究では、AAFDの割合が足関節捻挫の既往のある群で1.31倍、ランニング走行距離が多い群で2.2倍と高かった[10]。Huangら[11]は、12屍体足の下腿軸から足底に対して（長軸方向）230, 460, 690 Nの軸圧をかけ、足底腱膜・足底靱帯・ばね靱帯の切除によるアーチ高の変化を測定した。その結果、軸圧を変えても変化はみられなかったが、内側縦アーチの安定性に貢献していたのは、足底腱膜、足底靱帯、ばね靱帯の順であった（図10-2）。この部位の外傷や障害によって、扁平足が引き起こされる要因になりうることが示唆された。後脛骨筋腱損傷を伴ったAAFD患者79名を対象にした研究[12]では、19～50歳で手術・外傷歴がある者は36%、ステロイドを使用したことがある者は28%、51～87歳でも17%がステロイドの使用歴があると報告された。

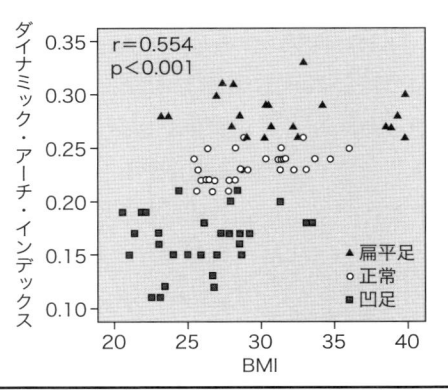

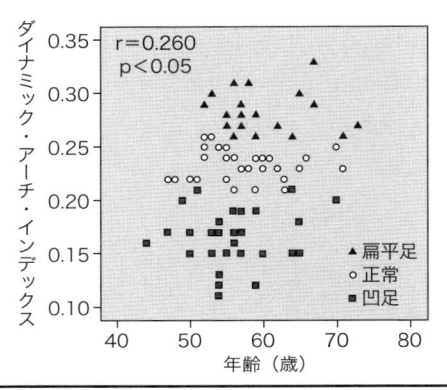

図10-1　BMI・年齢とアーチ構造の関連（文献8より引用）
BMI値および年齢が高値を示すほど扁平足の割合が増加する。

10. 扁平足障害

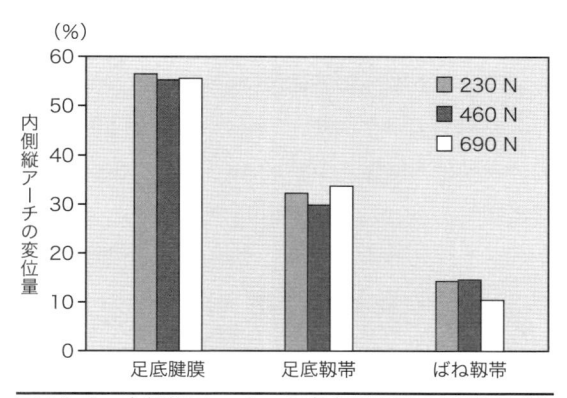

図10-2 内側縦アーチへの底内側組織の貢献度（文献11より引用）
足底腱膜，足底靱帯，ばね靱帯の順に内側縦アーチの支持に貢献していた。

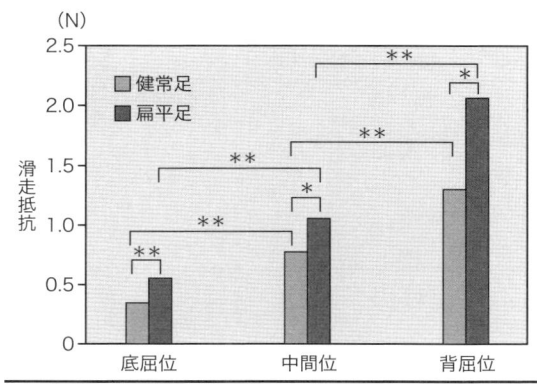

図10-3 後脛骨筋腱の滑走抵抗（文献19より引用）
内果後方での後脛骨筋腱の滑走抵抗を健常足と扁平足で比較した結果，扁平足群で有意に滑走抵抗が増大した。$*p<0.01$，$**p<0.05$。

D. 病態メカニズム

1. PTTD

AAFDの発生には，PTTDの発生メカニズムと密接な関係がある。PTTDは，急性外傷・力学的オーバーユースや全身性疾患に続発する滑膜炎や腱変性に伴う後脛骨筋の筋力低下，後脛骨筋腱の機能不全や疼痛がある状態と定義される。また，PTTDの発生因子として骨性，軟部組織性，血行性，急性外傷性因子があげられた[13,14]。

骨性因子としては外脛骨との関連があり，無症候性の外脛骨は10〜14％に存在し，有痛性に移行するのは1％未満とされている[9,15,16]。外脛骨突起の存在が，後脛骨筋の内がえし作用を減弱させ内転筋として作用してしまうために，内側縦アーチの支持性が低下することによってPTTDを引き起こすとされている。しかし，それを示す明確な研究はなく，コンセンサスは得られていない。

軟部組織性因子では，ばね靱帯損傷とPTTDとの関連を示す報告がある。屍体足を用いた実験で，ばね靱帯複合体の切除の有無による足部関節角と後脛骨筋腱への負荷量を計測した結果，距骨の底屈・内転と舟状骨の底屈と後脛骨筋腱への負荷量が有意に増大した[17]。また，健常者10名と後脛骨筋腱炎または損傷疑い群18名で，超音波によりばね靱帯複合体（上内側踵舟靱帯）の厚さを計測し比較した結果，損傷群で有意に靱帯が肥厚しており後脛骨筋腱への負荷量が増大していた[18]。Uchiyamaら[20]は，屍体足を用いてアーチ低下の有無による内果後方での後脛骨筋腱の滑走抵抗の比較実験を実施し，アーチ低下群で有意に滑走抵抗（内果後方のプーリー部分と後脛骨筋腱との摩擦係数のようなもの）が増大することを報告した（図10-3）。Nikiら[20]やNevilleら[21]は，健常足とPTTD足との歩行分析の研究から，PTTD足における歩行時踵離地時の後・中足部外反増大，前足部外転増大，内側縦アーチ低下が認められ，PTTD足が歩行キネマティクスに与える影響を示唆した。これらのことから，ばね靱帯複合体などの軟部組織の損傷で関節キネマティクスが変化し，内果後方での後脛骨筋腱の滑走抵抗が増大することで後脛骨筋腱炎が引き起こされ，筋力低下が起こると推測された。さらに，内がえし作用やアーチ安定性の低下により後足部外反・前足部外転・内側縦アーチ低下が遷延化することでPTTDへ進行していくと考えられる。

血行性因子では，解剖学的に舟状骨結節から近

第4章　中足部・後足部障害（Lisfranc関節より後方）

表10-2　スポーツ活動中の足関節内反捻挫での損傷部位（文献23より引用）

構成体	損傷率（%）
前距腓靱帯	93
踵腓靱帯	80
後脛骨筋腱	53
三角靱帯	6

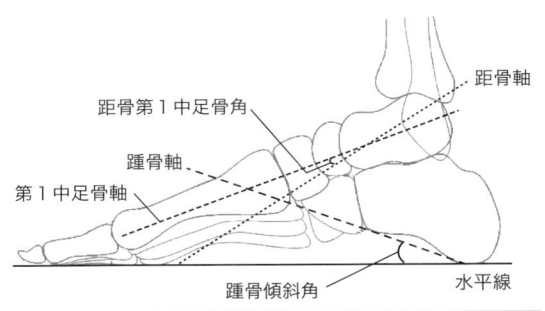

図10-4　X線所見の側面像による距骨第1中足骨角と踵骨傾斜角（文献25より引用）
距骨第1中足骨角：距骨軸と第1中足骨軸のなす角，
踵骨傾斜角：水平線と踵骨軸のなす角。

位約40 mm地点から平均14 mm区間は血行不良領域であり，臨床上断裂や変性が多いとされた[22]。また，ステロイドの使用によって，小血管と大血管の機能障害による後脛骨筋腱の血行不良がより進行し，後脛骨筋腱の断裂・変性を招き，PTTDへと進行していくと考えられる。

急性外傷性因子では，スポーツ活動中の足関節内反捻挫における損傷部位と発生率に関する研究[23]がある（表10-2）。前距腓靱帯や踵腓靱帯の損傷が多いが，注目すべきは後脛骨筋腱損傷が53%にも及んでいることである。Yuillら[24]は外傷後から後脛骨筋腱に沿った疼痛が継続した状態で徐々に腱の変性が進行した例を報告した。

2. AAFD

PTTDの発生因子から，AAFD初期は骨・関節・靱帯結合性に内側縦アーチを含む足関節・足部のアライメントを維持可能であるが，踵骨外反の遷延化により短腓骨筋優位の活動となり前足部外転が起こる[20]。それに伴いChopart関節での底内側靱帯と関節包が伸張され，骨・関節・靱帯性組織の破綻によるflexibleなAAFDへと発展するとされている[20, 25, 26]。また，異常キネマティクスの遷延化による関節性変化が生じrigidなAAFDへと進行していく[20, 25]。

E. 診断と評価

1. 画像所見

X線所見として，側面像と前後像，アーチ高が診断に用いられてきた。側面像では，踵骨傾斜角と距骨第1中足骨角の検者内信頼性・検者間信頼性とも高いと報告された（図10-4）。踵骨傾斜角の信頼性は検者内0.68～0.98，検者間0.76～0.948であり，症候性の足では有意に角度が小さいことが示された[27～29]。距骨第1中足骨角の信頼性は検者内0.75～0.83，検者間0.781～0.83であり，症候性の足では有意に角度が大きいことが示された[27～29]。前後像については，Ellisら[30]が，外側距舟不一致角（距骨頸最外側部と舟状骨関節面最外側部を結んだ線と距骨頸最外側部と距骨頸最狭部を結んだ線のなす角）の信頼性は検者内0.88・検者間0.81，距舟関節外転角（距骨中央線と舟状骨関節面の二等分線のなす角）で検者内0.89・検者間0.73，距骨第1中足骨角で検者内0.91・検者間0.90と報告した。アーチ高については，舟状骨レベルでは健常者で約2.5 cm，AAFD患者では約2 cmと報告された[31, 32]。内側楔状骨レベルでは，健常者では1.7～1.8 cm，症候性AAFDでは1.1～1.3 cmであった[29, 33]。

MRIは軟部組織や腫脹の描出が可能なことから，現在PTTDの診断のゴールドスタンダードとされている。しかし，近年，解像度の向上と非

侵襲的で簡便かつ短時間で実施できる超音波による診断が報告されている。Premkumar ら[34]は，MRI と比較した超音波検査の感度・特異度を報告した。感度は 83 〜 86 %，特異度は 80 〜 90 % といずれも高い値を示した。

2. 臨床所見

PTTD では後脛骨筋腱に沿って腫脹または疼痛がみられる。DeOrio ら[35]は，PTTD 患者 186 名中無作為に 49 名の MRI を撮影し，後脛骨筋腱腫脹サインの感度・特異度を算出した。結果，MRI に対するこのテストの感度は 86 〜 100 %，特異度は 98 〜 100 % であった。

筋力については，PTTD 患者の後脛骨筋筋力が健患差 80 % 未満で，歩行時踵離地時の外反増大と前足部外転と内側縦アーチが有意に低下した。また too-many toes sign は外側に 1.5 横指以上で陽性であり，感度 92 %，特異度 75 % を示した[36,37]。ヒールレイズテストは，8 〜 10 回の実施可能を正常とし，それ未満を陽性とした。感度は 100 %，特異度は 75 % であった[36,37]。第 1 中足骨挙上サイン（**図 10-5**）は，検者が徒手的に下腿外旋または踵骨回外をさせたときに第 1 中足骨が挙上した場合を陽性とする。感度は 100 % であったが，陽性反応的中度は 62 % であり，有用性が高いとはいえなかった[36]。

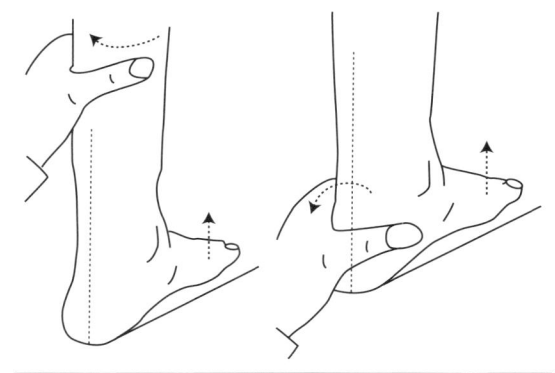

図 10-5 第 1 中足骨挙上サイン（文献 36 より引用）
検者が徒手的に下腿外旋または踵骨回外させたときに第 1 中足骨が挙上した場合を陽性とする。

3. PTTD のステージ分類

Johnson ら[38]，Myerson ら[39]は，画像診断と臨床所見に後脛骨筋腱の腱病変を加味したうえで，PTTD をステージ I 〜 IV に分類した（**表 10-3**）。ステージにより治療方針が異なる。

表 10-3 PTTD のステージ分類（文献 38，39 より引用）

ステージ	腱病態	外反扁平変形	臨床所見
I	腱滑膜炎 ± 変性	なし	①圧痛：内側 ②ヒールレイズ時疼痛：軽度 ③後足部内反筋力：軽度低下
II	変性 + 伸張	Flexible	①圧痛：内側/外側 ②ヒールレイズ時疼痛：顕著（ときに実施不可） ③後足部内反筋力：顕著な低下 ④Too-many-toes sign：陽性
III	変性 + 伸張	Rigid	①圧痛：内側/外側 ②ヒールレイズ時疼痛：顕著（実施不可） ③後足部内反筋力：顕著な低下 ④Too-many-toes sign：陽性
IV	変性 + 伸張	Rigid（足関節含む）	①圧痛：内側/外側 ②ヒールレイズ時疼痛：顕著（実施不可） ③後足部内反筋力：顕著な低下 ④Too-many-toes sign：陽性 ⑤距腿関節での疼痛・摩擦音

F. 保存療法

1. 薬物療法

過去には腱病変に対してステロイドを使用した研究がみられたが，腱断裂のリスクが報告されるようになり，現在ではほとんど使用されていない[12,39]。近年では，非ステロイド性抗炎症薬が疼痛・腫脹に対して有効であり，過去9件の報告が前向きまたはプラセボを使用した無作為化臨床試験により有効性が示されたが，腱実質の治癒は報告されていない[40]。

2. 装具療法

内側アーチと後足部キネマティクスの維持に貢献するとされるUCBL（University of California Biomechanics Laboratory）型装具はAAFDに有効とされる。Chaoらの報告[41]では，平均20ヵ月の経過観察期間後の満足度において77%がexcellentであった。Jariらの報告[42]では，平均24ヵ月の経過観察期間後，82%がexcellentで，AOFAS（American Orthopaedic Foot and Ankle Society）スコアで76/100であった。

Arizona型やMaryland型AFO装具は，後足部キネマティクスへの効果は低いが，中足部のアーチ高やキネマティクスへ効果があるとされる。これらを使用し，平均12ヵ月の経過観察期間を経た研究[43,44]では，AOFASスコアが37.7から76.0/100，FFI（Foot Function Index）は活動は58.6から85.2に，疼痛は34.0から70.7に，機能は28.3から67.7に改善した。UCBL型装具やAFOの中間的な役割を果たすShell型装具においても61.4ヵ月の長期経過観察期間で一定の治療効果が示された[44]。

3. 運動療法

Kuligら[45]はステージI・IIのPTTD患者36名を対象に無作為化臨床試験を行った。装具＋ストレッチ群12名，後脛骨筋等尺性訓練を加えた群12名，遠心性訓練を加えた群12名に群分けを行った結果，FFI値と疼痛（VAS）が有意に改善した。Alvarezら[46]は，ステージI・IIのPTTD患者47名を対象に，チューブエクササイズ，ストレッチ，ヒールレイズ，装具の段階的プログラムにより平均120日介入した前向き研究を行った。その結果，39名に保存療法の効果がみられた。疼痛のない状態での片脚ヒールレイズが実施可能な者は5名から39名に増加し，歩行能力の改善も42名に認められ，後脛骨筋の筋力が健患差のない状態にまで改善した。

ステージI・IIのPTTD患者においては運動療法の効果がみられたが，ステージIII以上のPTTD患者を対象に運動療法を実施した研究はなく，多くが観血的療法の適応となっていた。また，ステージI・IIでも疼痛・能力障害の改善がみられない場合や，初期から後脛骨筋の筋力が低下している場合には保存療法の結果が悪い。しかし，明確に保存療法と観血的療法を検討した報告はなく，コンセンサスが得られていない。

G. まとめ

1. すでに真実として承認されていること

- 内的因子と扁平足には関連性がある。
- 乏血行領域での後脛骨筋腱の変性・断裂がみられる。
- PTTDの診断にはMRIがゴールドスタンダードである。
- PTTDは腫脹・too-many toes sign・ヒールレイズテストによる評価の感度が高い。
- AAFDに対しては，装具療法が有効である。
- ステージI・IIのPTTDに対しては，運動療法が有効である。

2. 議論の余地はあるが，今後の重要な研究テーマとなること

- スポーツ種目や外傷歴のPTTDとの関連性。
- 足部内側靱帯損傷後のPTTDへの進行過程。
- PTTD分類による保存療法と手術適応の基準。

3. 真実と思われていたが実は疑わしいこと

- 外脛骨の存在とPTTD・扁平足との関連性。

文献

1. Kohls-Gatzoulis J, Angel JC, Singh D, HaddadF, Livingstone J, Berry G. Tibialis posterior dysfunction: a common and treatable cause of adult acquired flatfoot. *BMJ*. 2004; 329: 1328-33.
2. Pinney SJ, Lin SS. Current concept review: acquired adult flatfoot deformity. *Foot Ankle Int*. 2006; 27: 66-75.
3. Echarri JJ, Forriol F. The development in footprint morphology in 1851 Congolese children from urban and rural areas, and the relationship between this and wearing shoes. *J Pediatr Orthop B*. 2003; 12: 141-6.
4. El O, Akcali O, Kosay C, Kaner B. Flexible flatfoot and related factor in primary school children: a report of a screening study. *Rheumatol Int*. 2006; 26: 1050-3.
5. Chen JP, Chung MJ, Wang MJ. Flatfoot prevalence and foot dimensions of 5- to 13-year-old children in Taiwan. *Foot Ankle Int*. 2009; 30: 326-32.
6. Shibuya N, Jupiter DC, Ciliberti LJ, VanBuren V, La Fontaine J. Characteristics of adult flatfoot in the United States. *J Foot Ankle Surg*. 2010; 49: 363-8.
7. Michelson JD, Durant DM, McFarland E. The injury risk associated with pesplanus in athletes. *Foot Ankle Int*. 2002; 23: 629-33.
8. Faria A, Gabriel R, Abrantes J, Bras R, Moreira H. The relationship of body mass index, age and triceps-surae-musculotendinous stiffness with the foot arch structure of postmenopausal women. *Clin Biomech (Bristol, Avon)*. 2010; 25: 588-93.
9. Lawson JP, Ogden JA, Sella E, Barwick KW. The painful accessory navicular. *Skeletal Radiol*. 1984; 12: 250-62.
10. Cowan DN, Jones BH, Robinson JR. Foot morphologic characteristics and risk of exercise-related injury. *Arch Fam Med*. 1993; 2: 773-7.
11. Huang CK, Kitaoka HB, An KN, Chao EY. Biomechanical evaluation of longitudinal arch stability. *Foot Ankle*. 1993; 14: 353-7.
12. Holmes GB Jr, Mann RA. Possible epidemiological factors associated with rupture of the posterior tibial tendon. *Foot Ankle*. 1992; 13: 70-9.
13. Bowring B, Chockalingam N. A clinical guideline for the conservative management of tibialis posterior tendon dysfunction. *Foot (Edinb)*. 2009; 19: 211-7.
14. Bowring B, Chockalingam N. Conservative treatment of tibialis posterior tendon dysfunction--a review. *Foot (Edinb)*. 2010; 20: 18-26.
15. Geist ES. The accessory scaphid bone. *J Bone Joint Surg Am*. 1925; 7: 570-4.
16. Grogan DP, Gasser SI, Ogden JA. The painful accessory navicular: a clinical and histopathological study. *Foot Ankle*. 1989; 10: 164-9.
17. Jennings MM, Christensen JC. The effects of sectioning the spring ligament on rearfoot stability and posterior tibial tendon efficiency. *J Foot Ankle Surg*. 2008; 47: 219-24.
18. Mansour R, Teh J, Sharp RJ, Ostlere S. Ultrasound assessment of the spring ligament complex. *Eur Radiol*. 2008; 18: 2670-5.
19. Uchiyama E, Kitaoka HB, Fujii T, Luo ZP, Momose T, Berglund LJ, An KN. Gliding resistance of the posterior tibial tendon. *Foot Ankle Int*. 2006; 27: 723-7.
20. Niki H, Ching RP, Kiser P, Sangeorzan BJ. The effect of posterior tibial tendon dysfunction on hindfoot kinematics. *Foot Ankle Int*. 2001; 22: 292-300.
21. Neville C, Flemister AS, Houck JR. Deep posterior compartment strength and foot kinematics in subjects with stage II posterior tibial tendon dysfunction. *Foot Ankle Int*. 2010; 31: 320-8.
22. Frey C, Shereff M, Greenidge N. Vascularity of the posterior tibial tendon. *J Bone Joint Surg Am*. 1990; 72: 884-8.
23. Frey C. A comparison of MRI and clinical examination of acute lateral ankle sprains. *Foot Ankle Int*. 1996; 17: 533-7.
24. Yuill EA, Macintyre IG. Posterior tibialistendonopathy in an adolescent soccer player: a case report. *J Can Chiropr Assoc*. 2010; 54: 293-300.
25. Funk DA, Cass JR, Johnson KA. Acquired adult flat foot secondary to posterior tibial-tendon pathology. *J Bone Joint Surg Am*. 1986; 68: 95-102.
26. Niki H, Ching RP, Kiser P, Sangeorzan BJ. The effect of posterior tibial tendon dysfunction on hindfoot kinematics. *Foot Ankle Int*. 2001; 22: 292-300.
27. Pehlivan O, Cilli F, Mahirogullari M, Karabudak O, Koksal O. Radiographic correlation of symptomatic and asymptomatic flexible flatfoot in young male adults. *Int Orthop*. 2009; 33: 447-50.
28. Sensiba PR, Coffey MJ, Williams NE, Mariscalco M, Laughlin RT. Inter- and intraobserver reliability in the radiographic evaluation of adult flatfoot deformity. *Foot Ankle Int*. 2010; 31: 141-5.
29. Younger AS, Sawatzky B, Dryden P. Radiographic assessment of adult flatfoot. *Foot Ankle Int*. 2005; 26: 820-5.
30. Ellis SJ, Yu JC, Williams BR, Lee C, Chiu YL, Deland JT. New radiographic parameters assessing forefoot abduction in the adult acquired flatfoot deformity. *Foot Ankle Int*. 2009; 30: 1168-76.
31. Ferri M, Scharfenberger AV, Goplen G, Daniels TR, Pearce D. Weightbearing CT scan of severe flexible pesplanus deformities. *Foot Ankle Int*. 2008; 29: 199-204.
32. Chen RC, Shia DS, Kamath GV, Thomas AB, Wright RW. Troublesome stress fractures of the foot and ankle.

33. Arangio GA, Wasser T, Rogman A. Radiographic comparison of standing medial cuneiform arch height in adults with and without acquired flatfoot deformity. *Foot Ankle Int*. 2006; 27: 636-8.
34. Premkumar A, Perry MB, Dwyer AJ, Gerber LH, Johnson D, Venzon D, Shawker TH. Sonography and MR imaging of posterior tibialtendinopathy. *AJR Am J Roentgenol*. 2002; 178: 223-32.
35. DeOrio JK. Validity of the posterior tibial edema sign in posterior tibial tendon dysfunction. *Foot Ankle Int*. 2011; 32: 189-92.
36. Hintermann B, Gachter A. The first metatarsal rise sign: a simple, sensitive sign of tibialis posterior tendon dysfunction. *Foot Ankle Int*. 1996; 17: 236-41.
37. Cass AD, Camasta CA. A review of tarsal coalition and pesplanovalgus: clinical examination, diagnostic imaging, and surgical planning. *J Foot Ankle Surg*. 2010; 49: 274-93.
38. Johnson KA, Strom DE. Tibialis posterior tendon dysfunction. *Clin Orthop Relat Res*. 1989; (239): 196-206.
39. Myerson MS. Adult acquired flatfoot deformity: treatment of dysfunction of the posterior tibial tendon. *Instr Course Lect*. 1997; 46: 393-405.
40. Rees JD. Current concepts in the management of tendon disorders. *Rheumatology (Oxford)*. 2006; 45: 508-21.
41. Chao W, Wapner KL, Lee TH, Adams J, Hecht PJ. Nonoperative management of posterior tibial tendon dysfunction. *Foot Ankle Int*. 1996; 17: 736-41.
42. Jari S, Roberts N, Barrie J. Non-surgical management of tibialis posterior insufficiency. *Foot Ankle Surg*. 2002; 8: 197-201.
43. Augustin JF, Lin SS, Berberian WS, Johnson JE. Nonoperative treatment of adult acquired flat foot with the Arizona brace. *Foot Ankle Clin*. 2003; 8: 491-502.
44. Krause F, Bosshard A, Lehmann O, Weber M. Shell brace for stage II posterior tibial tendon insufficiency. *Foot Ankle Int*. 2008; 29: 1095-100.
45. Kulig K, Reischl SF, Pomrantz AB, Burnfield JM, Mais-Requejo S, Thordarson DB, Smith RW. Nonsurgical management of posterior tibial tendon dysfunction with orthoses and resistive exercise: a randomized controlled trial. *Phys Ther*. 2009; 89: 26-37.
46. Alvarez RG, Marini A, Schmitt C, Saltzman CL. Stage I and II posterior tibial tendon dysfunction treated by a structured nonoperative management protocol: an orthosis and exercise program. *Foot Ankle Int*. 2006; 27: 2-8.

（村田健一朗）

11. 中・後足部の疲労骨折

はじめに

中・後足部の疲労骨折は立方骨，踵骨，舟状骨などにみられるが，ほかの部位に比較するとまれであり，特に立方骨の報告は少ない。踵骨に関しては，軍人を対象にした研究が1940年代から比較的数多く報告されてきたが，スポーツでの報告はあまりみられない[1,2]。舟状骨は診断の見逃しや，不適切な治療によって予後不良になることから，high risk 骨折に分類されており[3]，スポーツでの報告も比較的多い。そこで本項では，数少ない報告のなかでも妥当性の高いと思われる報告で，踵骨，立方骨も含めた後足部疲労骨折の疫学を検証する。病態，診断，治療に関しては，high risk 骨折に分類され，比較的スポーツに関連する報告の多い舟状骨の疲労骨折に関して述べる。

A. 文献検索方法

文献検索には PubMed を用いた。「stress fracture」と「foot」の組み合わせで557件がヒットし，さらに「navicular」「calcaneus」「cuboid」のいずれかの単語を組み合わせて検索した結果，340件の文献に絞られた。そのなかから，各テーマに沿った文献を吟味し32文献を抽出した。

B. 疫 学

中後足部の疲労骨折の発生率は，踵骨・舟状骨にて比較的高く，立方骨疲労骨折はほとんどみられない。1980年代に Greany ら[2]は軍人238名を対象に足部疲労骨折の発生割合を報告した（図11-1）。その割合は，舟状骨5％，踵骨34.9％，立方骨0.8％であった。その後，1996年に Brukner ら[1]のスポーツ選手を対象とした報告では，舟状骨疲労骨折の発生割合は14.3％であった（表11-1）。この差の背景には，1980年代半ばから用いられはじめた CT の存在と，単純X線では発見しづらい疲労骨折の認知度が上昇したことにより，診断の見落としが減少したことが考えられた[4]。軍人とスポーツ選手という異なる母集団での報告であり単純に比較はできないが，ほかの報告[5〜7]でも同様の傾向がみられる。すなわち，全疲労骨折に占める舟状骨疲労骨折の割合は，1980年代は2〜5％程度であり，1990年以降13〜15％にまで上昇した。

踵骨の疲労骨折に関する近年の報告では，Sormaala ら[8]が軍人を対象に8年間調査を行い，MRI診断によるストレス損傷の発生率は2.6（10,000人/年）であったと報告した。そのうちグレードIV以上で疲労骨折と診断できるのは1.5（10,000人/年）であった。

舟状骨疲労骨折の発生率に関して，唯一 Bennell ら[6]が前方視的に調査を行った。全疲労

表11-1 後足部疲労骨折の全疲労骨折に占める割合（％）（文献1，2より作成）

	舟状骨	踵骨	立方骨	その他
1980年代	5.0	34.9	0.8	15.3
1990年代	14.3	1.7	0	84.0

第4章 中足部・後足部障害（Lisfranc関節より後方）

表11-2 舟状骨疲労骨折の競技別発生割合（％）
（文献9〜17より作成）

競技種目	発生割合
陸上（トラック競技）	44.1
陸上（中・長距離）	18.4
オーストラリアンフットボール	17.7
バスケットボール	5.7
ラケットスポーツ	4.9
サッカー	0.7
その他	8.5

骨折の発生率が0.70/1,000トレーニング時間，舟状骨疲労骨折の発生率は0.11/1,000トレーニング時間，全体に占める舟状骨疲労骨折の割合は約15％であった。ただし，この研究では対象が競技レベルの陸上選手に限られており，全スポーツ活動における発生率とは異なる点を考慮しなければならない。舟状骨疲労骨折に関しては，スポーツについての研究をまとめて競技別の発生割合を算出した。対象の競技が明記された9つの研究[9〜17]から得られた141例における競技別発生割合は，陸上競技が全体のおよそ60％（90例）を占めており，なかでもトラック競技が40％（62例）を占めた。その他では，オーストラリアンフットボール（25例），サッカー（1例），バスケットボール（8例）など，瞬発的な動作，切り返し動作を多く含む競技に発生していた（表11-2）。ただし，これらの報告はすべて病院受診者を対象としており，各スポーツの競技人口に地域性が影響している可能性がある。あくまで競技別の傾向として捉えるにとどめるほうがよい。

C. 舟状骨疲労骨折の病態

病態や診断，治療に関して，踵骨や立方骨の疲労骨折を対象にした報告は非常に少ない。そのため，病態・発生要因は推測の域を出ず，診断の確度，特異度，感度などは明確にされていない。舟状骨疲労骨折に関しても，方法論の点から研究のエビデンスレベルが高いとはいえないが，前述のようにhigh risk骨折に分類され，多くの研究がなされている。ここでは，量的，質的観点から，舟状骨疲労骨折の病態，診断，治療について述べる。

舟状骨疲労骨折は中央1/3に発生することが明らかになった[18]。その要因の1つが舟状骨内の血管分布にあるとされた。1982年にTorgら[19]は，舟状骨の血液供給を明らかにするために屍体標本から墨汁注入標本を剥離して観察した。その結果，前脛骨動脈と後脛骨動脈から分岐する小血管に栄養されている舟状骨の中央1/3の血流が粗になっていることを示した。加えて，血流が疎になっている中央1/3の部分には応力が集中するという説もある。1989年，Fitchら[12]は，長距離走者は後足部で接地するのに対してトラックやフィールド競技，ジャンプ系の競技の選手は前足部で接地することが多く，後方から距骨に押された舟状骨に第1中足骨と第2中足骨による剪断力が加わることが，疲労骨折の発生に関与すると考察した（図11-1）。しかし，これは推測であり，実験的な裏づけは得られていない。また，舟状骨疲労骨折は近位背側関節面からはじまり，徐々に遠位底側に矢状面上に進行していく特徴がある[14,17,18]。

Kitaokaら[20]は，屍体足を用いて，キネマティックモデルから距舟関節の接触時の部位ごとの貢献を評価した（図11-2）。この実験では，正常足，アーチ降下，回内足の3つの足部モデルを作製した。アーチ降下モデルでは，足底腱膜・長短足底靱帯・底側踵舟靱帯を切離し，回内足モデルではアーチ降下モデルに加えてさらに内側距踵靱帯・骨間距踵靱帯・三角靱帯脛舟部を切離した。それぞれのモデルに下腿長軸方向に圧を加えて荷重を再現し，三次元計測センサーにより骨の運動

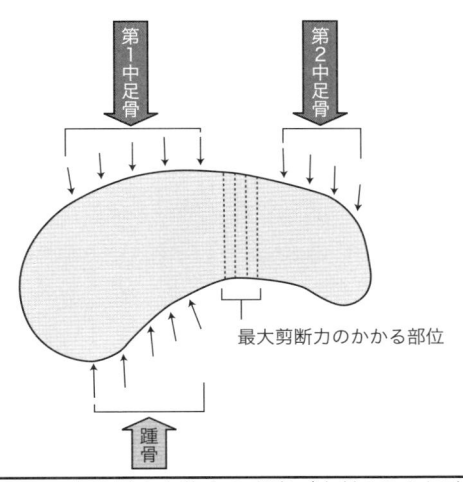

図11-1 舟状骨応力集中の考察（文献12より改変）
舟状骨において第1列を介して伝わる力は，後方から距骨頭を介して伝わる力に支えられるが，第2列から伝わる力は支えられず，舟状骨中央部に剪断力が生じる。

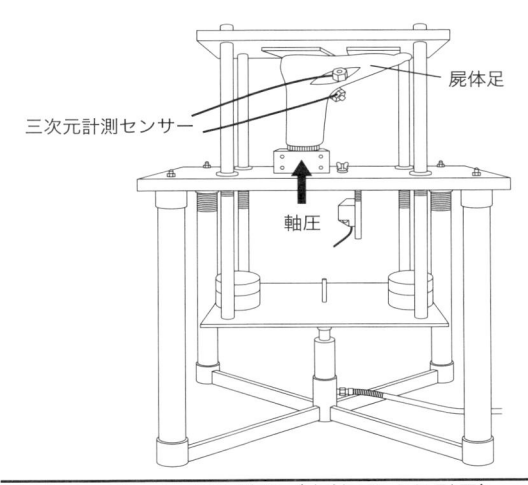

図11-2 Kitaokaの実験図（文献20より引用）
荷重を再現するための機械。脛骨に対する距骨と舟状骨の運動を三次元センサーを用いてモニターする。

表11-3 舟状骨関節面の接触頻度（文献20より引用）

負荷(N)	状態	接触頻度（%）					
		Zone 1	Zone 2	Zone 3	Zone 4	Zone 5	Zone 6
0	正常足	24	35	29	0	0	12
667	正常足	22	31	17	4	9	17
667	アーチ降下モデル	21	21	18	11	11	18
667	回内モデル	29	41	24	0	0	6

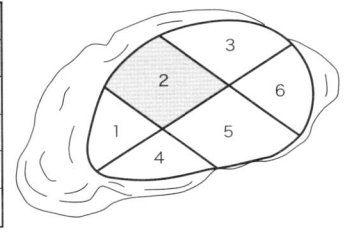

を計測し（60Hz, 3秒），骨モデルにあてはめた計算により距骨と舟状骨の接触を評価した。関節面を6つの領域に分け，各領域の面積の半分以上が接したときを"接触"と判定して，その度数を領域ごとに示した（**表11-3**）。この実験によれば，正常足モデルでも舟状骨近位背側部に接触が多い傾向があり，回内足モデルでは近位背側部の接触頻度がさらに高くなる傾向を示した。しかし，指標が荷重時の接触頻度のみであり，力学的な評価指標に欠けるため，このことが疲労骨折部位の特徴に直接つながると考えるには限界がある。

このように，舟状骨疲労骨折は血管分布や接触部位の偏りを根拠として，近位背側関節面中央1/3に発生するというのが現段階での定説となっているが，それを裏づける強力なエビデンスは示されていない。その他，回内足，第2中足骨に比して短い第1中足骨などの足部形態の特徴を要因としてあげた文献[12,19,27]もみられるが，いずれも実験的に証明されておらず，明確なエビデンスはない。

D. 診断

臨床所見として多くあげられるのは，中足部背側の不明瞭な痛みや，足部背側から内側縦アーチへの放散痛の訴えなどである[19,21]。圧痛は，"N

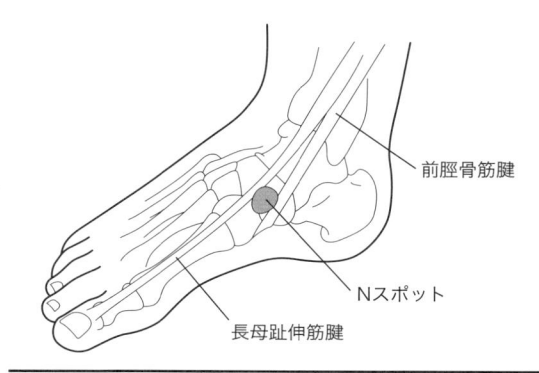

第4章 中足部・後足部障害（Lisfranc関節より後方）

図11-3 圧痛点（Nスポット）（文献24より改変）
圧痛は，舟状骨背側面に特徴的で，長母趾伸筋腱と前脛骨筋腱に挟まれた舟状骨部分（Nスポット）に現われる。

スポット"（図11-3）と呼ばれる舟状骨背側面に特徴的で[22〜24]，長母趾伸筋腱と前脛骨筋腱に挟まれた舟状骨部分に現われる。腫脹の有無は研究によって異なる[22, 23, 25, 26]が，これは病期と程度の差によるものと思われる。その他，動作時痛として，片足での踵上げやホッピングが不可能になる所見も報告された[17, 27]。

画像診断として，CTがゴールドスタンダードとされている[22, 23]。単純X線の感度は，18〜33％の範囲と低い[14, 19, 21, 27]。MRIは近年使用される割合が増えているが，疲労骨折に対してはこれまで感度，特異度が示されておらず，stress reactionに対してわずかに報告されているのみである。Ahovuoら[28]は，疲労骨折全体のstress reactionを検出する感度は72〜93％，特異度が89〜100％と報告し，疲労骨折に移行する前の段階で病態をとらえるのにMRIが有効であることが示された。同一時期，同一部位のCTとMRIを比較すると，CTでは骨折線が明瞭に示されるが，骨髄内の変化は不明瞭であり，皮質骨の状態をよくとらえ，骨折の空間的把握は可能であるが，骨梁の状態をとらえられないといった特徴がある。対してMRIでは骨折線は明らかでないものの，骨髄内の高輝度変化がみられる。骨髄病変の描出能に優れており，骨浮腫や出血，骨折線のなかの線維組織を描出する能力が高いという特徴がある。

Burneら[29]は，初期にstress reactionを認めた9例の経過を調査した。調査までの期間は1.4〜2年とばらつきがあるなかで，7例がCTで骨折ありと判定されたことを報告した。このことから，早期に骨髄病変を描出することは，後に疲労骨折へ進展する可能性の高い病態を把握するのに有効であり，この点でMRIが有効であるといえる。ただし，骨髄内の変化は必ずしも疲労骨折に発展しないので，骨折を疑う場合には皮質骨の状態の把握のためにCTを用いるという使い分けを考慮する必要がある。

E. 治 療

舟状骨疲労骨折は，1980年代から1990年代には保存的な治療成績が良好であるとする報告が多く，固定して6週間以上の免荷（non-weight-bearing immobilization）という治療が推奨された。2010年Torgら[4]のシステマティックレビューでは，完全免荷固定で6週間以上治療した者の成功率は96％になると結論づけた。これに対し，免荷固定をしても期間が6週間未満であったもので77％，荷重制限をせずに活動制限のみを行ったものでは47％という成功率が報告された。保存療法を選択するならば，6週間以上の固定と免荷は治療を成功させるカギといえそうである。

一方観血的治療に関しては，近年いくつかの報告が散見される。Saxenaら[17]は，2000年に19名22例を対象に，自らが行ったタイプ分類から，タイプごとの治療結果を比較した。タイプはCT所見から3つに分けられ，タイプⅠは背側皮質のみの骨折，タイプⅡは骨折線が髄質部まで延長した状態，タイプⅢは骨折が対側の皮質骨まで

続く完全骨折とした。競技までの復帰期間は，タイプⅢ骨折が，タイプⅠ，タイプⅡ骨折に比較して有意に長いことを示した。また，全例における競技復帰までの期間は，保存療法では平均4.3ヵ月，観血治療では平均3.1ヵ月であり，2群間に有意差がみられた。また，Saxenaら[30]は，2006年にも19例を対象に報告を行い，タイプⅠ骨折にはすべて保存療法，タイプⅢ骨折には全例手術を行った。ここで注目すべき点は，全例が競技復帰を果たしたものの，タイプⅡ骨折で保存療法を適応した2例は，いずれも足部の症状残存のため，もとの活動レベルにはもどれなかったことである。また，2000年の研究では，タイプⅠ骨折に対する手術により，4例と数は少ないものの平均1.7ヵ月で競技復帰した。これは，ハイレベルなアスリートの治療の際に，手術が有用な選択肢である可能性を示唆する。2000年の研究と合わせSaxenaらは，症例数が少ないため限定的であることを前提としながらも，タイプⅠ骨折は保存療法，タイプⅡ・Ⅲ骨折では，観血的治療という選択が失敗も少なく，競技復帰も早いという見解を示した。

Fitchら[12]は，18例の舟状骨疲労骨折に対し観血的に介入した結果から，骨折の状態によっては積極的に手術療法を採用すべきとして，①完全骨折または転位のある骨折，②不完全骨折で完全骨折に移行する可能性がある，③硬化しており癒合が得られない，または癒合が遅れている，④骨髄嚢胞ができあがっている，⑤免荷の管理で失敗した，の基準をあげた。これらの条件のいずれかがあれば，観血療法を選択するとした。ただし，少ない対象数への手術結果から述べた見解であり，明確なエビデンスは示されていない。

さらに近年の報告では，McCormickら[31]が10例の手術介入のケースシリーズを報告した。この報告では平均42.4ヵ月間経過観察をし，CTを撮像した後，骨癒合の確認と臨床スコアを収集

表11-4 癒合の成否によるAOFAS，SF-36の違い（文献32より引用）

	AOFAS（点）	SF-36（点）
癒合8例平均	92.1	91.9
非癒合2例平均	74	74

した。その結果，8例において骨癒合が確認でき，癒合しなかった2症例は，American Orthopedic Foot and Ankele Society（AOFAS）による臨床評価スコアであるAOFASスコアと健康関連QOLを測定するためのSF-36スコアが，癒合が得られた症例と比較して低値であった（表11-4）。症例数が少なく統計的検討が行えないため限定的ではあるが，このことからCTで癒合が得られないと臨床スコアも悪い可能性がある。術後に癒合が得られなかった2例の骨折型は，完全骨折の転位型であった。同様の骨折タイプで癒合した2例との相違点は，手術時年齢が47歳，54歳と比較的年齢が高かったこと（癒合2例は18.9歳，17.0歳）（全体平均28.7歳），移植骨に同種骨を用いたこと（癒合2例は自家骨移植）が特徴としてあげられた。この報告では，全体として復帰までの期間が平均で5.7ヵ月とSaxenaらの報告[17]と比較すると約1ヵ月間長かった。

以上から，舟状骨の疲労骨折に対する治療のゴールドスタンダードは確立されていないといえる。歴史的にみると，1970年にTowneら[32]が報告して以来，適切な保存的管理が治療成功のカギとされてきた。また，保存的療法を支持する論文の数も多く，Torgら[4]のシステマティックレビューでも6週間以上の免荷固定治療が良好な成績を収めている。一方で，観血的治療は過去には失敗症例なども多く含まれているが，2000年代からは手術的に介入した症例の成績は安定している。そのため，上記システマティックレビューは，この過去の失敗症例を含んでいる点で，現在の状況を正確には反映していない可能性がある。また，

競技復帰までの期間が保存療法に比べて短期間であることや，保存療法が必ずしも成功に結びつかないこともある。Saxenaらの報告[30]にも示されたとおり，タイプ分類に基づいた介入とアスリートの要求レベル，環境などに応じて積極的に手術的介入を選択していく必要性が示されているといえる。

F. まとめ

1. すでに真実として承認されていること

- 中後足部の疲労骨折において，踵骨・立方骨はlow risk，舟状骨はhigh riskに分類されている。
- 舟状骨疲労骨折は，認知度と画像技術の向上により，近年全疲労骨折に占める割合が増えている。
- 舟状骨疲労骨折は近位背側関節面からはじまり，血流が相対的に少ない中央1/3に発生する。
- 舟状骨疲労骨折で保存療法を選択する場合，6週間以上の免荷固定が必要となる。

2. 議論の余地はあるが，今後の重要な研究テーマとなること

- 舟状骨疲労骨折において，保存的治療と観血的治療の選択に対する根拠（無作為化臨床試験による治療成績の比較検討）。
- 舟状骨疲労骨折における発生機序に対するバイオメカニクス的な観点からの根拠（足部骨モデルに対する力学的解析方法の確立）。
- 踵骨，立方骨の疲労骨折の病態の把握や発生機序に対する具体的な根拠。

3. 真実と思われていたが実は疑わしいこと

- 舟状骨疲労骨折には観血的治療より保存療法が有効であること。

文献

1. Brukner P, Bradshaw C, Khan KM, White S, Crossley K. Stress fractures: a review of 180 cases. *Clin J Sport Med*. 1996; 6: 85-9.
2. Greaney RB, Gerber FH, Laughlin RL, Kmet JP, Metz CD, Kilcheski TS, Rao BR, Silverman ED. Distribution and natural history of stress fractures in U.S. Marine recruits. *Radiology*. 1983; 146: 339-46.
3. Fredericson M, Jennings F, Beaulieu C, Matheson GO. Stress fractures in athletes. *Top Magn Reson Imaging*. 2006; 17: 309-25.
4. Torg JS, Moyer J, Gaughan JP, Boden BP. Management of tarsal navicular stress fractures: conservative versus surgical treatment: a meta-analysis. *Am J Sports Med*. 2010; 38: 1048-53.
5. Bennell KL, Brukner PD. Epidemiology and site specificity of stress fractures. *Clin Sports Med*. 1997; 16: 179-96.
6. Bennell KL, Malcolm SA, Thomas SA, Wark JD, Brukner PD. The incidence and distribution of stress fractures in competitive track and field athletes. A twelve-month prospective study. *Am J Sports Med*. 1996; 24: 211-7.
7. Ha KI, Hahn SH, Chung MY, Yang BK, Yi SR. A clinical study of stress fractures in sports activities. *Orthopedics*. 1991; 14: 1089-95.
8. Sormaala MJ, Niva MH, Kiuru MJ, Mattila VM, Pihlajamaki HK. Stress injuries of the calcaneus detected with magnetic resonance imaging in military recruits. *J Bone Joint Surg Am*. 2006; 88: 2237-42.
9. Alfred RH, Belhobek G, Bergfeld JA. Stress fractures of the tarsal navicular. A case report. *Am J Sports Med*. 1992; 20: 766-8.
10. Ariyoshi M, Nagata K, Kubo M, Sonoda K, Yamada Y, Akashi H, Sato S, So H, Sato H, Imamura T, Shimokobe T, Inoue A. MRI monitoring of tarsal navicular stress fracture healing -a case report. *Kurume Med J*. 1998; 45: 223-5.
11. Denegar CR, Siple BJ. Bilateral foot pain in a collegiate distance runner. *J Athl Train*. 1996; 31: 61-4.
12. Fitch KD, Blackwell JB, Gilmour WN. Operation for non-union of stress fracture of the tarsal navicular. *J Bone Joint Surg Br*. 1989; 71: 105-10.
13. Helstad PE, Ringstrom JB, Erdmann BB, Jacobs PM, Julsrud ME. Bilateral stress fractures of the tarsal navicular with associated avascular necrosis in a pole vaulter. *J Am Podiatr Med Assoc*. 1996; 86: 551-4.
14. Khan KM, Fuller PJ, Brukner PD, Kearney C, Burry HC. Outcome of conservative and surgical management of navicular stress fracture in athletes. Eighty-six cases proven with computerized tomography. *Am J Sports Med*. 1992; 20: 657-66.
15. Maquirriain J, Ghisi JP. The incidence and distribution of stress fractures in elite tennis players. *Br J Sports Med*. 2006; 40: 454-9; discussion 459.
16. Orava S, Karpakka J, Hulkko A, Takala T. Stress avulsion fracture of the tarsal navicular. An uncommon sports-related overuse injury. *Am J Sports Med*. 1991; 19: 392-5.

17. Saxena A, Fullem B, Hannaford D. Results of treatment of 22 navicular stress fractures and a new proposed radiographic classification system. *J Foot Ankle Surg*. 2000; 39: 96-103.
18. Kiss ZS, Khan KM, Fuller PJ. Stress fractures of the tarsal navicular bone: CT findings in 55 cases. *AJR Am J Roentgenol*. 1993; 160: 111-5.
19. Torg JS, Pavlov H, Cooley LH, Bryant MH, Arnoczky SP, Bergfeld J, Hunter LY. Stress fractures of the tarsal navicular. A retrospective review of twenty-one cases. *J Bone Joint Surg Am*. 1982; 64: 700-12.
20. Kitaoka HB, Luo ZP, An KN. Contact features of the talonavicular joint of the foot. *Clin Orthop Relat Res*. 1996; (325): 290-5.
21. Khan KM, Brukner PD, Kearney C, Fuller PJ, Bradshaw CJ, Kiss ZS. Tarsal navicular stress fracture in athletes. *Sports Med*. 1994; 17: 65-76.
22. Coris EE, Lombardo JA. Tarsal navicular stress fractures. *Am Fam Physician*. 2003; 67: 85-90.
23. de Clercq PF, Bevernage BD, Leemrijse T. Stress fracture of the navicular bone. *Acta Orthop Belg*. 2008; 74: 725-34.
24. Ostlie DK, Simons SM. Tarsal navicular stress fracture in a young athlete: case report with clinical, radiologic, and pathophysiologic correlations. *J Am Board Fam Pract*. 2001; 14: 381-5.
25. Goulart M, O'Malley MJ, Hodgkins CW, Charlton TP. Foot and ankle fractures in dancers. *Clin Sports Med*. 2008; 27: 295-304.
26. Jones MH, Amendola AS. Navicular stress fractures. *Clin Sports Med*. 2006; 25: 151-8, x-xi.
27. Pavlov H, Torg JS, Freiberger RH. Tarsal navicular stress fractures: radiographic evaluation. *Radiology*. 1983; 148: 641-5.
28. Ahovuo JA, Kiuru MJ, Kinnunen JJ, Haapamaki V, Pihlajamaki HK. MR imaging of fatigue stress injuries to bones: intra- and interobserver agreement. *J Magn Reson Imaging*. 2002; 20: 401-6.
29. Burne SG, Mahoney CM, Forster BB, Koehle MS, Taunton JE, Khan KM. Tarsal navicular stress injury: long-term outcome and clinicoradiological correlation using both computed tomography and magnetic resonance imaging. *Am J Sports Med*. 2005; 33: 1875-81.
30. Saxena A, Fullem B. Navicular stress fractures: a prospective study on athletes. *Foot Ankle Int*. 2006; 27: 917-21.
31. McCormick JJ, Bray CC, Davis WH, Cohen BE, Jones CP 3rd, Anderson RB. Clinical and computed tomography evaluation of surgical outcomes in tarsal navicular stress fractures. *Am J Sports Med*. 2011; 39: 1741-8.
32. Towne LC, Blazina ME, Cozen LN. Fatigue fracture of the tarsal navicular. *J Bone Joint Surg Am*. 1970; 52: 376-8.

〔真木　伸一〕

12. Plantar heel pain

はじめに

Plantar heel pain（以下，PHP）は，踵部底側の組織に由来する疼痛の総称であり，臨床的には同部位の圧痛や起床直後の歩行時痛が特徴的な症状である。疼痛の原因としては，足底腱膜の炎症，踵骨骨棘，神経絞扼，踵骨疲労骨折などさまざまな原因が示唆されたが，直接的な原因や病態は定かではないとされた[1〜3]。

踵部底側部の疼痛は，研究上ではPHPあるいは足底腱膜炎と表記されている場合が多いが，その包含条件はいずれにおいても①踵部底側の圧痛，②起床直後あるいは安静座位直後の歩行時痛，③ウインドラステスト陽性とされており，PHPと足底腱膜炎は区別されず同義で用いられている。本項では，PHPの疫学，危険因子，病態，診断および治療に関する文献をまとめた。

A. 文献検索方法

文献検索にはPubMedを用い，「plantar heel pain」「plantar fasciitis」をキーワードに実施した。さらにそれらで引用されている参考文献を含め，79件の文献を引用した。

B. 疫学

1. 発生率

一般人を対象とした疫学調査では，米国では年間200万人に発症するといわれている[4]。軍人を対象に米国国防省のデータベースを分析したPHPの発生率は，10.5／1,000人／年と報告された[5]。アスリートを対象とした疫学調査としては，2,002名のランナーを対象とした研究において，足底腱膜炎は7.8％を占め，ランニング障害のなかでは膝蓋大腿関節症，腸脛靱帯炎についで3番目に多いことが報告された[6]。以上より，PHPの発生率は罹患者の活動性にかかわらず，10％前後であると思われる。

2. 社会的負担

Tongら[7]は，米国におけるPHP患者の治療法ならびに費用に関する後ろ向き調査を行った。PHP治療には2億840万ドルの費用を要し，その内訳として薬物療法が80％，通院治療費が14％を占めていることを報告した。

C. 危険因子

一般的なPHPの危険因子は，内因性と外因性に分けられる[8]。内因性危険因子については年齢，BMI，関節可動域，足部アライメント，骨棘の有無に関する研究，外因性危険因子については活動性に関する研究がみられる。

1. 内因性危険因子

1）年齢

年齢に関しては，一般人を対象とした研究において，40〜60歳での発生率が高いことが報告され，脂肪体の萎縮など退行性変性との関連が示唆された[9, 10]。アスリートのみを対象とした研究は

1件のみで，20〜30歳代に対象年齢が限局された研究であり，コンセンサスは得られていない[11]。

2）BMI

一般人を対象とした研究によると，BMIが25以上で2倍，30以上で5.6倍の発生率であることが報告され，PHPとBMIの関連が示唆された[10]。一方，アスリートを対象とした調査において，BMIとの関連は否定された[11,12]。

3）足部アライメント

静的なアライメントに関しては，舟状骨高[12,13]，フットプリント[14]，踵骨傾斜角[2,15]などをさまざまな方法で計測し，PHP群と健常群で比較した研究が行われてきた。静的な足部アライメントに関しては，踵骨傾斜角を調査したPrinchasukらの研究[2]のみ有意に回内足が多いことが報告された。これに対し，それ以外の研究では有意差がないと報告された。臨床的には足底腱膜に伸張ストレスが生じやすいと推察される過回内足や，接地時の衝撃吸収が乏しいと推察される過回外足などの足部アライメントとの関連が疑われているが，研究上は有意差がみられない報告が多い。しかし，アライメントの定義など方法論が統一されておらず，計測方法の確立が今後の課題と思われる。

動的なアライメントに関しては，走行時の後足部の動きを後方からビデオ解析した研究[14]や歩行時のアーチ高の変化をフルオロスコピー（X線透視撮影装置）にて側方から観察した研究[16]がある。いずれの研究においても，健常群との間に有意差は認められない。しかし，計測方法の信頼性や対象数の不足など，研究デザインに問題があるため，動的アライメントとの関連に関しては今後の研究が期待される。

表12-1 Plantar heel painおよび健常者の踵骨骨棘の存在率（文献2, 3, 9, 19〜23より作成）

報告者 （発表年）	Plantar heel pain群（全体数）	健常群 （全体数）
Rubin（1963）	−	27％（461）
Tanz（1963）	16％（100）	−
Lapidus（1965）	61％（134）	−
Williams（1987）	75％（ 38）	63％（ 52）
Singh（1997）	59％（ 50）	44％（ 59）
Prichasuk（1994）	66％（400）	16％（ 82）
Davis（1999）	55％（ 47）	−
Rano（2001）	44％（ 59）	−

4）可動性

Riddleら[10]は，膝関節伸展位における他動足関節背屈可動域を調査し，足関節背屈可動域が10°以上の者と比較した。その結果，6〜10°の者で約3倍，1〜5°で約8倍，0°以下で23倍の発生率を示したことを報告し，足関節背屈制限とPHPの関連を示唆した。

第1中足趾節関節伸展可動域とPHPとの関連については，PHP群において有意に他動的可動域が小さいという報告[17]や有意差がないという報告[18]がある。動的な可動性に関しては歩行動作をフルオロスコピーを用いて計測した研究において有意に小さいと報告された[16]。

以上より，足関節背屈可動域制限や第1中足趾関節伸展可動域制限はPHPの危険因子となりうると思われる。

5）骨　棘

骨棘の有無とPHPとの関連に関してはX線画像を用いた調査が行われてきた。PHP罹患患者および健常者を対象とした研究が多く存在する。骨棘の存在率はPHP群において16〜75％，健常群においては16〜63％と報告された[2,3,9,19〜23]（表12-1）。多くの研究ではPHP群で6割程度の骨棘の存在率が示され，PHPと骨棘の存在の関

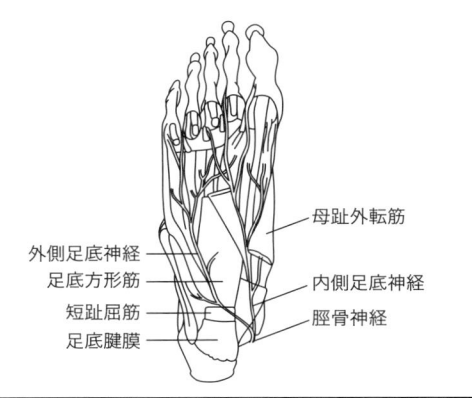

第4章 中足部・後足部障害（Lisfranc関節より後方）

図12-1 踵部底側の解剖（文献25より作図）
踵部底側には，さまざまな筋腱の付着部があり，多数の末梢神経が走行している。

連が示唆された。しかし，健常群においても2〜4割程度の骨棘の存在率が報告されており，骨棘の存在が必ずしも疼痛の原因とはいえない。

2. 外因性危険因子
1）活動性

日常生活に関しては，立位時間とPHPの関係に関する報告が3件あり[6, 9, 10]，そのうち2件で1日の立位時間とPHPの関連が示唆された。しかし，すべての研究は質問紙調査であり，また立位時間や環境などの詳細が不明である。

スポーツ活動に関しては，Tauntonら[24]は，267名のPHP患者を後向きに調査し，58.8％の患者がスポーツ活動としてランニングを行っていたと報告し，ランニングとPHPの関連を示唆した。しかし，走行量，ペース，スポーツ歴，練習環境との関係は認められておらず[11, 14]，ランニングの質的な検討が必要と思われる。

D. 病態

底側踵部痛の原因としては，足底腱膜の炎症，踵骨の疲労骨折，末梢神経の絞扼など，さまざまな原因が推察されている[1, 2]。踵部底側の解剖学的特徴として，さまざまな筋腱の付着部が存在すること，多数の末梢神経が走行することがあげられる。踵骨底側には足底腱膜や短趾屈筋，小趾外転筋や足底方形筋などが付着し，荷重時に筋による伸張ストレスが集中しやすい構造となっている[25]（図12-1）。また，地面と接地する部位であるため圧迫ストレスも生じやすく，これらの構造的特徴が足底腱膜炎やその要因となる骨棘形成にかかわっている[26, 27]。踵部底側には，脛骨神経から分枝する内側・外側足底神経や内側踵骨神経が走行し，踵部底側周囲で足底部の筋間を貫通するため同部位での神経絞扼が生じやすいとされた[28]。本項目では，PHPの要因である足底腱膜炎の発生メカニズムや骨棘形成のメカニズム，末梢神経絞扼障害の好発部位に関してまとめる。

1. 足底腱膜炎のメカニズム

足底腱膜炎は使いすぎによって発症する障害である。足底腱膜付着部への時間的，力学的なストレスが原因とされ，ストレスの集中により生じる初期病変と慢性病変が足底腱膜炎の病態とされている。腱炎の初期病変は，圧迫ストレスや牽引ストレスが繰り返されることにより生じる。アキレス腱を対象とした研究では，腱付着部の微細構造に破綻が生じることで引き起こされる非石灰化軟骨層での亀裂や縦断裂などの微細外傷とその修復像が初期病変であることが報告された[29]。慢性病変は，微細外傷が短期間に繰り返されることで，外傷に対する組織治癒のバランスが崩れ，組織の線維化や変性，腱膜付着部の骨棘形成などの器質的変化が進むことが原因であると報告された[30〜32]。

足底腱膜炎患者の病態の研究としては，MRIによる検討や組織学的検討が行われきた。MRIでは，足底腱膜付着部には炎症を示す反応が認められなかったことが報告された[33]。また，組織学的には足底腱膜付着部周囲の組織に炎症像は認め

られず，変性像が認められたことが報告された[34]。これより，足底腱膜炎の病態が炎症のみではなく，組織の変性が関連していることが示唆された。

　初期病変の治癒が不十分な状態で繰り返される力学的ストレスにより慢性病変にいたると考えられる。組織の変性を主とする慢性病変と疼痛との関連を示した報告はないため，慢性的な底側踵部痛の原因に関しては不明である。また，足底腱膜への力学的ストレスについては足底腱膜・筋による伸張ストレスによるとされたが，いずれの報告も解剖学的・運動学的に足底腱膜へ伸張ストレスが生じるといった考察であり，推論の域を脱していない。そのため，今後は足底腱膜に加わる力学的ストレスについて詳細に調査した研究や足底腱膜の変性像に関する組織学的な検討が望まれる。

2. 骨棘形成のメカニズム

　骨棘形成と疼痛との関連性については明らかとなってはいない。一方，骨棘形成のメカニズムについては，足底腱膜踵骨付着部への伸張ストレス説，荷重による腱膜や踵骨と地面の衝突から生じる圧迫ストレス説など，解剖学的，組織学的な研究が散見される[26, 27]。

　伸張ストレスは足底腱膜・筋の牽引力により発生するとされており，腱膜・筋の骨棘への付着に関する解剖学的研究が散見された[27, 32, 35, 36]。電子顕微鏡を用いた研究では，骨棘には腱膜だけではなく短趾屈筋，足底方形筋，小趾外転筋が付着していることが示され（図12-2），牽引により骨棘が生じると考察された[27]。一方で，肉眼による観察では，骨棘には短趾屈筋のみ付着し，腱膜は付着しないと報告された[35]。研究方法により意見は分かれるが，より詳細な電子顕微鏡学的調査では骨棘と腱膜・筋の連続性が認められ，伸張ストレスにより骨棘が形成されることが示唆された。

　圧迫ストレスは，荷重による足底腱膜付着部の地面との衝突によると考えられる[26, 37]。Kumai

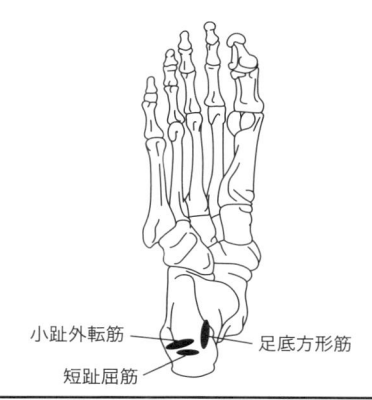

図12-2　踵部底側の筋の付着部（文献25，27より作図）
骨棘には腱膜だけではなく短趾屈筋，足底方形筋，小趾外転筋が付着している。

ら[26]は組織学的研究により，骨棘と腱膜組織や筋との連続性が認められないことを報告し，伸張ストレスによる骨棘形成を否定した。また，足底腱膜付着部には荷重による反応と考えられる軟骨基質と軟骨細胞の集簇像が観察され，圧迫ストレスによる足底腱膜付着部の変性を基盤とした反応性骨増殖が骨棘形成のメカニズムであることが示唆された。これは荷重関節における骨棘形成のメカニズムと同様で，まず荷重による圧迫ストレスによって足底腱膜付着部深層に縦亀裂像と軟骨細胞の集簇といった機械的変性像が出現する。次いで，足底腱膜付着部に軟骨下骨，腱膜付着部深層に小骨棘が形成され，さらに骨棘の増大や神経血管束が出現するといったメカニズムであると推測した（図12-3）。

　骨棘形成の原因として，伸張ストレスと圧迫ストレスが提唱されたが，組織学的なデータをもとに考察されたのは圧迫ストレスのみである。

3. 足底神経障害の好発部位

　踵部底側には脛骨神経から分枝する内側踵骨神経，内側足底神経，外側足底神経が走行し（図12-4），踵骨周囲で絞扼されることが底側踵部痛

第4章 中足部・後足部障害（Lisfranc関節より後方）

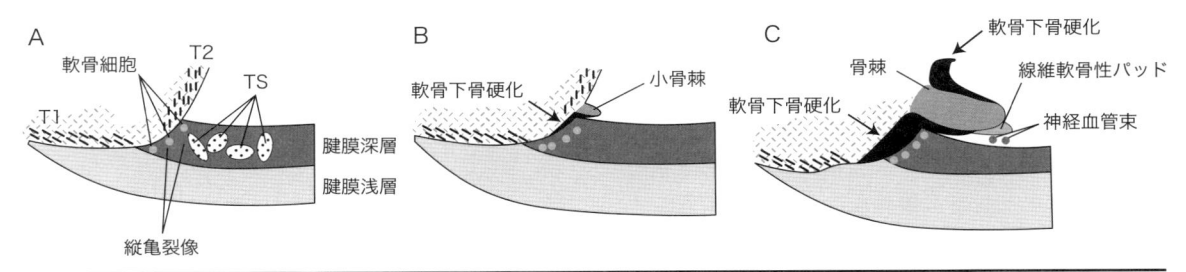

図12-3 圧迫ストレスによる反応性骨増殖メカニズム（文献26より引用）
T1：骨梁（足底腱膜の牽引方向に沿っている），T2：骨梁（荷重負荷時の力線上に沿っている），TS：網目状線維構造。A：非石灰化軟骨層の深層に軟骨細胞と縦亀裂像が出現，B：軟骨下骨層の硬化と小骨棘の形成，C：軟骨下骨層の硬化進行（骨棘背側）と骨棘の発達，線維軟骨性パッドと神経血管束の出現。

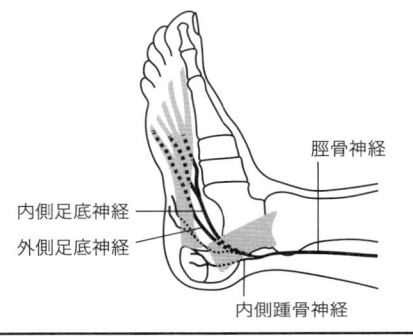

図12-4 足底部の末梢神経
踵部底側には脛骨神経から分枝する内側踵骨神経，内側足底神経，外側足底神経が走行する。

の要因となると考察された[28, 38]。それぞれの神経における神経障害の発生頻度，絞扼の原因や部位が調査された。発生頻度に関しては，外側足底神経，内側踵骨神経，内側足底神経の順で高いと報告された[28, 39~41]。絞扼部位に関しては，外側足底神経は母指外転筋と足底方形筋の内側頭間，短趾屈筋と足底腱膜の起始部間や踵骨骨棘周囲での絞扼が[4, 42]，内側踵骨神経は母指外転筋深層と踵骨隆起前内側間での絞扼が[43]，内側足底神経は，母指外転筋と短趾屈筋の間での絞扼が[44]報告されている。神経障害に関しては，各神経単独に調査した研究に限られており，今後はさまざまな神経障害を全般的に調査した研究が必要である。

E. 診断と評価

1. 画像診断

PHPの診断に際しては，X線検査やMRI，超音波検査などが行われている。X線検査は最も一般的な検査であり，踵部痛を訴える患者に対して，骨棘の有無や骨構造のアライメント異常，骨折との鑑別に際して用いられる[45]。しかしながら，X線では腱膜の炎症などの軟部組織の状態を描出することは困難である。Levyら[46]はPHP患者215足の初期診断を後向きに調査した。約80％は問診や圧痛などの臨床検査で足底腱膜炎の診断および治療が可能であり，足底腱膜炎の典型的な症状がみられる者に対してはルーティン化されている初期評価時のX線検査の必要性が低いことを示唆した。

MRIは，足底部の軟部組織および骨の状態を詳細に描出することができる。このため，PHPによる疼痛の原因である筋膜の炎症や損傷，感染症，滑液包炎，踵骨骨折，腱付着部症など多種多様な状態を判別する一助となる[45, 47]。Berkowitzら[48]は，PHP患者には足底腱膜の肥厚や炎症がみられることを報告し，MRIによる検査の有用性を示唆した。また，Chimutengwendeら[47]は，PHP患者112名のMRI像を調査した。夜間時痛や急性発症など典型的な足底腱膜炎とは異なる症

状を呈するPHP患者において，踵骨の髄内浮腫や足底腱膜の部分断裂など，典型的な足底腱膜炎とは異なる病態がみられたことを報告した。足底腱膜炎特有の症状と異なる踵部痛に関しては，MRIにて患部の状態を明確にすることが治療を進めるうえで重要であるとした。

超音波検査は，足底腱膜の肥厚や炎症の描出に有用であるといわれている[45]。Vohra[49] は，PHP患者211名の足底腱膜の厚さを超音波像にて計測した結果，無症状者よりも有意に肥厚していることを報告し，足底腱膜の肥厚とPHPの関連を示唆した。超音波検査は人体への影響が少なく，安価かつ簡便であり，リアルタイムで描出可能であるため，ほかの診断装置よりも有用とされた[45]。

2．理学的検査

足底腱膜炎の代表的な理学的検査にウインドラス検査がある。ウインドラス検査は足関節中間位で第1中足趾関節を伸展させ，足底腱膜付着部の疼痛の増悪がある場合を陽性とする検査である[50]（図12-5）。DeGarceauら[51] は，非荷重位および荷重位の条件におけるウインドラス検査の感度を調査し，非荷重位13.6％，非荷重位31.8％と感度が低いことを報告した。

F. 保存療法

PHPの治療としては，足底腱膜の切離や骨棘切除術などの外科的治療や薬物療法，保存療法が行われている。保存療法としてさまざまな手法が行われている。Tauntonら[24] はPHP患者の76.8％はストレッチなどの運動療法を行い，49.1％が装具療法を，20.2％が物理療法を実施していると報告した。

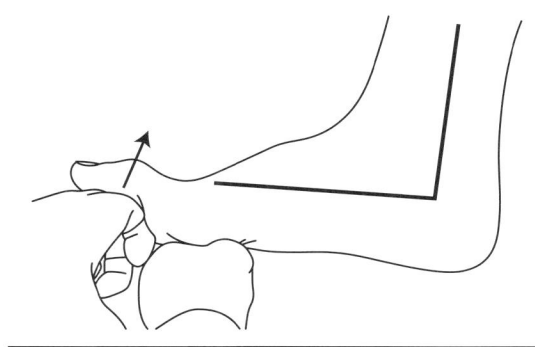

図12-5　ウインドラス検査（文献50より作図）
足関節中間位で第1中足趾関節を伸展させ，疼痛が誘発されれば足底腱膜炎が疑われる。

1．物理療法

物理療法に関しては，低出力レーザー1件，超音波1件，体外衝撃波18件の無作為対照比較研究があった。

低出力赤外線レーザーには，筋などの軟部組織の温度上昇や細胞の活性化作用があり，臨床では疼痛の緩和や炎症の早期改善，創傷治癒の促進を目的に利用されている。Basfordら[52] は足底腱膜炎に対する低出力赤外線レーザーの治療効果を検証した。4週間の介入において疼痛の軽減はみられたものの，プラセボ群と有意な差がみられなかったと報告した。

超音波療法は，深部組織を加温することでコラーゲン組織の伸展性の向上や細胞の活性化，組織治癒の促進を目的に用いられている。PHPの治療に関する研究としては，超音波療法の非温熱作用に関して無作為対照比較研究1件[53]，臨床研究1件[54] があった。どちらの研究においても疼痛の軽減効果は対照群と比べ有意ではなかった。

体外衝撃波療法は，衝撃波の刺激により細胞の活性化や血管新生刺激，疼痛緩和などの効果がみられる治療法である。2000年以降，プラセボ，理学療法，薬物療法を対照に多くの研究が行われ，有意に疼痛改善効果が認められたことが報告された[55〜72]（表12-2）。Thomsonら[73] は，6件の報

表12-2 Plantar heel painに対する体外衝撃波療法の疼痛改善効果（文献55～72より作成）

	衝撃波群のほうが改善	両群改善　群間差なし
衝撃波群 vs. プラセボ	Ibrahim（2010），Dogramaci（2010），Gerdesmeyer（2008），Malay（2006），Ogden（2004），Rompe（2003），Alvarez（2003），Ogden（2001）	Marks（2008），Gollwitzer（2007），Theodore（2004），Speed（2003）
衝撃波群 vs. 理学療法	Wang（2006）	Greve（2009）
衝撃波群 vs. 注射または内服	Porter（2005），Rompe（2005）	Yucel（2010），Hammer（2003）

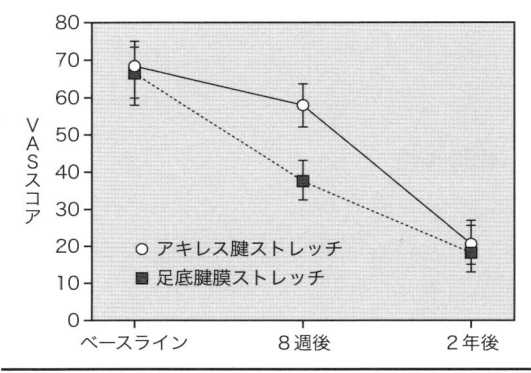

図12-6 Plantar heel painに対するストレッチの効果（文献79より引用）
足底腱膜ストレッチ，アキレス腱ストレッチ（8週間）＋足底腱膜ストレッチ。疼痛の程度をVASで評価した。

告のメタ分析を行い，効果の量は小さいもののPHPに対する体外衝撃波療法の効果を認めた。

低出力レーザー療法や超音波療法に関しては，その効果はプラセボ効果である可能性が高いが，体外衝撃波療法に関しては疼痛改善効果がある可能性が高いと思われる。

2. 装具療法

装具療法に関しては，インソールに関する研究が2件，ナイトスプリントに関する研究が3件報告された。

インソールは足部アーチの保持を目的にさまざまな形状や素材で作製され処方される。研究上は，通常の素材によるインソールと磁気素材によるインソールとの効果や，カスタムインソールとカウンターアーチのみの効果が比較された。いずれのインソールを使用しても疼痛の改善効果はみられるが，素材および形状の違いによる疼痛改善効果の差はなかった[74, 75]。

ナイトスプリントは夜間時に足関節を背屈位に保持すること目的とする装具で，臨床的には夜間時の筋群の短縮を防ぎ，起床直後の疼痛増悪を回避するために処方されている。介入実験としては，安静やストレッチを対照群とした研究が行われ，ナイトスプリント使用のほうが疼痛改善効果が有意に大きいことが報告された[76～78]。

3. 運動療法

運動療法に関しては，ストレッチの効果に関する無作為比較研究が2件あった。Digiovanniら[79]は，足底筋膜炎に対する足底筋膜ストレッチ・アキレス腱ストレッチの介入研究を行い，足底筋膜ストレッチ群がアキレス腱ストレッチ群よりも有意に良好な結果を得たと報告した。この報告では，足底筋膜ストレッチ群とアキレス腱ストレッチを8週間施行後足底筋膜ストレッチに変更群の2群の疼痛の変化を追跡した。8週経過時において，両群ともに有意な回復がみられたが，足底腱膜ストレッチ群のほうがより有意な改善を示し，2年後においては群間の有意差はなかった（**図12-6**）。足底筋膜炎に対する運動療法は，足底筋膜ストレッチ・アキレス腱ストレッチはともに有用であり，足底筋膜ストレッチはより大きな

効果が望めることが示唆された。

G. まとめ

1. すでに真実として承認されていること
- PHPは罹患者の活動性にかかわらず10％程度の発生率を示す。
- 一般人においては年齢（40〜60歳代），BMI高値がPHPの危険因子となりうる。
- 体外衝撃波療法はPHPの疼痛改善に効果がある。
- 足底腱膜のストレッチやアキレス腱のストレッチはPHPの疼痛改善に効果がある。

2. 議論の余地はあるが，今後の重要な研究テーマとなること
- アスリートにおけるPHPの危険因子の前向き研究。
- 足底腱膜炎の力学ストレスおよび組織的な変化に関する検討。
- 骨棘の発生機序および骨棘の存在と疼痛の関係性。
- PHPの原因を鑑別するための臨床検査ならびに画像診断の方法。

3. 真実と思われていたが実は疑わしいこと
- ウインドラス検査の有用性。
- 低出力レーザーや超音波療法のPHPの疼痛改善に対する効果。

文献

1. Prichasuk S. The heel pad in plantar heel pain. *J Bone Joint Surg Br*. 1994; 76: 140-2.
2. Prichasuk S, Subhadrabandhu T. The relationship of pes planus and calcaneal spur to plantar heel pain. *Clin Orthop Relat Res*. 1994; 306: 192-6.
3. Williams PL, Smibert JG, Cox R, Mitchell R, Klenerman L. Imaging study of the painful heel syndrome. *Foot Ankle*. 1987; 7: 345-9.
4. Pfeffer GB. Plantar heel pain. *Instr Course Lect*. 2001; 50: 521-31.
5. Scher DL, Belmont PJ Jr, Bear R, Mountcastle SB, Orr JD, Owens BD. The incidence of plantar fasciitis in the United States Military. *J Bone Joint Surg Am*. 2009; 91: 2867-72.
6. Taunton JE, Ryan MB, Clement DB, McKenzie DC, Lloyd-Smith DR, Zumbo BD. A retrospective case-control analysis of 2002 running injuries. *Br J Sports Med*. 2002; 36: 95-101.
7. Tong KB, Furia J. Economic burden of plantar fasciitis treatment in the United States. *Am J Orthop (Belle Mead NJ)*. 2010; 39: 227-31.
8. Irving DB, Cook JL, Menz HB. Factors associated with chronic plantar heel pain: a systematic review. *J Sci Med Sport*. 2006; 9: 11-22; discussion 3-4.
9. Lapidus PW, Guidotti FP. Painful heel: report of 323 patients with 364 painful heels. *Clin Orthop Relat Res*. 1965; 39: 178-86.
10. Riddle DL, Pulisic M, Pidcoe P, Johnson RE. Risk factors for plantar fasciitis: a matched case-control study. *J Bone Joint Surg Am*. 2003; 85: 872-7.
11. Rome K, Webb P, Unsworth A, Haslock I. Heel pad stiffness in runners with plantar heel pain. *Clin Biomech (Bristol, Avon)*. 2001; 16: 901-5.
12. Rome K, Campbell R, Flint A, Haslock I. Heel pad thickness -a contributing factor associated with plantar heel pain in young adults. *Foot Ankle Int*. 2002; 23: 142-7.
13. Warren BL. Anatomical factors associated with predicting plantar fasciitis in long-distance runners. *Med Sci Sports Exerc*. 1984; 16: 60-3.
14. Messier SP, Pittala KA. Etiologic factors associated with selected running injuries. *Med Sci Sports Exerc*. 1988; 20: 501-5.
15. Kavros SJ. The efficacy of a pneumatic compression device in the treatment of plantar fasciitis. *J Appl Biomech*. 2005; 21: 404-13.
16. Wearing SC, Smeathers JE, Yates B, Sullivan PM, Urry SR, Dubois P. Sagittal movement of the medial longitudinal arch is unchanged in plantar fasciitis. *Med Sci Sports Exerc*. 2004; 36: 1761-7.
17. Creighton D, Olson VL. Evaluation of range of motion of the first metatarsophalangeal joint in runners with plantar faciitis. *J Orthop Sports Phys Ther*. 1987; 8: 357-61.
18. Allen RH, Gross MT. Toe flexors strength and passive extension range of motion of the first metatarsophalangeal joint in individuals with plantar fasciitis. *J Orthop Sports Phys Ther*. 2003; 33: 468-78.
19. Davies MS, Weiss GA, Saxby TS. Plantar fasciitis: how successful is surgical intervention? *Foot Ankle Int*. 1999; 20: 803-7.
20. Rano JA, Fallat LM, Savoy-Moore RT. Correlation of heel pain with body mass index and other characteristics of heel pain. *J Foot Ankle Surg*. 2001; 40: 351-6.
21. Rubin G, Witten M. Plantar calcaneal spurs. *Am J Orthop*. 1963; 5: 38-41.
22. Singh D, Angel J, Bentley G, Trevino SG. Fortnightly review. Plantar fasciitis. *BMJ*. 1997; 315: 172-5.
23. Tanz SS. Heel pain. *Clin Orthop Relat Res*. 1963; 28: 169-78.

24. Taunton JE, Ryan MB, Clement DB, McKenzie DC, Lloyd-Smith DR. Plantar fasciitis: a retrospective analysis of 267 cases. *Phys Ther Sport*. 2002; 3: 57-65.
25. Ross LM, Lamperti ED. *Thieme Atlas of Anatomy: General Anatomy and Musculoskeletal System*. Thieme, Stuttgar, 2006.
26. Kumai T, Benjamin M. Heel spur formation and the subcalcaneal enthesis of the plantar fascia. *J Rheumatol*. 2002; 29: 1957-64.
27. McCarthy DJ, Gorecki GE. The anatomical basis of inferior calcaneal lesions. A cryomicrotomy study. *J Am Podiatry Assoc*. 1979; 69: 527-36.
28. Alshami AM, Souvlis T, Coppieters MW. A review of plantar heel pain of neural origin: differential diagnosis and management. *Man Ther*. 2008; 13: 103-11.
29. Rufai A, Ralphs JR, Benjamin M. Structure and histopathology of the insertional region of the human Achilles tendon. *J Orthop Res*. 1995; 13: 585-93.
30. LeMelle DP, Kisilewicz P, Janis LR. Chronic plantar fascial inflammation and fibrosis. *Clin Podiatr Med Surg*. 1990; 7: 385-9.
31. Schepsis AA, Leach RE, Gorzyca J. Plantar fasciitis. Etiology, treatment, surgical results, and review of the literature. *Clin Orthop Relat Res*. 1991; 266: 185-96.
32. Snider MP, Clancy WG, McBeath AA. Plantar fascia release for chronic plantar fasciitis in runners. *Am J Sports Med*. 1983; 11: 215-9.
33. Grasel RP, Schweitzer ME, Kovalovich AM, Karasick D, Wapner K, Hecht P, Wander D. MR imaging of plantar fasciitis: edema, tears, and occult marrow abnormalities correlated with outcome. *AJR Am J Roentgenol*. 1999; 173: 699-701.
34. Lemont H, Ammirati KM, Usen N. Plantar fasciitis: a degenerative process (fasciosis) without inflammation. *J Am Podiatr Med Assoc*. 2003; 93: 234-7.
35. Forman WM, Green MA. The role of intrinsic musculature in the formation of inferior calcaneal exostoses. *Clin Podiatr Med Surg*. 1990; 7: 217-23.
36. Michetti ML, Jacobs SA. Calcaneal heel spurs: etiology, treatment, and a new surgical approach. *J Foot Surg*. 1983; 22: 234-9.
37. Roger B, Grenier P. MRI of plantar fasciitis. *Eur Radiol*. 1997; 7: 1430-5.
38. Louisia S, Masquelet AC. The medial and inferior calcaneal nerves: an anatomic study. *Surg Radiol Anat*. 1999; 21: 169-73.
39. Baxter DE, Pfeffer GB, Thigpen M. Chronic heel pain. Treatment rationale. *Orthop Clin North Am*. 1989; 20: 563-9.
40. Lau JT, Stavrou P. Posterior tibial nerve -primary. *Foot Ankle Clin*. 2004; 9: 271-85.
41. Schon LC. Nerve entrapment, neuropathy, and nerve dysfunction in athletes. *Orthop Clin North Am*. 1994; 25: 47-59.
42. Oztuna V, Ozge A, Eskandari MM, Colak M, Golpinar A, Kuyurtar F. Nerve entrapment in painful heel syndrome. *Foot Ankle Int*. 2002; 23: 208-11.
43. Henricson AS, Westlin NE. Chronic calcaneal pain in athletes: entrapment of the calcaneal nerve? *Am J Sports Med*. 1984; 12: 152-4.
44. Peri G. The "critical zones" of entrapment of the nerves of the lower limb. *Surg Radiol Anat*. 1991; 13: 139-43.
45. Neufeld SK, Cerrato R. Plantar fasciitis: evaluation and treatment. *J Am Acad Orthop Surg*. 2008; 16: 338-46.
46. Levy JC, Mizel MS, Clifford PD, Temple HT. Value of radiographs in the initial evaluation of nontraumatic adult heel pain. *Foot Ankle Int*. 2006; 27: 427-30.
47. Chimutengwende-Gordon M, O'Donnell P, Singh D. Magnetic resonance imaging in plantar heel pain. *Foot Ankle Int*. 2010; 31: 865-70.
48. Berkowitz JF, Kier R, Rudicel S. Plantar fasciitis: MR imaging. *Radiology*. 1991; 179: 665-7.
49. Vohra PK, Kincaid BR, Japour CJ, Sobel E. Ultrasonographic evaluation of plantar fascia bands. A retrospective study of 211 symptomatic feet. *J Am Podiatr Med Assoc*. 2002; 92: 444-9.
50. Brown C. A review of subcalcaneal heel pain and plantar fasciitis. *Aust Fam Physician*. 1996; 25: 875-81; 884-5.
51. DeGarceau D, Dean D, Requejo SM, Thordarson DB. The association between diagnosis of plantar fasciitis and Windlass test results. *Foot Ankle Int*. 2003; 24: 251-5.
52. Basford JR, Malanga GA, Krause DA, Harmsen WS. A randomized controlled evaluation of low-intensity laser therapy: plantar fasciitis. *Arch Phys Med Rehabil*. 1998; 79: 249-54.
53. Cleland JA, Abbott JH, Kidd MO, Stockwell S, Cheney S, Gerrard DF, Flynn TW. Manual physical therapy and exercise versus electrophysical agents and exercise in the management of plantar heel pain: a multicenter randomized clinical trial. *J Orthop Sports Phys Ther*. 2009; 39: 573-85.
54. Crawford F, Snaith M. How effective is therapeutic ultrasound in the treatment of heel pain? *Ann Rheum Dis*. 1996; 55: 265-7.
55. Alvarez RG, Ogden JA, Jaakkola J, Cross GL. Symptom duration of plantar fasciitis and the effectiveness of orthotripsy. *Foot Ankle Int*. 2003; 24: 916-21.
56. Dogramaci Y, Kalaci A, Emir A, Yanat AN, Gokce A. Intracorporeal pneumatic shock application for the treatment of chronic plantar fasciitis: a randomized, double blind prospective clinical trial. *Arch Orthop Trauma Surg*. 2010; 130: 541-6.
57. Gerdesmeyer L, Frey C, Vester J, Maier M, Weil L Jr, Weil L Sr, Russlies M, Stienstra J, Scurran B, Fedder K, Diehl P, Lohrer H, Henne M, Gollwitzer H. Radial extracorporeal shock wave therapy is safe and effective in the treatment of chronic recalcitrant plantar fasciitis: results of a confirmatory randomized placebo-controlled multicenter study. *Am J Sports Med*. 2008; 36: 2100-9.
58. Gollwitzer H, Diehl P, von Korff A, Rahlfs VW, Gerdesmeyer L. Extracorporeal shock wave therapy for chronic painful heel syndrome: a prospective, double blind, randomized trial assessing the efficacy of a new electromagnetic shock wave device. *J Foot Ankle Surg*. 2007; 46: 348-57.
59. Greve JM, Grecco MV, Santos-Silva PR. Comparison of radial shockwaves and conventional physiotherapy for treating plantar fasciitis. *Clinics*. 2009; 64: 97-103.

60. Hammer DS, Adam F, Kreutz A, Kohn D, Seil R. Extracorporeal shock wave therapy (ESWT) in patients with chronic proximal plantar fasciitis: a 2-year follow-up. *Foot Ankle Int*. 2003; 24: 823-8.
61. Ibrahim MI, Donatelli RA, Schmitz C, Hellman MA, Buxbaum F. Chronic plantar fasciitis treated with two sessions of radial extracorporeal shock wave therapy. *Foot Ankle Int*. 2010; 31: 391-7.
62. Malay DS, Pressman MM, Assili A, Kline JT, York S, Buren B, Heyman ER, Borowsky P, LeMay C. Extracorporeal shockwave therapy versus placebo for the treatment of chronic proximal plantar fasciitis: results of a randomized, placebo-controlled, double-blinded, multi-center intervention trial. *J Foot Ankle Surg*. 2006; 45: 196-210.
63. Marks W, Jackiewicz A, Witkowski Z, Kot J, Deja W, Lasek J. Extracorporeal shock-wave therapy (ESWT) with a new-generation pneumatic device in the treatment of heel pain. A double blind randomised controlled trial. *Acta Orthop Belg*. 2008; 74: 98-101.
64. Ogden JA, Alvarez R, Levitt R, Cross GL, Marlow M. Shock wave therapy for chronic proximal plantar fasciitis. *Clin Orthop Relat Res*. 2001; 387: 47-59.
65. Ogden JA, Alvarez RG, Levitt RL, Johnson JE, Marlow ME. Electrohydraulic high-energy shock-wave treatment for chronic plantar fasciitis. *J Bone Joint Surg Am*. 2004; 86: 2216-28.
66. Porter MD, Shadbolt B. Intralesional corticosteroid injection versus extracorporeal shock wave therapy for plantar fasciopathy. *Clin J Sport Med*. 2005; 15: 119-24.
67. Rompe JD. Shock-wave therapy for plantar fasciitis. *J Bone Joint Surg Am*. 2005; 87: 681-2.
68. Rompe JD, Decking J, Schoellner C, Nafe B. Shock wave application for chronic plantar fasciitis in running athletes. A prospective, randomized, placebo-controlled trial. *Am J Sports Med*. 2003; 31: 268-75.
69. Speed CA, Nichols D, Wies J, Humphreys H, Richards C, Burnet S, Hazleman BL. Extracorporeal shock wave therapy for plantar fasciitis. A double blind randomised controlled trial. *J Orthop Res*. 2003; 21: 937-40.
70. Theodore GH, Buch M, Amendola A, Bachmann C, Fleming LL, Zingas C. Extracorporeal shock wave therapy for the treatment of plantar fasciitis. *Foot Ankle Int*. 2004; 25: 290-7.
71. Wang CJ, Wang FS, Yang KD, Weng LH, Ko JY. Long-term results of extracorporeal shockwave treatment for plantar fasciitis. *Am J Sports Med*. 2006; 34: 592-6.
72. Yucel I, Ozturan KE, Demiraran Y, Degirmenci E, Kaynak G. Comparison of high-dose extracorporeal shockwave therapy and intralesional corticosteroid injection in the treatment of plantar fasciitis. *J Am Podiatr Med Assoc*. 2010; 100: 105-10.
73. Thomson CE, Crawford F, Murray GD. The effectiveness of extra corporeal shock wave therapy for plantar heel pain: a systematic review and meta-analysis. *BMC Musculoskelet Disord*. 2005; 6: 19-30.
74. Caselli MA, Clark N, Lazarus S, Velez Z, Venegas L. Evaluation of magnetic foil and PPT Insoles in the treatment of heel pain. *J Am Podiatr Med Assoc*. 1997; 87: 11-6.
75. Martin JE, Hosch JC, Goforth WP, Murff RT, Lynch DM, Odom RD. Mechanical treatment of plantar fasciitis. A prospective study. *J Am Podiatr Med Assoc*. 2001; 91: 55-62.
76. Barry LD, Barry AN, Chen Y. A retrospective study of standing gastrocnemius-soleus stretching versus night splinting in the treatment of plantar fasciitis. *J Foot Ankle Surg*. 2002; 41: 221-7.
77. Powell M, Post WR, Keener J, Wearden S. Effective treatment of chronic plantar fasciitis with dorsiflexion night splints: a crossover prospective randomized outcome study. *Foot Ankle Int*. 1998; 19: 10-8.
78. Probe RA, Baca M, Adams R, Preece C. Night splint treatment for plantar fasciitis. A prospective randomized study. *Clin Orthop Relat Res*. 1999; 368: 190-5.
79. Digiovanni BF, Nawoczenski DA, Malay DP, Graci PA, Williams TT, Wilding GE, Baumhauer JF. Plantar fascia-specific stretching exercise improves outcomes in patients with chronic plantar fasciitis. A prospective clinical trial with two-year follow-up. *J Bone Joint Surg Am*. 2006; 88: 1775-81.

〔木村　佑〕

第5章
足部障害に対する運動療法とスポーツ復帰

　第5章は運動連鎖，足部の運動療法，インソールの3項から構成される。本書で取り上げた多くの疾患において，エビデンスレベルの高い研究は十分とはいえず，必然的にエビデンスレベルの低い論文，バイオメカニクスや疫学などの基礎的な研究を参考にせざるをえない。その際に，一定の経験を積んだ臨床家による臨床的な推論や意思決定のプロセスに，どのような文献的情報を加味しているのかを知ることは，若手セラピストにとっては重要な道標になると思われる。したがって，本章では第1章から第4章までに記載された文献レビューの結果とともに，経験豊富な執筆者の臨床的な思考や意思決定にいたるプロセスを十分に盛り込んでいただいた。

　第13項では，足部とその上位関節との運動連鎖について整理していただいた。後足部アライメントと膝や股関節との運動連鎖は，膝伸展位と膝屈曲位では大きく異なる。執筆者である加賀谷先生は，下肢の動的アライメントに関する動作分析研究を積み重ねておられ，自験例を含めて上記のテーマについて記述していただいた。

　第14項では，足部のマルアライメントに対して，リアライメントのために，あるいはマルアライメント再発予防のための運動療法について整理していただいた。足部の運動療法を構築するにあたっては，足部のマルアライメントを個々の関節のアライメントまで分解して理解し，複数の関節のアライメントの組み合わせに応じてエクササイズを選択することの重要性が示された。

　第15項では，足部リアライメントまたはマルアライメント再発予防を目的としたインソールについて記載した。少ない経験ではあるが，複数のインソールを臨床にて使用した経験，文献的な情報を踏まえて，効果的に足部のリアライメントを達成するインソールの考え方について述べさせていただいた。

　本章の記載内容は十分なエビデンスの裏づけのない情報も含まれている。しかしながら，これらの臨床的な推論や意思決定の根拠となる思考は現代の医療において結論ではないかもしれないが，今後の研究や臨床を前進させるためのヒントを提供してくれるものと考えている。今後の検討課題を多く含むことを前提としてお読みいただけると幸いである。

第5章編集担当：蒲田　和芳

13. 関節運動連鎖と足部機能

はじめに

歩行解析などのバイオメカニクス研究において足部は剛体とみなされ，足部自体の変形はあまり考慮されていない．しかし，二足歩行を獲得したヒトの足部は28個の骨が多数の靱帯で結合された複雑な形状を呈しており，距骨下関節，横足根間関節（Chopart関節），足根中足関節（Lisfranc関節），中足趾節関節などの関節を有している．その形状は，靱帯だけでなく多くの筋やアーチ機能により保たれており，柔軟性による衝撃吸収と剛性による推進力の獲得という相反する役割ゆえに絶えず力学的負荷を受けている．

スポーツ活動は，日常生活活動と比べてランニングやジャンプ，カッティングなど身体に多大な負荷が加わる動作の連続である．足部のスポーツ障害は，これらのスポーツ動作で足部の組織に伸張・圧縮・回旋・剪断などの複合的負荷が繰り返し加わることで生じる．足底は唯一地面と接する部位で，足部回内に伴い下腿および大腿は内旋し，足部回外によって下腿・大腿は外旋することが知られている[1]．足部のアライメント不良は，上位関節に影響を与えるため，足部機能を向上させ動的アライメントを整えることが，足部障害に限らずスポーツ障害の治療や予防の観点からも重要となる．

スポーツ復帰に向けた運動療法をプログラムする際には，足部に生じる過負荷を推定し，その負荷を軽減させるようにアプローチする．しかし，スポーツ動作時の足部の動きを実験的に証明することは必ずしも容易ではなく，臨床的感覚で観察評価している例は多いと思われる．本項では，科学的根拠に基づき足部機能が影響を与える関節運動連鎖の国際的文献を紹介するとともに，筆者が実施している足部機能評価と運動療法について解説する．

A. 下肢の運動連鎖

1. 静止立位時の運動連鎖

立位時の静的アライメント変化について，Khamisら[1]は，35名の被験者に対し10°，15°，20°の傾斜台を用いて後足部を外反させた際の上位関節の変化を三次元的に解析した．その結果，後足部外反に伴い下腿および大腿は内旋し，骨盤は前傾することを報告した（図13-1）．これは，足部アライメントの変化が，上位関節のアラ

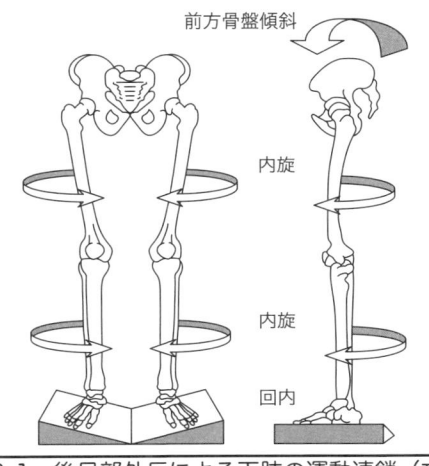

図13-1 後足部外反による下肢の運動連鎖（文献1より引用）
後足部外反に伴い下腿および大腿は内旋し，骨盤は前傾する．

第5章　足部障害に対する運動療法とスポーツ復帰

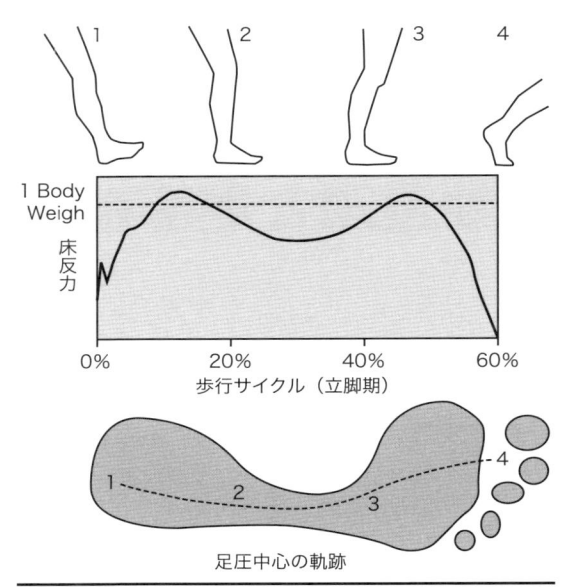

図13-2　歩行時の床反力と圧中心（文献2より引用）
歩行時の足圧中心の軌跡は踵部中央より外側から接地し，mid-stanceからtoe offにかけて内側（母趾球側）に移動する。

図13-3　ランニング時の足圧中心の軌跡（文献3より引用）
ランニング時は，後足部で接地するタイプと中足部や前足部で接地するタイプがあり速度によって足圧中心の軌跡は変化する。

歩行サイクル		部位			
%	事象	下腿	足関節	距骨下関節	横足根関節
0	踵接地	内旋	底屈	回内	自由運動
20	フットフラット		背屈		
40	ミッドスタンス	外旋		回外	制限増加
60	ヒールレイズ／トウオフ		底屈		
80		内旋	背屈	回内	自由運動
100	踵接地				

図13-4　歩行周期における下肢関節の運動連鎖（文献2, 5より引用）

イメントに影響を及ぼすことを示している。

2. 歩行およびランニング時の運動連鎖

歩行時の運動解析に関する論文は比較的多く，足圧中心の軌跡は踵部中央より外側から接地し，mid-stanceからtoe offにかけて内側（母趾球側）に移動することが知られている（**図13-2**）[2]。ランニング時には，後足部で接地するタイプと中足部や前足部で接地するタイプがあり[3,4]，速度によって足圧中心の軌跡は変化する（**図13-3**）。

歩行時の下肢の関節運動連鎖については，heel strikeからfoot flatにかけて下腿内旋・距骨下関節回内，foot flatからtoe offにかけて下腿外旋・距骨下関節回外，toe offからheel strikeまでの遊脚相では下腿内旋・距骨下関節回内し（**図13-4**），Chopart関節の動きには諸説がある[2,5,6]。Pohlら[6]は，後足部と前足部の連関を三次元的に解析し，後足部外反と下腿内旋の相関は，歩行 $r=0.46$ に対しランニングは $r>0.95$ と高いことを示した。また，後足部外反と前足部外転は，歩行・ランニングともに $r>0.90$ と高い相関を認めたのに対し，後足部と前足部外反に相関が認められないことを報告した。これは，歩行とラン

13. 関節運動連鎖と足部機能

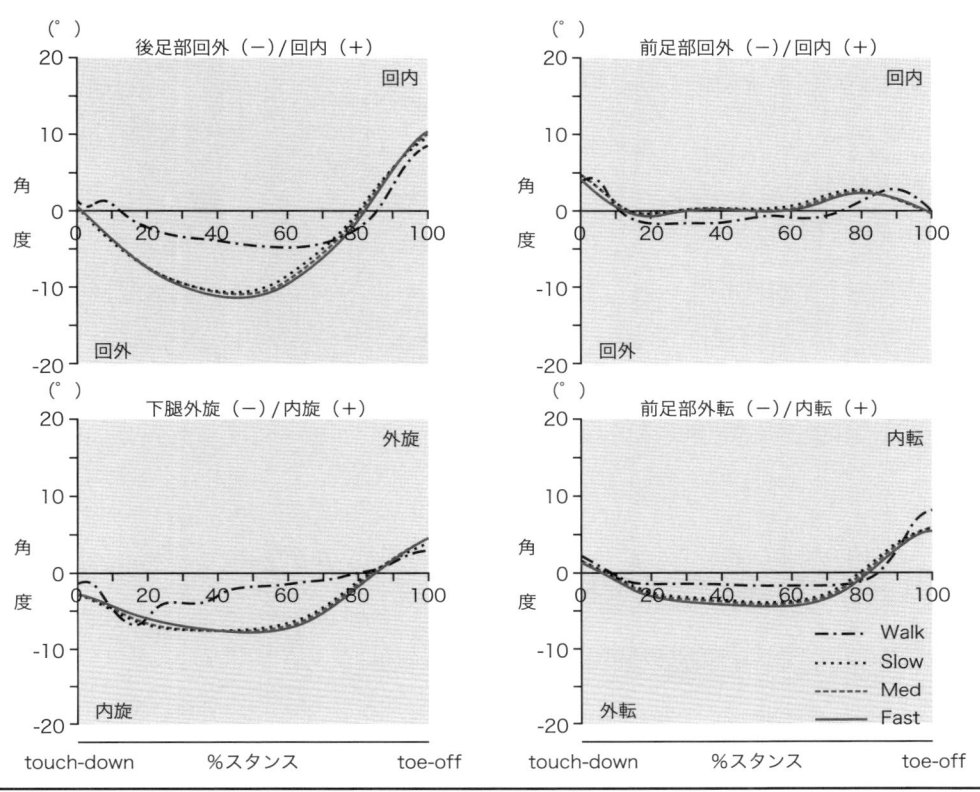

図13-5 ランニング時の関節運動連鎖（文献6より引用）

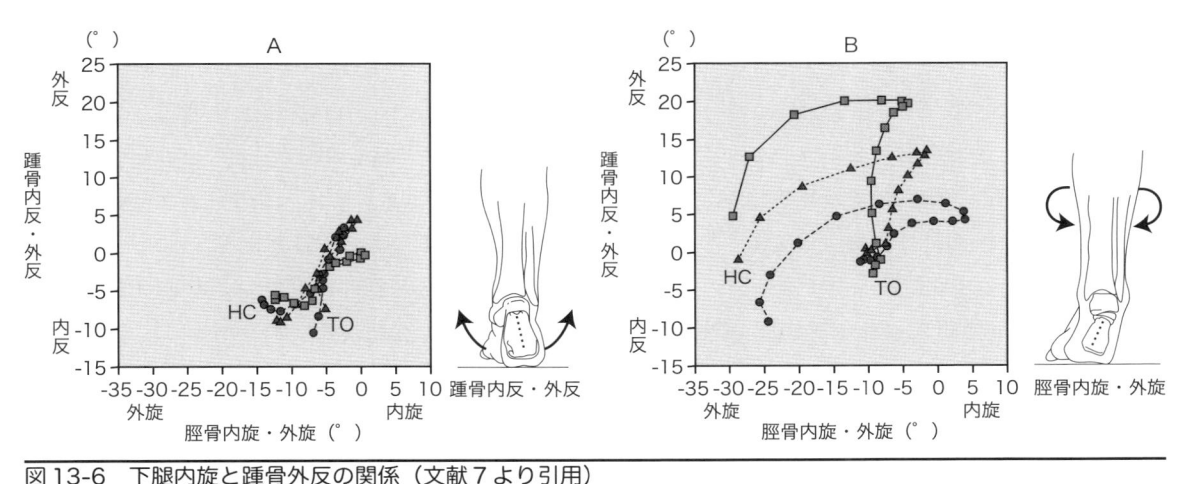

図13-6 下腿内旋と踵骨外反の関係（文献7より引用）
扁平足群（A）は下腿回旋量に対する踵骨内外反量の比が大きいのに対し，ハイアーチ群（B）は下腿回旋量の比が大きい．HC：heel contact，TO：toe off．

ニング時の関節運動連鎖が必ずしも同様とはいえず，後足部と前足部の運動連鎖は一定とはいい切れないことを示している（**図13-5**）．

後足部と下腿の運動連鎖はアーチ構造によっても変化する．Nawoczenskiら[7]は，扁平足群とハイアーチ群のランニングを三次元的に解析し，扁平足群は下腿回旋量に対する踵骨内外反量の比が大きいのに対し，ハイアーチ群は下腿回旋量の

第 5 章　足部障害に対する運動療法とスポーツ復帰

課題：1．片脚スクワット（squatting）
　　　2．30 cm の台からの片脚着地（landing）
　　　　正面および後面からデジタルビデオカメラで撮影

Dynamic function test：
　①動的Trendelenburgテスト（DTT）
　　＋：対側骨盤が下降
　　－：水平位または上昇
　②動的heel floor test（HFT）
　　＋：5°以上の外反
　　－：5°未満の外反または内反

分析：
　a．膝内方偏位量（KID：knee in distance）
　b．骨盤外方偏位量（HOD：Hip out distance）

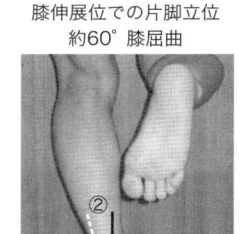

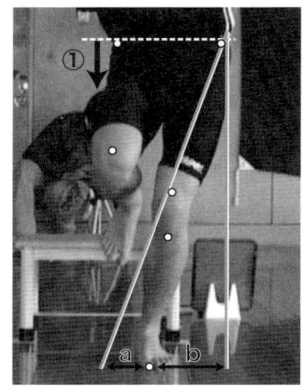

図 13-7　前十字靱帯損傷予防のためのスクリーニングテスト

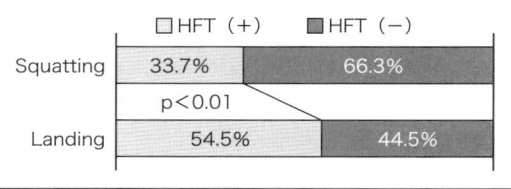

図 13-8　DTT および HFT 陽性率の比較（文献 10 より引用）

	Squatting	Landing
HFT（＋）	33.7%	54.5%
HFT（－）	66.3%	44.5%

p＜0.01

表 13-1　スクリーニング時の KID および HOD（文献 10 より引用）

	例数	KID（cm）	HOD（cm）
HFT（＋）	59	12.0 ± 5.8	13.6 ± 2.5
HFT（－）	116	9.2 ± 6.0＊	14.7 ± 2.7＊

＊ $p < 0.05$ vs. HFT（＋）

比が大きいことを示した（**図 13-6**）。これらは，アーチの高さによって下腿回旋と踵骨内外反の比が異なることを示している。McClayら[8]は後足部中間位群 9 名と回内群 9 名のランニング動作を三次元的に解析し，中間位群はやや回外位で接地するのに対し，回内群は回内位で接地することを示した。Williamsら[9]は，ハイアーチのランナーは足部・足関節障害や外側構成体の障害が多く，扁平足のランナーは膝関節障害や内側構成体の障害が多いと報告した（**図 3-13 参照**）。内側縦アーチの形状によって，後足部の接地位置や上位関節のアライメントに影響を及ぼし，障害特性が変わることが示唆される。

3．自験例による運動連鎖の視点

われわれは，股関節外転筋および後足部機能に着目した膝前十字靱帯損傷予防のためのスクリーニングテストを実施している（**図 13-7**）。片脚スクワット（Squatting）および 30 cm の台からの片脚着地（Landing）動作時の膝内方偏位量（KID：knee in distance）と骨盤外方偏位量（HOD：hip out distance）を算出し，動的 Trendelenburg テスト（DTT）および動的 heel floor test（HFT）との関連性を報告してきた[10〜12]。後足部機能の評価に利用している HFT は squatting および landing 時に踵骨が 5°以上外反する者を陽性とするテストで，高校女子バスケットボール選手 143 肢を対象にした研究では，HFT 陽性率は squatting で 33.7 %，landing で 54.5 %に出現し（**図 13-9**），HFT 陰性群に比べて KID は有意に増大するが HOD は減少することを報告した（**表 13-1**）[10]。これは後足部の動的アライメントが膝関節に影響を及ぼすことを意味する。

後足部外反と内側縦アーチ降下の関係について，Kawasakiら[13]は，11 名の健常成人に対し三次元動作解析を用いて，squatting 時の踵骨外

反と舟状骨高の関係を検討した。その結果，踵骨外反と舟状骨高の相関は r＝－0.3 と低いことを示した（**図13-9**）。この報告後，われわれはスクリーニングテストの項目に navicular drop（ND）を追加し検討を重ね，ND と KID および HOD の相関係数はおのおの r＝0.19，r＝－0.14 と相関は認めないものの，HFT 陽性群は有意に ND が大きいことを報告した（**表13-2**）[14]。

B. 足部機能評価による問題点の特定

足部のスポーツ障害には，扁平足障害や外反母趾，アキレス腱炎，踵骨骨端症，三角骨障害，後脛骨筋腱炎，腓骨筋腱炎，種子骨障害などがある。いかなる障害であっても，障害ごとに評価が異なるわけではなく，足部機能評価によって痛みを誘発する負荷様式を特定することが重要となる。

1. 炎症所見

足部スポーツ障害の多くは，痛みによるスポーツ活動の制限が主訴となる。痛みや腫脹などの炎症所見は重要で，特に痛みに関してはアライメントとの関連性を注意深く評価する。

2. 関節可動域（ROM）

ROM については，足関節背屈・底屈だけでなく中足趾節間関節・距骨下関節・前足部などの可動性を評価し，痛みを発現する動作に影響を及ぼしていないかチェックする。特に距骨下関節や前足部の可動性は扁平足障害に起因するさまざまな足部機能障害と関連する。距骨下関節と Chopart 関節の ROM によっては，後足部外反と内側縦アーチ降下の関係に影響を及ぼすため，詳細な評価が必要である。

足関節背屈は，単に角度計を用いて ROM を測定するのではなく，距骨の後方滑動性を評価することが重要である。足関節背屈時に，距骨は足関節窩に対し後方にすべりながら転がり運動を行うため，背屈制限の要因として距骨の後方すべりが阻害されている場合は少なくない。距骨内側の滑動性低下は，長母趾屈筋腱の短縮や滑走性低下に起因する場合も多いため，阻害因子を特定していくことが重要である。

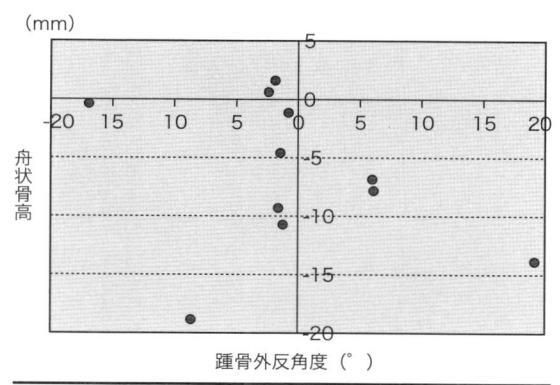

図13-9 踵骨外反角度と舟状骨高との相関関係（文献13より作図）
踵骨外反と舟状骨高の相関はと低い。

表13-2 ND と HFT の関係（文献14より作成）

	例数	ND（mm）
HFT（＋）	42	5.2 ± 3.4
HFT（－）	103	3.4 ± 3.2 **

** $p < 0.01$ vs. HFT（＋）

3. 筋力および筋腱機能

筋力は，足部機能やアーチ機能に関連する筋群に対し徒手筋力検査法を実施するだけでなく，荷重位での動的アライメント評価のなかで，これらの筋が適切に機能しているかを観察する。必要に応じて，股関節や体幹の筋機能もチェックする。

ウインドラス機能の評価は，荷重位を想定し足関節中間位で母趾および四趾を他動的に伸展し抵抗感を触知する（**図13-10**）。ウインドラス機能が十分に発揮されない者は抵抗感なく30°以上容易に伸展し，歩行の蹴り出し時に影響を与える

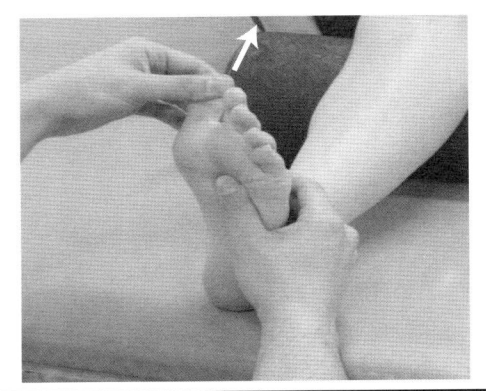

第5章 足部障害に対する運動療法とスポーツ復帰

図13-10 ウインドラス機能の評価（文献15より引用）
荷重位を想定し足関節中間位で母趾および四趾を他動的に伸展し抵抗感を触知する。

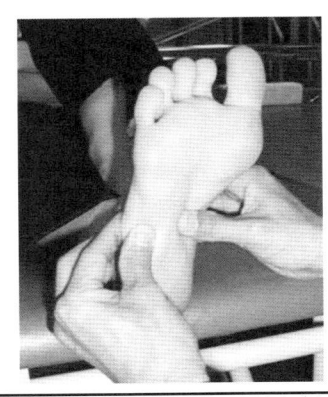

図13-12 第5中足骨動揺性の評価（文献15より引用）
第5中足骨の動揺性が存在すると腓骨筋の機能低下が出現することが多い。

後面　　前面

カーフレイズ　　スクワッティング

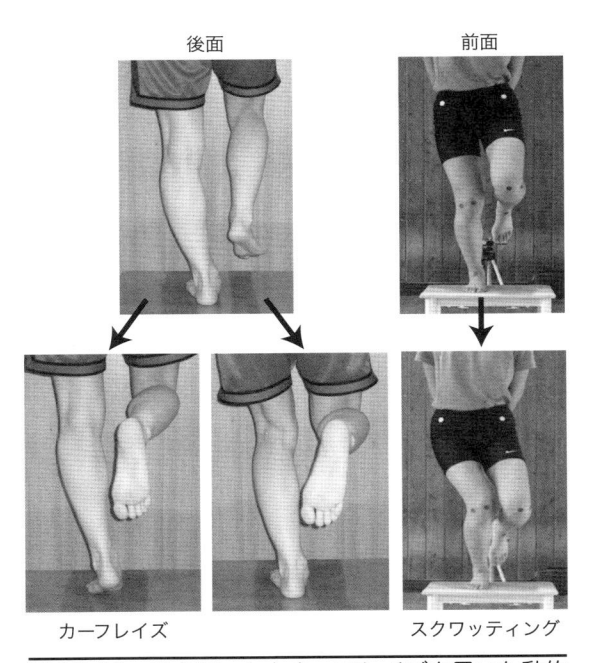

図13-11 スクワットとカーフレイズを用いた動的アライメント評価

ことが推測される[15]。

4．アライメント

静的アライメントについては，calcaneus angleやleg-heel angle，舟状骨高，外反母趾などを計測する。動的アライメントについては，HFTやNDだけでなく，必要に応じてKIDやHOD，DTTなど上位関節のアライメントも評価する。われわれは，スクリーニングテストの際には便宜上，squattingおよびlanding時に踵骨が5°以上外反する者をHFT陽性としているが，病院内やスポーツフィールドでは，squattingとcalf raiseで評価するとよい（**図13-11**）。オリジナルの判定方法は，片脚起立からの床面に対する踵骨軸の傾斜角を計測し，①内反5°以内は（−），②内反5°以上は（2−），③外反5°以内は（＋），④外反5°以上は（2＋），⑤変化なしは（±）としている[16]。

5．関節不安定性

関節不安定性は足関節外側靱帯損傷の際に用いる内反不安定性テストなどの評価や第5中足骨動揺性を確認する（**図13-12**）。靱帯損傷後で，内反不安定性が強く距骨下関節の回内可動性が制限されている選手は少なくない。また，第5中足骨の動揺性が存在すると腓骨筋の機能低下が出現することが多い。

C．スポーツ復帰のための運動療法

内側縦アーチ機構に重要な後脛骨筋や長母趾屈

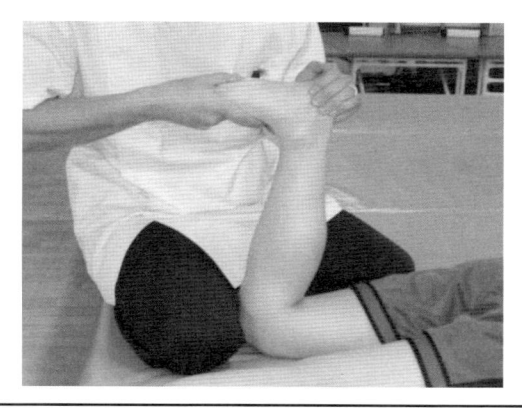

図13-13　距骨下関節可動性の改善（文献17より引用）

図13-14　距骨内側の後方滑動性改善（文献17より引用）

筋，長趾屈筋は下腿骨深層に起始をもつ。下走した筋群は，脛骨内果の後上方付近で長趾屈筋と後脛骨筋が交差し，足底の舟状骨付近で長趾屈筋と長母趾屈筋が母趾外転筋より深層で交差する。これらの筋腱が交差する部位には腱鞘が存在し腱の滑走性を高めている。足部・足関節に対する運動療法に重要な視点は，筋が活動しやすい環境を整えることで，関節拘縮や筋の柔軟性低下に対するアプローチだけでなく，阻害された腱の滑走性を高める工夫が必要となる。

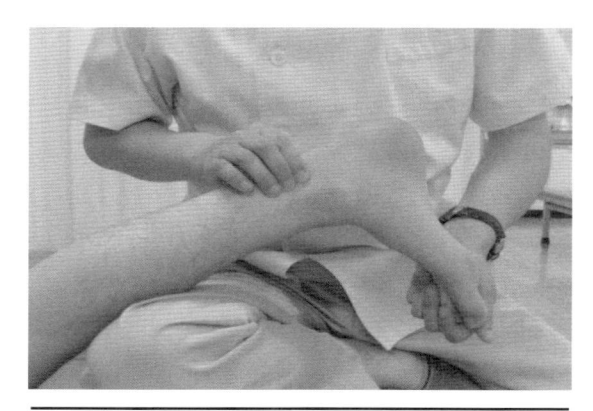

図13-15　下腿交差周囲の滑走性改善（文献17より引用）

1. 距骨下関節可動性の改善

距骨下関節の回内可動性に制限があり，踵骨が内反位にある症例には距骨下関節の回内ROMエクササイズを実施する。載距突起部を目印に距骨下関節以遠の踵骨を把持し，回内方向に徒手操作を加える。足関節底屈位では足部全体の外反が生じるため，距骨が足関節窩に固定される背屈位か中間位で実施する（図13-13）。

2. 距骨の後方滑動性改善

距骨の後方すべりが阻害される例は，臨床的には外側に比べて内側が多い。距骨内側の後方すべりが阻害されると，足関節背屈時に過剰な足部外転回内を引き起こす原因となり，三角骨障害をはじめとする足部スポーツ障害では，距骨の後方滑動性が阻害され背屈ROM制限を呈する症例も少なくない。その場合は，足関節背屈と同時に距骨を後方に押し込むよう徒手的に操作する（図13-14）。距骨の後方すべりを誘導するには長母趾屈筋の緊張をゆるめたほうが行いやすいため，足趾に手がかからないように注意する。

3. 下腿交差周囲部の滑走性改善

下腿交差部に圧を加えながら他動的に足関節背屈を繰り返す。圧の方向は背屈と同時に近位にか

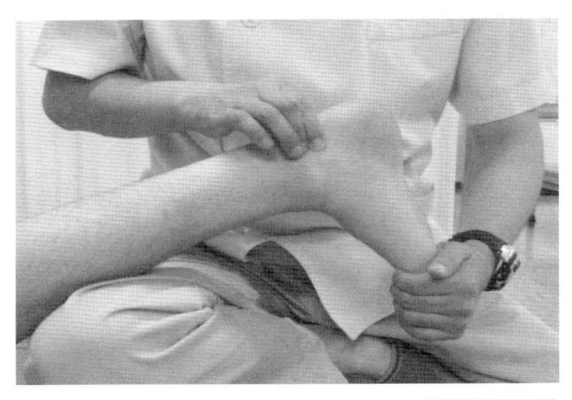

第5章　足部障害に対する運動療法とスポーツ復帰

図13-16　脛骨内果後下方から載距突起部の滑走性改善（文献17より引用）

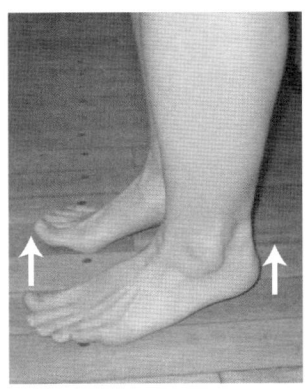

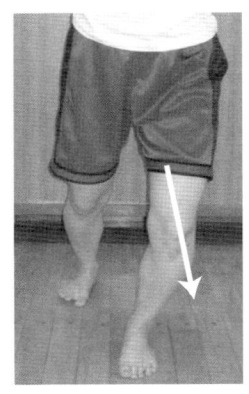

A．トゥアップと同時に行うヒールレイズ　　B．ニーアウトスクワッティング

図13-17　アーチ機能の改善（文献18より引用）

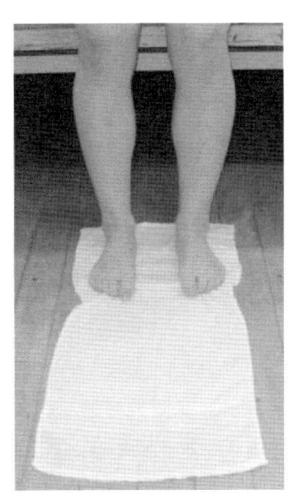

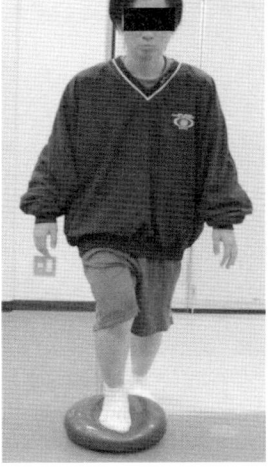

A．タオルギャザー　　B．バランスディスク

図13-18　神経筋協調エクササイズ（文献18より引用）

た後，距骨後縁の長母趾屈筋腱に直接圧迫を加えながら他動的に足関節背屈を繰り返す（**図13-16**）。圧の方向は背屈に合わせて近位にかけ，脛骨内果後下方から載距突起部の滑動性を促すようにする。足関節背屈の際は母趾側に手を置き，長母趾屈筋の伸張も同時に意識する。

5．アーチ機能の改善（**図13-17**）

母趾外転筋や小趾外転筋，足趾伸筋群の機能向上には，座位で足趾を開排しながら toe up を行う。toe up が正しい運動方向で実施可能になると heel raise を同時に行い，足趾伸筋群と足関節底屈筋群の協調活動を促通する。協調運動が可能になると負荷量を増やしつつ段階的に立位で実施する。

足趾で床をかむような使い方は，立位時の安定性を高めスポーツ動作時のストップ動作には有利であるが，歩行やランニング時の推進力を得るには不利に働く。このような選手は，長母趾屈筋や長趾屈筋，足底内在筋群が慢性的に硬くなっている場合が多い。

距骨下関節・Chopart 関節ともに柔軟性が高く後足部外反・内側縦アーチ降下の強い選手には knee out squatting を行い，荷重下でのアーチ機

け，下腿交差以遠の後脛骨筋腱および長趾屈筋腱の伸張を意識する。次に背屈に合わせて遠位方向に圧をかけ，下腿交差部の滑走性を促すようにする。足関節背屈の際は四趾側に手を置き，長趾屈筋の伸張も同時に意識する（**図13-15**）。

4．脛骨内果後下方から載距突起部の滑動性改善

屈筋支帯に直交する方向にマッサージを実施し

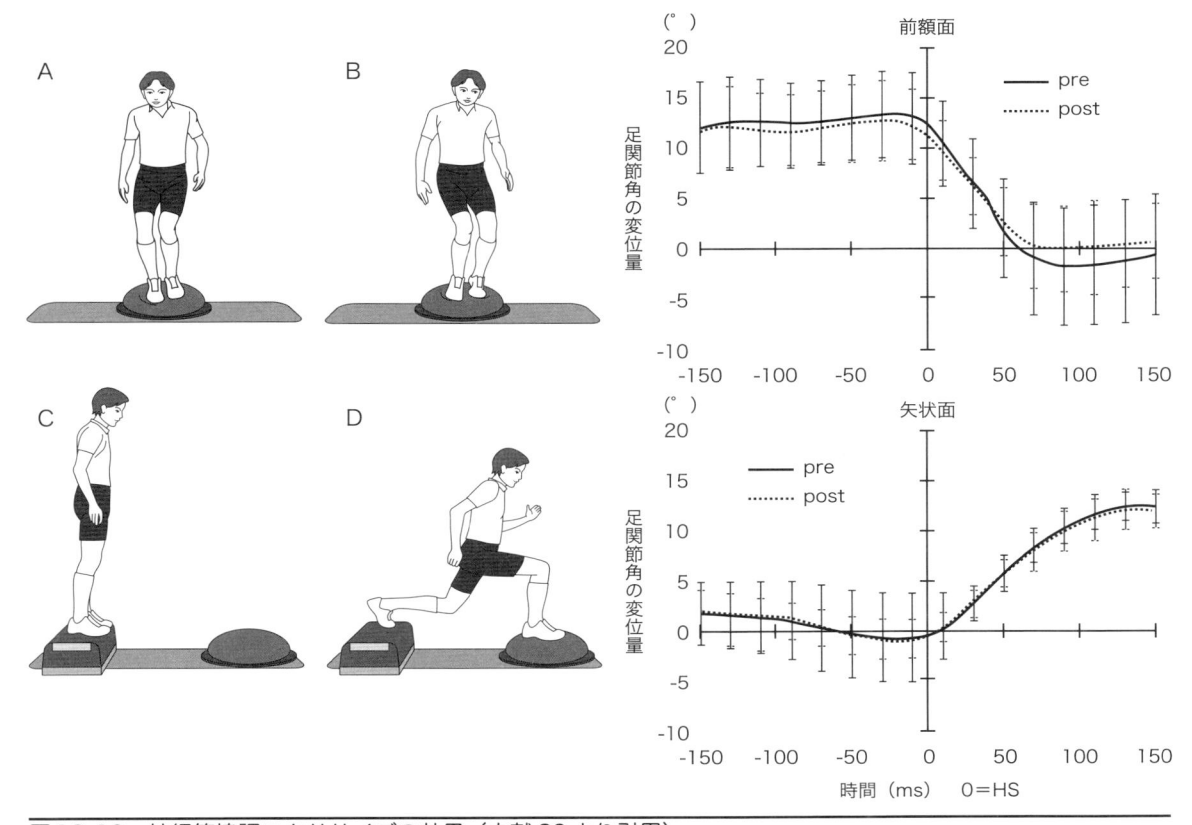

図 13-19 神経筋協調エクササイズの効果（文献 20 より引用）
足関節の機能的不安定性を有する 20 歳代の対象者に 4 週間のバランストレーニングを実施したが，歩行時の足関節角度に変化がみられなかった。

能のコントロール能力を高める。荷重線を修正しつつ，膝外反を制動する筋の再学習に役立つだけでなく，関節運動連鎖の影響で，後足部は内反しアーチが挙上するので，足部アーチを構成する筋の活動性も高まる。

6. 神経筋協調エクササイズ（図 13-18）

　タオルギャザーは，ウインドラス機能の低下が認められる症例や神経筋協調エクササイズとして利用されるが，母趾と四趾のどちらを意識するか使い分ける。長母趾屈筋腱の滑走性低下が認められる場合は母趾を中心に行い，長趾屈筋に問題がある場合は四趾を意識させる。なお，ウインドラス機能の低下が認められる例であっても，足趾で床をかむような使い方をする例にはtoe up and heel raise（図 13-17）を指導するほうが望ましい。

　神経筋協調エクササイズの代表例には，バランスパッドやバランスボード，BOSU などを利用したバランストレーニングがあげられる。感覚器からのフィードバックによる姿勢制御機能は，床傾斜時の腓腹筋・前脛骨筋の活動から検討されており，長潜時は 15 歳頃に成人値に達すると報告されている[19]。この年代以降のバランストレーニング効果には negative study も存在する。Coughlan ら[20] は足関節の機能的不安定性を有する 20 歳代の被験者に 4 週間のバランストレーニングを実施したが，歩行時の足関節角度に変化がないことを報告した（図 13-19）。

第5章　足部障害に対する運動療法とスポーツ復帰

　　A.　コンビネーションカーフレイズ　　　　B.　ニーベントウォーク

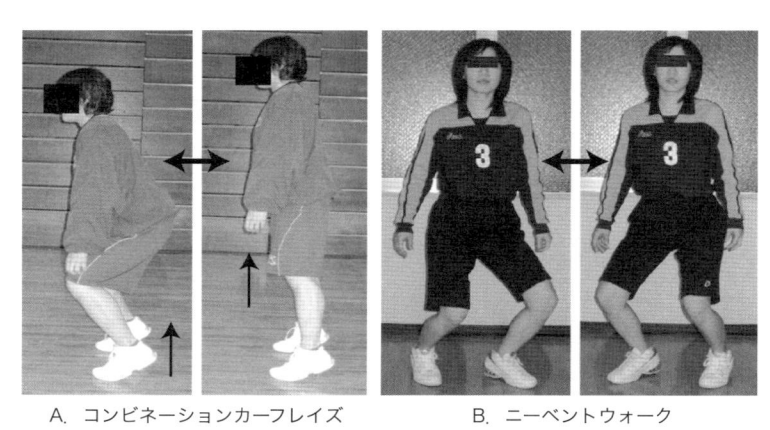

図13-20　スポーツ復帰に向けたスキルエクササイズの例

7. スポーツ復帰に向けたスキルエクササイズ

　スポーツ復帰に向けては，必要に応じてコンビネーションカーフレイズやツイスティング，ニーベントウォークなどを行い，過剰なアーチの降下や挙上を制動できるスキルを高めていく（**図13-20**）。コンビネーションカーフレイズは過度の外側荷重や母趾球荷重が生じないようコントロールし，squattingやcalf raiseの評価の際に観察された問題点が修正できているかを確認する。ツイスティングはステップ動作開始に向けてのスキルとして重要で，段階的にサイドステップやストップ動作を導入する。ニーベントウォークは通常歩行に比べ，foot strikeおよびtake off時の衝撃力は小さくmid supportでの安定性が高いため，ランニングなどの準備段階として有効なエクササイズである[21]。

　初期の段階では患部の炎症症状が軽減し，機能障害を改善することが最優先だが，スポーツ復帰や再発予防に向けては，誤った身体操作を修正し特定部位に生じる過負荷を軽減することが重要で，そのためには局所アプローチだけでなく，動的アライメントの観点から全身的アプローチが必要となる。

D. テーピングや足底挿板の有効活用

　足部スポーツ障害に対して，機能障害に応じた適切な運動療法をプログラムすることは重要ではあるが，スポーツ復帰に向けてはテーピングや足底挿板を有効に活用する。テーピングは機能解剖に基づき，必要最小限の本数で問題となる動きを制動する。足底挿板はアライメント不良の修正と正しい運動方向への誘導という観点から活用する。

　テーピングや足底挿板は即時効果の点では優れており，目先のスポーツ復帰のためには有用である。しかし，長期的にはテーピングや足底挿板だけに依存するのではなく，適切な運動療法の指導および環境要因，トレーニング要因に対するアプローチを含めた理学療法の立案が重要である。

E. まとめ

　足部のスポーツ障害に対する運動療法は，下肢の関節運動連鎖を理解したうえで，的確な機能評価を実施するこが必要となる。問題となる負荷を推定し，その負荷を減弱させるための個体要因に対する理学療法をアライメントの観点から立案することが重要で，スポーツ復帰に向けては局所だ

けではなく，誤った身体操作を修正する全身的アプローチが望まれる。

文　献

1. Khamis S, Yizhar Z. Effect of feet hyperpronation on pelvic alignment in a standing position. *Gait Posture*. 2007; 25: 127-34.
2. Rodgers MM. Dynamic biomechanics of normal foot and ankle during walking and running. *Phys Ther*. 1988; 68: 1822-30.
3. Cavanagh PR, Lafortune MA. Ground reaction forces in distance running. *J Biomech*. 1980; 13: 397-406.
4. Pohl MB, Buckley JG. Changes in foot and shank coupling due to alterations in foot strike pattern during running. *Clin Biomech*. 2008; 23: 334-41.
5. Mann RA. Biomechanics of the foot. In: Bunch WH, et al. eds. *Atlas of Orthotics: Biomechanical Principles and Application*, ed 2. CV Mosby, St. Louis, 1985; 112-25.
6. Pohl MB, Messenger N, Buckley JG. Forefoot, rearfoot and shank coupling: effect of variations in speed and mode of gait. *Gait Posture*. 2007; 25: 295-302.
7. Nawoczenski DA, Saltzman CL, Cook TM. The effect of foot structure on the three-dimensional kinematic coupling behavior of the leg and rear foot. *Phys Ther*. 1998; 78: 404-16.
8. McClay I, Manal K. A comparison of three-dimensional lower extremity kinematics during running between exessive pronators and normals. *Clin Biomech*. 1998; 13: 195-203.
9. Williams III DS, McClay IS, Hamill J. Arch structure and injury patterns in runners. *Clin Biomech*. 2001; 16: 341-7.
10. 加賀谷善教, 西薗秀嗣, 藤井康成. 高校女子バスケットボール選手の股関節外転筋・後足部機能と Knee in および Hip out の関係について. 体力科学, 2009; 58: 55-62.
11. 加賀谷善教, 藤井康成, 西薗秀嗣. 高校バスケットボール選手に対するメディカルチェックの性差. 日本臨床スポーツ医学会誌, 2009; 17: 353-61.
12. 加賀谷善教, 川崎　渉, 藤井康成, 西薗秀嗣. 二次元画像で算出した Knee in distance および Hip out distance の妥当性～片脚着地動作における三次元動作解析との比較から～. 体力科学, 2010; 59: 407-14.
13. Kawasaki W, Kagaya Y. Kinematic analysis of the calcaneus and a navicular during single leg squat. *7th APOSSM program book*. 2010; 92.
14. 加賀谷善教, 中條智志. 股関節外転筋・後足部機能と下腿外旋可動域および内側縦アーチ高との関連性. 日本臨床スポーツ医学会誌, 2011; 19: S182.
15. 加賀谷善教. スポーツ外傷・障害の理学療法における足底挿板の活用. 理学療法, 2011; 28: 475-83.
16. 藤井康成, 小倉　雅, 東郷泰久, 山口　聡, 福田隆一, 永濱良太, 栫　博則, 小宮節郎. 下肢アライメントの評価における動的 Heel-floor angle の有用性. 臨床スポーツ医学, 2004; 21: 687-92.
17. 加賀谷善教. 足関節周囲組織のセラピューティック・ストレッチング. 理学療法, 2010; 27: 1105-12.
18. 加賀谷善教, 藤井康成, 金高宏文. 成長期特有の足部障害と理学療法. 理学療法, 2007; 24: 702-10.
19. Hass G, Diener HC, Bacher M, Dichgans J. Development of postural control in children: short, medium, and long latency EMG responses of leg muscles after perturbation of stance. *Exp Brain Res*. 1986; 64:127-32.
20. Coughlan G, Caulfield B. A 4-week neuromuscular training program and gait patterns at the ankle joint. *J Athl Train*. 2007; 42: 51-59.
21. 川野哲英. ファンクショナルエクササイズ. ブックハウス HD, 東京, 2004.

〈加賀谷善教〉

14. 足部アライメント不良に対する運動療法

はじめに

本項では，まず足部アーチの構成に関与する各関節のアライメントを整理し，その組み合わせで起こる典型的なアライメントパターンを提示する。その後，アライメントパターンごとの治療法と足関節機能が足部アーチへ及ぼす影響を示す。これにより，足部アーチの異常という漠然とした現象を関節アライメント不良によって具体的に分類でき，足部アーチのアライメント不良への戦略的な対応を得ることができる。

A. 荷重運動における足部・足関節の役割

歩行において足部と足関節は密接にかかわりあいをもち，また互いに代償しあう関係にある。このため，足部・足関節のいずれかに異常な運動が生じると，互いにそして近位関節に異常な運動を誘発する可能性が高い。足部と足関節の相互関係を理解するうえで，最低限以下のような基礎的な運動学を確認しておく必要がある。

1. 立脚初期

立脚初期において，歩行やランニングで最初に地面と接するのは踵骨である。踵骨は，踵接地時に地面から受けた衝撃を距骨下関節回内（または回外）により吸収する。同時に，距骨・下腿の内旋（または外旋）運動によって膝関節や股関節などの近位関節に力を伝達する[1～3]。

2. 立脚中期

立脚中期には，前足部での荷重によって，足底腱膜などの足底の軟部組織は伸張され，強く緊張する。足底軟部組織の張力はトラス機構の梁の役割を果たし，足部アーチの降下に抵抗する。このとき，足底軟部組織の長さが正常であっても，過度の距骨下関節回内・Chopart関節外転が生じると，内側縦アーチの降下が著明となる。さらに過度な距骨下関節回内は，距骨および脛骨の内旋を誘導し，膝および股関節にも影響を及ぼすと考えられている[1～3]。

3. 立脚後期

立脚中期から踵離地にかけて，荷重による足関節への圧縮力が強まる。距腿関節の背屈により骨性の安定性が得られることで，前足部へと円滑に荷重移動することが可能となる[1～3]。一方，距腿関節に背屈制限がある場合は，不足する背屈運動を足部によって代償せざるをえなくなり，足部アーチの変形が増強する可能性がある。踵離地後は足趾の伸展によって起こるウインドラス現象によって，足底腱膜などの足趾屈筋腱が緊張を強める。その結果，足部アーチは強固となり，下肢が生み出す関節トルクを地面に伝達する機能が向上する[1～3]。

4. 遊脚期

遊脚期の足部は荷重から解放され，足部アライメントが問題となることは少ない。しかしながら，

14. 足部アライメント不良に対する運動療法

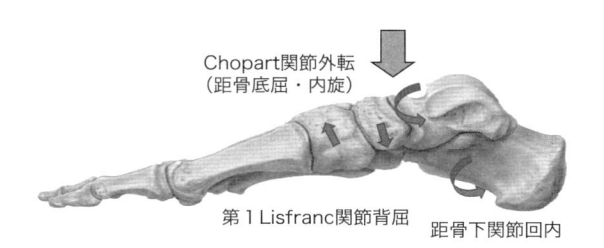

図14-1 内側縦アーチの降下
内側縦アーチの降下は，距骨下関節回内，Chopart関節外転，第1 Lisfranc関節背屈により生じる。距骨の過度な底屈・内旋は，ばね靱帯や長足底靱帯，後脛骨筋腱を伸張させ，踵骨-舟状骨間距離が伸びるため，Chopart関節は外転する。

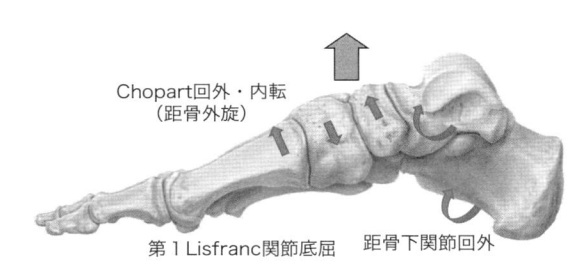

図14-2 内側縦アーチの上昇
内側縦アーチの上昇は，距骨下関節回外（内反），Chopart関節内転，第1 Lisfranc関節底屈により生じる。下腿や距骨の外旋が距骨下関節を回外させ，踵骨-舟状骨間距離が縮まるため，Chopart関節は内転する。

遊脚期における下腿外旋は，踵接地における踵骨回外をもたらすことには留意する必要がある。

B. 正常および異常な足部アーチ

足部アーチは内側縦アーチ，外側縦アーチ，横アーチの3つのアーチからなる。臨床的には，しばしばアーチが高い，アーチが低いなどの表現が用いられるが，これらはあくまで主観的基準に基づいたものである場合が多い。正常および異常な足部アライメントについて，各アーチを構成する各関節のアライメントと，その安定化機構である靱帯と筋の役割を整理する。

1. 内側縦アーチ

内側縦アーチは距骨・舟状骨・楔状骨・第1～3中足骨から構成される。これらの骨が構成する関節は，距骨下関節・距舟関節・楔舟関節・第1 Lisfranc関節である。これらの関節構造を維持するための静的安定組織として底側踵舟靱帯（ばね靱帯），長足底靱帯，距踵靱帯，楔舟靱帯，足根中足靱帯などがあり，動的安定組織として後脛骨筋，長腓骨筋，長母趾屈筋，長指屈筋，母趾外転筋，前脛骨筋の働きが重要となる[1,4～7]。

内側縦アーチの降下は，距骨下関節回内（外反），Chopart関節外転，第1 Lisfranc関節背屈という関節運動から生じる。距骨過底屈や内旋は，ばね靱帯や長足底靱帯，後脛骨筋腱を伸張させ，結果的に踵骨-舟状骨間距離が伸びることでChopart関節が外転する（**図14-1**）[6,8～10]。

内側縦アーチの上昇は，距骨下関節回外（内反），Chopart関節内転，第1 Lisfranc関節底屈（Lisfranc関節内転）という関節運動から生じる。足部に対する下腿や距骨の外旋は距骨下関節を回外させ，踵骨-舟状骨間距離の短縮，すなわちChopart関節内転を誘導する（**図14-2**）[8,9]。

2. 外側縦アーチ

外側縦アーチは踵骨・立方骨・第4～5中足骨から構成される。それぞれの骨が構成する関節は，距骨下関節・踵立方関節・外側Lisfranc関節である。これらの関節構造を維持するための静的安定組織として長足底靱帯，踵立方靱帯，足根中足靱帯などがあり，動的安定組織として長腓骨筋，短腓骨筋，小趾外転筋の働きが重要となる[3,4]。

外側縦アーチの降下は，距骨下関節回外（内反），Chopart関節回外・内転，立方骨降下という関節運動から生じる[3]。外側縦アーチは立方骨が要となる。立方骨の降下の原因として距骨下関節の回外，踵立方関節不安定性，踵骨底屈などがあげら

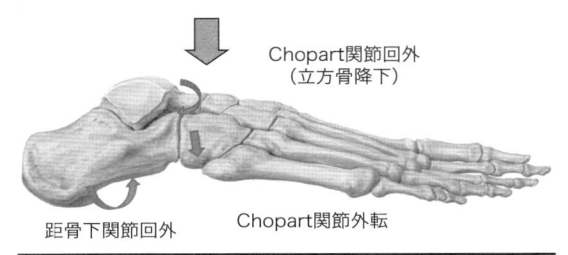

第5章 足部障害に対する運動療法とスポーツ復帰

図14-3 外側縦アーチの降下
外側縦アーチの降下は，距骨下関節回外（内反），Chopart関節回外・外転により生じる。

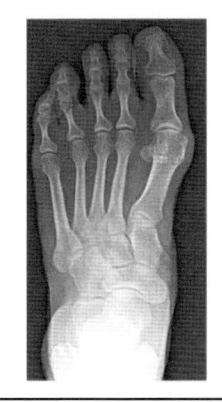

図14-4 中足骨内転による横アーチの降下
中足骨の内転により，前足部は開張傾向となり，前足部における横アーチの降下を招く。中足骨内転による横アーチの降下は，外反母趾を引き起こしやすい。

れる。距骨下関節の回外は，膝関節における下腿外旋やハイアーチに付随するChopart関節内転に連鎖して生じる[3]。一方，内側縦アーチの降下に伴うChopart関節の外転に立方骨の降下が合併することもある（**図14-3**）。

3．横アーチ

横アーチは，前足部では第1～5中足骨頭，中足部では楔状骨と立方骨および舟状骨と立方骨，後足部では距骨と踵骨から構成される。中足部レベルでは楔間関節・楔舟関節・楔立方関節が運動に関与する関節となる。横アーチの静的安定組織としては，前足部レベルでは深横中足靱帯が，中足部レベルでは楔間靱帯，楔立方靱帯が主に関与し，動的安定組織として，前足部レベルでは母趾内転筋，中足部レベルでは長腓骨筋の働きが重要となる[1,4]。

横アーチの降下は，通常，中足骨頭レベルの降下によって判定される場合が多い。しかしながら，実際の横アーチは中足骨頭レベルのみではなく，Lisfranc関節，Chopart関節のアーチ構造と連続的に形成されるものであり，足部全体の横アーチの存在を意識しつつ，その異常を見極めることが求められる。横アーチの降下に関連する問題として，①中足骨の内転（**図14-4**），②立方骨の降下，③中足骨背側の皮膚・伸筋腱の滑走性の低下，④横アーチを形成する足底筋の機能低下，などがあげられる。

C．足部アーチの異常パターン

1．各関節のアライメント

足部アーチは距骨下関節，Chopart関節，Lisfranc関節のアライメントの組み合わせによって形成される。また，内側，外側，横アーチはそれぞれが独立して形成されるのではなく，互いに影響しあう。したがって，足部アーチ全体を正しく理解するためには，距骨下関節，Chopart関節，Lisfranc関節の可動性とアライメントを正確に理解することが求められる。

1）距骨下関節

距骨下関節の回内・回外可動性は，ベッド上の腹臥位・足関節中間位にて，徒手的に踵骨を回内させることにより判定する（**図14-5**）。その結果に基づいて，以下の3パターンに分類する[8,9]。

①中間位：中間位（Leg-heel angle 0°）まで回内できるもの。
②回外位：中間位まで回内できないもの。
③回内位：中間位を超えて回内するもの。

14. 足部アライメント不良に対する運動療法

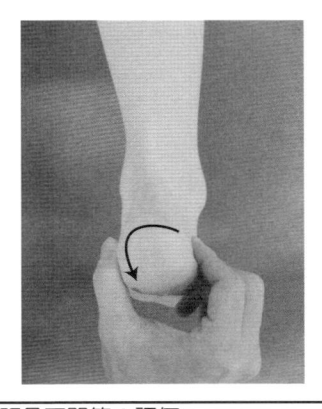

図14-5 距骨下関節の評価
非荷重位における回内可動性を評価し，中間位・回外位・回内位に分類する。

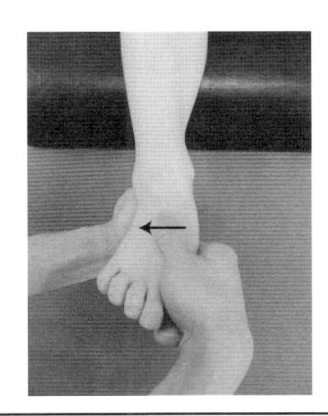

図14-6 Chopart関節の評価
非荷重位で徒手的に距骨下関節中間位とし，外転アライメントおよび可動性を評価し，中間位・外転位・内転位に分類する。

2) Chopart関節

Chopart関節は，非荷重位での外転アライメントおよび内外転可動性を評価する。徒手的に距骨下関節中間位に固定し，中足部を内外転させることにより，Chopart関節外転アライメントおよび可動性を以下のように分類する（**図14-6**）。

①中間位：舟状骨結節の内側への突出がなく，内転・外転の可動性がいずれも小さいもの。

②外転位：舟状骨結節の内側への突出があり，内転に比較して外転の可動性が大きいもの。

③内転位：舟状骨結節の内側への突出がなく，外転に比較して内転の可動性が大きいもの。

3) Lisfranc関節

Lisfranc関節は，X線像上または中足骨アライメントの触診により，第3中足骨と足部長軸（踵骨中央と第2中足骨頭を結ぶ直線）との位置関係によってアライメントを分類する（**図14-7**）。

①中間位：足部長軸と第3中足骨軸の方向が一致するもの。

②内転位：第3中足骨が足部長軸に対して内転するもの。

③外転位：第3中足骨が足部長軸に対して外転

図14-7 Lisfranc関節の評価
非荷重位における第3中足骨と足部長軸との位置関係によって，中間位・内転位・外転位に分類する。

するもの。きわめて珍しい。

2. 典型的な異常足部アーチパターン

距骨下関節，Chopart関節，Lisfranc関節のアライメント分類を組み合わせると，3×3×3で27通りの足部アライメントが想定される。しかしながら，27通りすべてをパターン化することは非効率であり，存在率が高いパターンを典型例と捉え，具体的な対策を講じることが現実的である（**表14-1，表14-2**）。

第 5 章　足部障害に対する運動療法とスポーツ復帰

表14-1　足部アーチの異常タイプと内外側縦アーチ高の関係

縦アーチ高 (片脚母趾球荷重時)	タイプ1 (中間型)	タイプ2A (軽度扁平型)	タイプ2B (重度扁平型)	タイプ3 (ハイアーチ型)
後足部内側縦アーチ（踵骨）	正常	正常〜降下	降下	上昇
中足部内側縦アーチ（距骨－舟状骨）	正常	降下	過剰降下	上昇
外側縦アーチ（立方骨）	正常〜降下	降下	降下	降下

内側縦アーチは主に後足部は距骨下関節，中足部はChopart関節のアライメントが影響する。外側縦アーチはほとんどの足部タイプで降下している。

表14-2　足部アーチの異常タイプ

評価項目		タイプ1 (中間型)	タイプ2A (軽度扁平型)	タイプ2B (重度扁平型)	タイプ3 (ハイアーチ型)
非荷重位	距骨下関節	中間位	中間位〜回内位	回内位	中間位〜回外位
	Chopart関節	中間位	中間位	外転位	内転位
	Lisfranc関節	中間位	中間位〜内転位	中間位	内転位
荷重時片脚立位 (母趾球荷重)	Leg-heel alignment	中間位	中間位	回内位	回外位
	Navicular drop	降下なし	降下	降下	降下なし

荷重位での中足部アライメントを再現することを目的とし，Chopart関節外転アライメントおよび可動性の評価は、距骨下関節を中間位に保持した状態で実施する。

1）タイプ1（中間型）

距骨下関節中間位，Chopart関節中間位，Lisfranc関節中間位の場合，足部アーチとしては最も理想に近く，中間型と分類するのが妥当であろう（**図14-8**）。この場合，以下のタイプと比較すると，Chopart関節レベルでの内側縦アーチと外側縦アーチは中間的な高さとなる。

2）タイプ2（扁平型）

軽度の扁平足（タイプ2A）は荷重によって内側縦アーチの降下が出現するものとする。この場合，距骨下関節は中間位または回内位，Chopart関節は中間位で外転可動性過剰，Lisfranc関節は中間位から内転位である（**図14-9**）。この場合，荷重により舟状骨結節の内側への突出がみられ，内側縦アーチはChopart関節レベルで降下する。重度の扁平足（タイプ2B）の場合，距骨下関節は回内位，Chopart関節は外転位で外転可動性過剰である（**図14-10**）。この場合，舟状骨結節は非荷重位でも突出し，軽度の荷重により内側縦アーチはChopart関節レベルで著しく降下する。

3）タイプ3（ハイアーチ型）

距骨下関節は中間位から回外位，Chopart関節は内転位で外転可動性減少，Lisfranc関節は内転している（**図14-11**）。この場合，内側縦アーチが上昇し，外側縦アーチは降下している。ハイアーチ型にはハンマー趾を合併する例が多い。

4）タイプ4（Chopart底屈型）

足底のばね靱帯や長足底靱帯が短縮位にあるため，Chopart関節が過剰に底屈している状態である。内側，外側アーチがいずれも高く，日本人では珍しい。

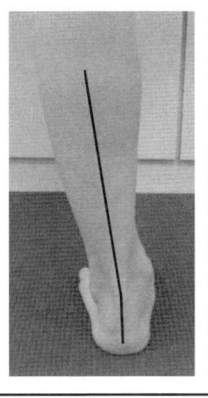

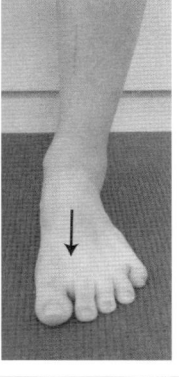

図14-8 タイプ1（中間型）
タイプ1では，距骨下関節中間位，Chopart関節中間位，Lisfranc関節中間位である。そのため，片脚立位母趾球荷重時にも足部内側縦アーチの過剰な降下は認められない。

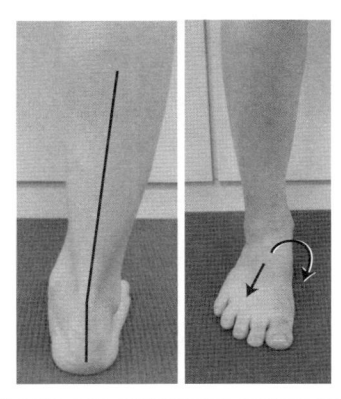

図14-9 タイプ2A（軽度扁平型）
タイプ2Aでは，距骨下関節は中間位または回内位，Chopart関節は中間位で外転可動性過剰，Lisfranc関節は中間位から内転位である。そのため，片脚立位母趾球荷重時に内側縦アーチはChopart関節レベルで降下し，舟状骨結節の突出がみられる。

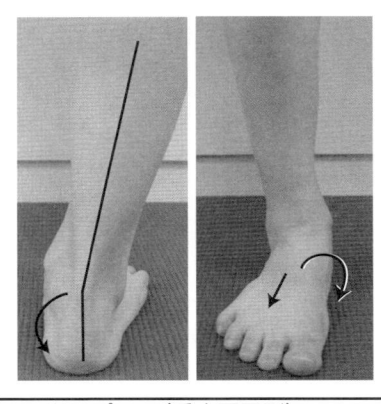

図14-10 タイプ2B（重度扁平型）
タイプ2Bでは，距骨下関節は回内位，Chopart関節は外転位で外転可動性過剰であり，舟状骨結節は非荷重位でも突出している。そのため，片脚立位母趾球荷重時に足部内側縦アーチはChopart関節レベルで著しく降下する。

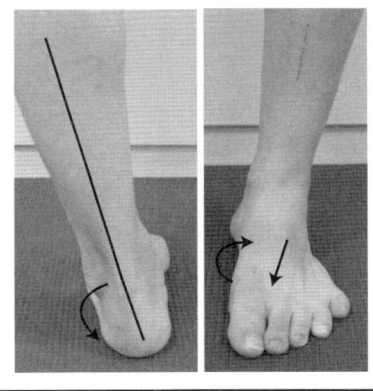

図14-11 タイプ3（ハイアーチ型）
タイプ3では，距骨下関節は中間位から回外位，Chopart関節は内転位で外転可動性減少，Lisfranc関節は内転している。そのため，片脚立位母趾球荷重時にも足部内側縦アーチの降下が生じない。

5）タイプ5（Chopart背屈型）

足底のばね靱帯や長足底靱帯が伸張位にあるため，Chopart関節が過剰に背屈している状態である。内側，外側アーチがいずれも低く，これも日本人では珍しい。

3. 異常パターンの指標と存在率

異常タイプを分類する評価指標として，片脚立位母趾球荷重時の下腿踵骨角（Leg‒heel alignment：LHA），両脚立位から片脚立位母趾球荷重時の舟状骨降下（Navicular drop：ND）の差が有用であると考える。前述した関節運動と2つの指標を照らし合わせると，タイプ1はLHA中間

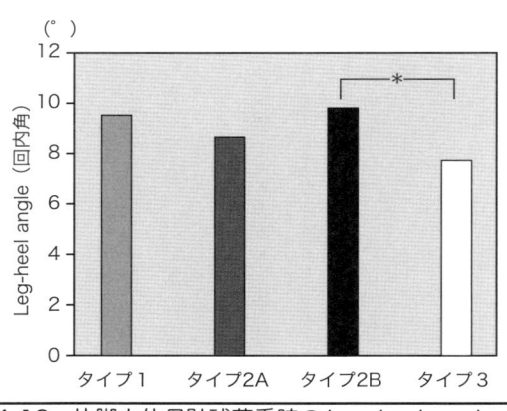

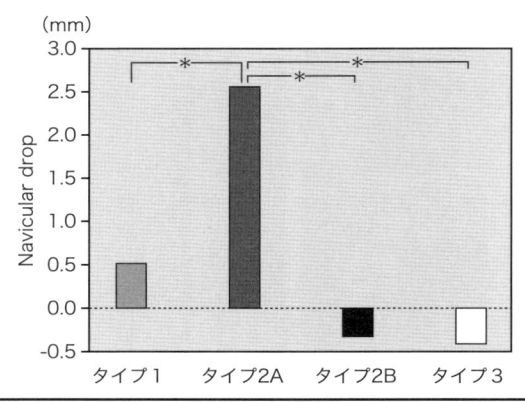

第5章　足部障害に対する運動療法とスポーツ復帰

図14-12　片脚立位母趾球荷重時のLeg-heel angle（A）および両脚立位と片脚立位母趾球荷重時のNavicular dropの差（B）
タイプ2Aがほかのタイプと比較して，有意にNacicular dropの差が大きかった（p＜0.01）。また，タイプ2Bがタイプ3よりもLeg-heel angleが有意に大きかった（p＜0.05）。

位でNDは降下しない，タイプ2AはLHA中間位でNDは降下する，タイプ2BはLHA回内位でNDは降下する，タイプ3はLHA回外位でNDは降下しない，という組み合わせとなる（表14-2）。

著者は，この2つの指標の有用性を調査することを目的として，46名92足（男性10名，女性36名，12～30歳）を対象とし，片脚立位母趾球荷重時のLHAおよび両脚立位と片脚立位母趾球荷重時のNDの差を足部タイプごとに比較した。足部タイプは，タイプ1が26足，タイプ2Aが27足，タイプ2Bが23足，タイプ3が16足であった。統計解析は一元配置分散分析を用い，Post hoc解析にはTukey法を使用した。その結果，タイプ2Aがタイプ1・タイプ2B・タイプ3と比較して，統計学的有意にNDの差が大きかった（図14-12）。また，LHAはタイプ2Bがタイプ3と比較して，統計学的有意に回内角度が大きく，またタイプ1・タイプ2Aと比較しても大きい傾向が認められた（図14-12）。以上より，臨床において，片脚立位母趾球荷重時のLHAおよび両脚立位と片脚立位母趾球荷重時のNDの差が足部タイプ分類の1つの指標となる可能性が示唆された。

4．筋機能との関係

足部アーチに関与する関節運動は，距骨下関節回内・回外，Chopart関節内転・外転，Lisfranc関節内転である。各関節運動に関与する筋を整理する。距骨下関節回外（内反）には前脛骨筋・後脛骨筋・長母趾屈筋・ヒラメ筋，回内（外反）には長・短腓骨筋，長趾伸筋が関与する[2]。Chopart関節回外には主に前脛骨筋，回内には主に長腓骨筋，内転には前脛骨筋・後脛骨筋，外転には長・短腓骨筋，総趾伸筋が関与する[2,3]。第1 Lisfranc関節内転には前脛骨筋，外転には長腓骨筋が関与する[11,12]。おのおのの筋の各関節運動への作用と距骨下関節，Chopart関節，Lisfranc関節のアライメントを照らしあわせたうえで筋機能を評価するとともに，足部タイプを3つに分けて，治療方針を決定する。

D. 異常足部アーチに対する運動療法

1．タイプ1

タイプ1は各関節が中間位にあり，基本的に理想に近い足部アライメントが保たれていると考えられる。したがって，膝関節や足関節からの荷重

14. 足部アライメント不良に対する運動療法

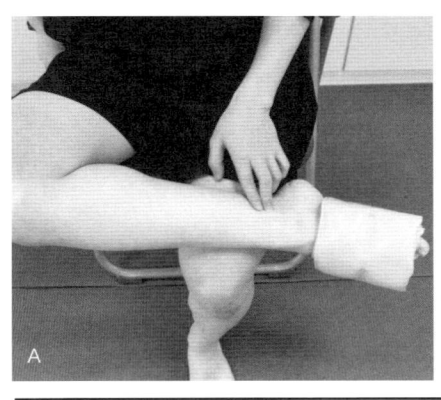

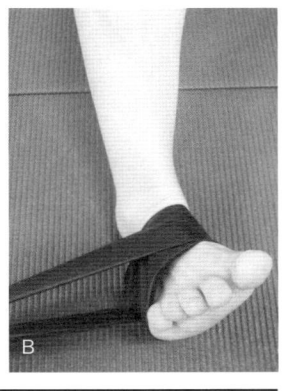

図14-13 Chopart関節の過外転抑制を目的とした後脛骨筋（A）および前脛骨筋（B）トレーニング
A：股関節外旋位・足関節底屈位で足部の内外転運動を繰り返し，後脛骨筋を収縮させる。この際，前脛骨筋や足趾屈筋群の代償による足関節背屈や足趾屈曲が生じないように注意する。B：中足部にチューブを巻き，足関節底屈位から足関節背屈・Chopart関節内転運動を繰り返し，前脛骨筋を収縮させる。

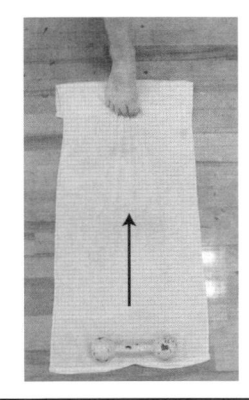

図14-14 距骨下関節の過回内を抑制することを目的とした足趾屈筋群のトレーニング
足趾をタオルの端にかけ，足趾の屈曲運動によってタオルを手繰り寄せる。

連鎖を正常に保つため，下肢動的アライメントの乱れをできる限り防ぐことが必要となる。

2. タイプ2

タイプ2Aでは，タイプ1と同様，距骨下関節アライメントは非荷重位・荷重位ともに中間位である例が多い。またChopart関節の外転・回外の可動性が大きく，逆に内転・回内可動性が小さい場合が多い。そのため，Chopart関節は荷重位で外転位を呈する。これに対し，Chopart関節内転可動域の改善，およびChopart関節過外転の抑制を目的として後脛骨筋や前脛骨筋のトレーニングを行う（**図14-13**）。

タイプ2Bでは，距骨下関節過回内とChopart関節過外転が認められるため，非荷重位でも舟状骨結節が足部内側に突出する。足部アーチのアライメント異常が大きいため，徒手療法などによってアライメントの改善を実施したうえで，筋力トレーニングの継続やインソールによる対応が必要となる。距骨下関節過回内とChopart関節外転を抑制する目的で，後脛骨筋や前脛骨筋（**図14-**

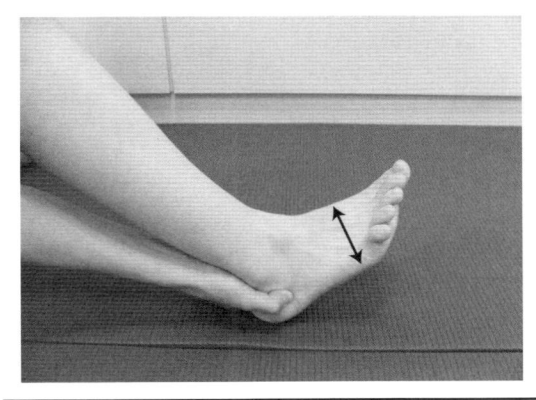

図14-15 Chopart関節内転可動性改善を目的とした腓骨筋腱の徒手的リリース
短腓骨筋腱の走行に沿って，外果後方から第5中足骨底に向かって軟部組織を圧迫しながら，足関節の底背屈運動を繰り返す。

13）に加えて足趾屈筋群（**図14-14**）のトレーニングが必要となる。また，踵立方関節外側の拘縮や短腓骨筋・長腓骨筋の過緊張などによりChopart関節回内・内転可動性が低下している場合がある。この場合，これらの可動性・柔軟性改善（**図14-15**）を行ったうえで上記のトレーニン

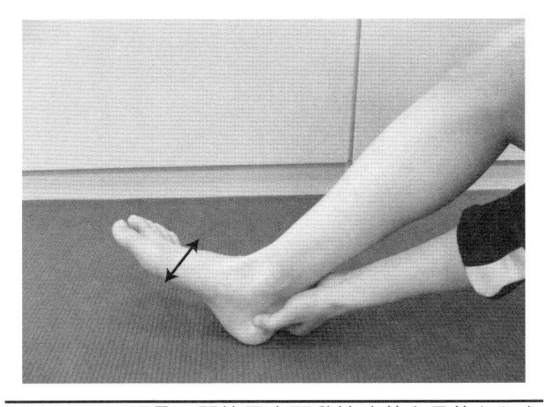

第5章 足部障害に対する運動療法とスポーツ復帰

図14-16 距骨下関節回内可動性改善を目的とした屈筋支帯周囲組織の徒手的リリース
屈筋支帯周囲の組織を圧迫しながら，足関節の底背屈運動を繰り返す。

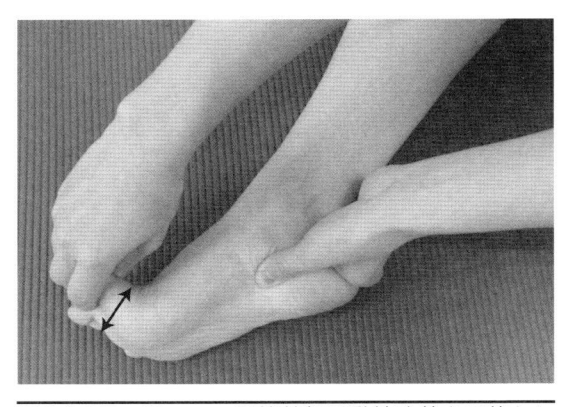

図14-17 Chopart関節外転可動性改善を目的とした母趾外転筋の徒手的リリース
母趾外転筋周囲の組織を圧迫しながら，母趾の底背屈運動を繰り返す。

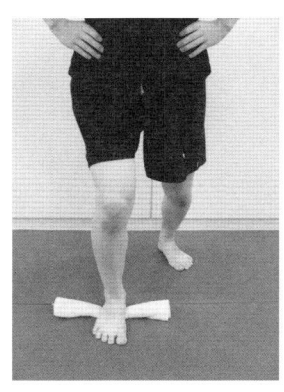

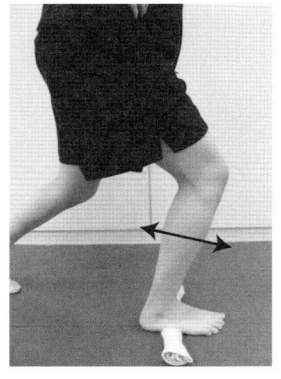

図14-18 立方骨上昇を目的としたタオル踏みスクワット
立方骨の下方に硬めに丸めたタオルを入れ，母趾球荷重を意識したスクワットを繰り返すことで，外側縦アーチの上昇を促す。この際，股関節内旋や骨盤の回旋が生じないように注意して行う。

グを行うべきである。

3．タイプ3

タイプ3では，距骨下関節回外拘縮（回内制限），Chopart関節内転拘縮（外転制限），外側アーチ（立方骨）降下が問題となる。距骨下関節の回内可動性改善には，後述する十分な膝関節における下腿内旋の可動性獲得が必要となる。また，距骨下関節の回外拘縮の原因として，後脛骨筋や足趾屈筋腱の過緊張や滑走不全，三角靱帯や屈筋支帯の拘縮などがあげられる。これらに対しては，屈筋支帯周囲における腱の徒手的リリースが有効なことが多い（**図14-16**）。Chopart関節の内転拘縮に対しては外転可動性の改善が必要であり，母趾外転筋周辺の軟部組織の滑走性を改善する必要がある（**図14-17**）。立方骨降下に対しては，青竹踏みやタオル踏みスクワットなどの運動療法を実施する（**図14-18**）。

上記のようなChopart関節のアライメント異常は中足部から前足部アライメントに影響を及ぼす。外側アーチ（立方骨）が降下することにより，足部外側荷重の傾向が強まり，舟状骨に対する楔状骨の外転（楔舟関節外転）と，それに伴う楔状骨に対する中足骨の内転（Lisfranc関節内転）を呈する例が多い。これらに対して，楔状骨の内転方向（楔舟関節内転）の可動性改善と外側縦アーチ（立方骨）の上昇が必要となる。そこで，楔舟関節内転およびLisfranc関節外転の可動性を徒手療法や物理療法により改善させ（**図14-19**），その後青竹踏みやタオル踏みスクワット（**図14-18**），長腓骨筋トレーニング（**図14-20**）により

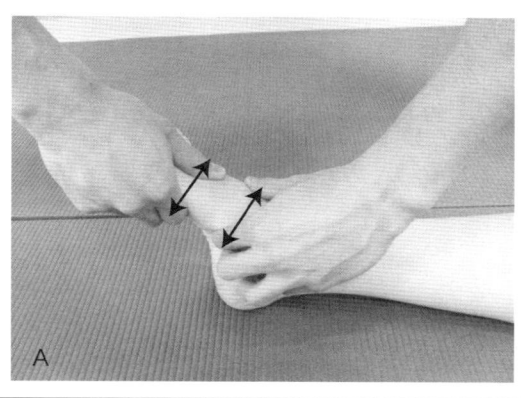

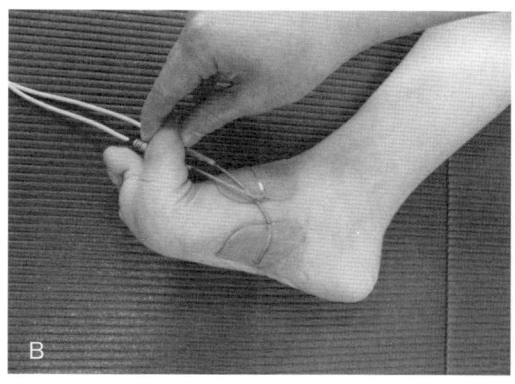

14. 足部アライメント不良に対する運動療法

図14-19 楔舟関節および第1 Lisfranc関節可動性改善を目的とした徒手療法（A）と物理療法（B）
A：両手で舟状骨と楔状骨，楔状骨と第1中足骨を把持し，底背側に動かしながら徒手的に可動性改善を図る。
B：楔舟関節および第1 Lisfranc関節を底背側からパッドで挟み，電気療法により可動性改善を図る。

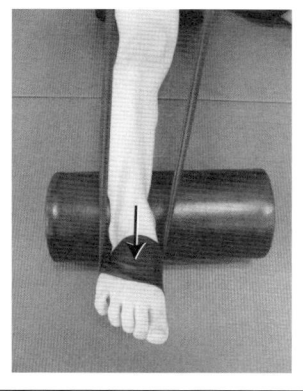

図14-20 外側縦アーチの保持を目的とした長腓骨筋トレーニング
足部に長腓骨筋の走行に沿ってチューブを巻き，母趾球荷重を意識して足関節底屈・Chopart関節回内運動を行う。この際，Chopart関節の過度の外転が生じないように注意する。

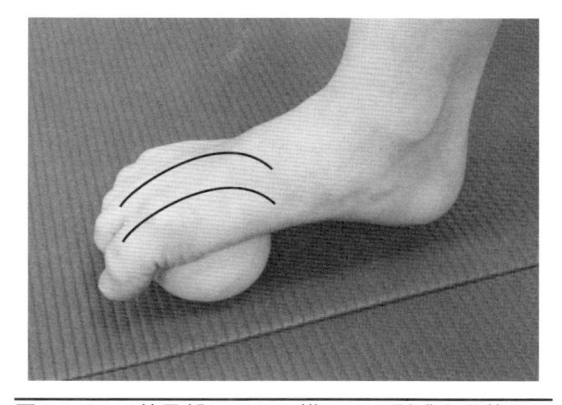

図14-21 前足部レベルの横アーチ形成を目的とした中足趾節関節屈曲エクササイズ
前足部足底面にボールを置き，中足趾節関節の屈曲によってボールを把持するように努力することで，前足部レベルでの横アーチ形成を促す。この際，足趾屈筋群の代償による趾節間関節の屈曲が生じないように注意する。

立方骨の上昇を図る。

4. 横アーチ

横アーチの降下がもたらす問題は，中足骨頭における異常な荷重圧分布として検出される。横アーチの降下は，第2〜4中足骨頭への荷重圧の上昇をもたらすことから，中足骨頭痛や中足骨疲労骨折などの危険因子と考えられている。横アーチ降下の一因として，Lisfranc関節内転があげられる。第1中足骨の過度な内転は外反母趾の，立方骨回外に伴う第5中足骨の回外は内反小趾の危険因子と考えられる。

正常な横アーチは，Chopart関節，Lisfranc関節，中足骨頭の3ヵ所において一貫して形成され

153

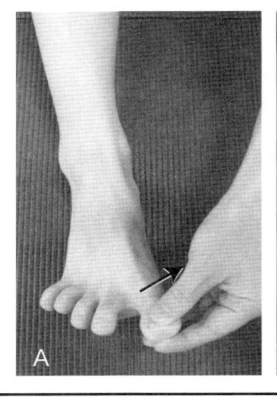

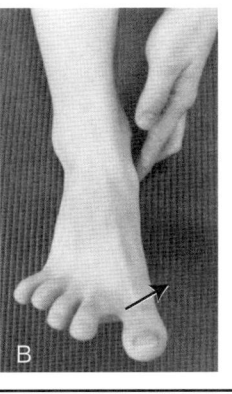

第5章 足部障害に対する運動療法とスポーツ復帰

図14-22 母趾中足趾節関節外転可動性の維持を目的とした母趾外転筋トレーニング
可動性が降下している場合は，自動介助運動（A）からはじめ，徐々に自動運動（B）へと移行していく。また，収縮が得られない場合には，低周波治療器により収縮を促すことも有効である。

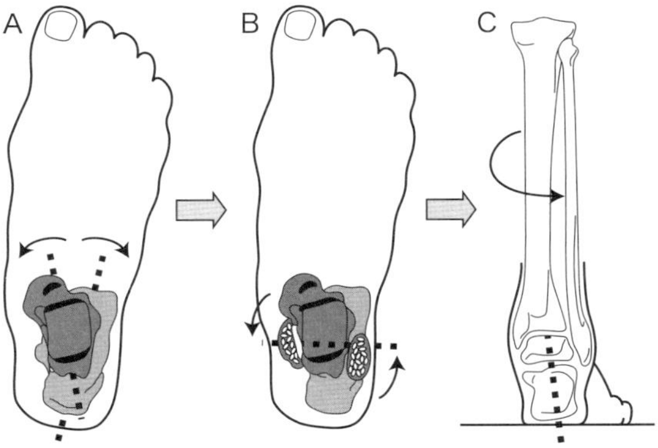

図14-23 荷重位における足関節背屈と内側縦アーチの降下（文献6より改変）
荷重位での足関節背屈時，距骨下関節が回内し，距骨が底屈・内旋する（A）。この際，距骨に合わせて下腿が内旋することで（B），距腿関節のmortise構造が維持され，正常な背屈動作が行えることになる（C）。

ているのが理想とされる。このため，内・外側縦アーチの影響を受けやすく，内・外側縦アーチの正常化を行ったうえで横アーチの評価や治療を実施すべきである。前述した内・外側縦アーチへのアプローチのみにより横アーチが改善される場合もあるが，アライメント異常が慢性化している場合は前足部へのアプローチが必要となる。具体的には，中足骨内転に対して楔状骨内転（楔舟関節内転）と中足骨外転（Lisfranc関節外転）可動性の拡大を図ることで中足骨のアライメントを整えることを優先し（図14-18，図14-19），その後に足趾可動性の改善を図る。中足趾節関節の可動性は，足背の皮膚や伸筋腱など横アーチ形成に抵抗する組織の可動性の改善によって拡大させる。また，中足趾節関節の自動屈曲運動などを実施する。図14-21のようにスポンジボールやテニスボールなどを足趾の屈曲を使って前足部で把持することで，前足部での横アーチ形成を促す。

横アーチの降下はしばしば足趾アライメントにも影響を及ぼす。これには立方骨回外に伴う中足骨回外と内転が関与すると推測される。したがっ

て，外反母趾，内反小趾，ハンマー趾などの足趾アライメントの異常に対しては，中足骨アライメントの正常化を図り（図14-18，図14-19），そのうえで足趾の屈曲・伸展可動域の改善と，足趾内転・外転のトレーニング（図14-22）を行う。これにより，ターンやカッティングなどの母趾球での回旋が求められる動作の際に，母趾球での安定した荷重が可能となる。

E. 近位関節からの荷重連鎖が足部アーチに及ぼす影響

1. 足関節背屈機能

荷重動作における足部アーチの降下を改善するには，正常な足関節の背屈が必要となる。その理由は，荷重位の足関節背屈（下腿前傾）に制限があると，距骨は下腿に押されて底屈し，それが足部アーチにも影響を及ぼすためである。足関節捻挫後遺症などで背屈制限が増悪した場合には，下腿により距骨が底屈方向に押し込まれて距骨およびChopart関節にアライメント変化をきたす可

14. 足部アライメント不良に対する運動療法

能性がある[13〜15]。したがって，リハビリテーションにおいては，良好な足部アライメントを維持するためにも距腿関節の背屈可動域を十分に回復させる必要がある。背屈制限対策として，距骨の後方すべりを改善する。距骨内側の後方すべりの改善には，アキレス腱・脛骨内側縁付近の皮下組織，あるいは屈筋支帯周囲組織の滑走性改善を目的とした徒手療法が有効である（**図14-16**）[16, 17]。

下腿の回旋アライメントの異常が足部アライメントに及ぼす影響も無視できない。歩行の立脚初期に踵骨回内が著明な足では，膝関節における下腿外旋拘縮によって，足部に対する下腿内旋が不足する可能性がある。一方，膝の動的外反が著明な場合，荷重時に下腿が足部に対して過剰に内旋する可能性がある。いずれの場合も，距骨滑車と脛骨関節面の向きが一致することで距腿関節の正常なmortise機能が発揮されると考えられる[1, 2]（**図14-23**）。膝伸展位で下腿が過度に外旋している膝，そして膝屈曲位での動的外反が著明な膝は，いずれも膝関節の内旋可動域が不足している可能性がある。下腿内旋可動域の改善には，下腿内旋エクササイズが効果的である（**図14-24**）。膝外旋筋である腸脛靱帯や大腿二頭筋が下腿内旋に抵抗する場合，さらには下腿内旋に伴う腓骨の前方への移動を妨げる長・短腓骨筋や長母趾屈筋，腓腹筋外側頭の緊張が強い場合は，徒手療法などに

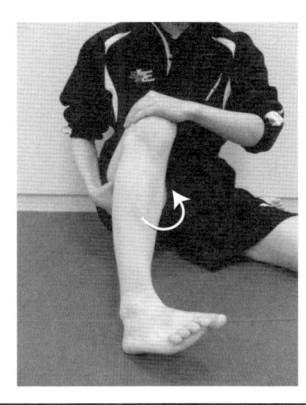

図14-24　自動運動での下腿内旋エクササイズ
膝関節屈曲・足関節背屈位で踵骨を支点として，下腿の内旋運動を繰り返す。この際，股関節内旋が生じないように膝をおさえながら行うと効果的である。

よりその柔軟性を事前に獲得することが求められる。また，下腿内旋の主働筋である内側ハムストリングの機能を低下させる鵞足滑液包の癒着，それによって引き起こされる腓腹筋内側頭の柔軟性低下にも留意する。

1) タイプ1

タイプ1では，距骨下関節・Chopart関節は中間位で安定しているため，多少の背屈制限があっても距骨は中間位に保たれている。良好な距骨アライメントに対して，下腿が過剰に外旋または内旋すると，近位からの運動連鎖によって距骨お

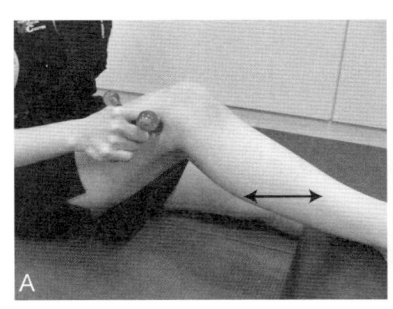

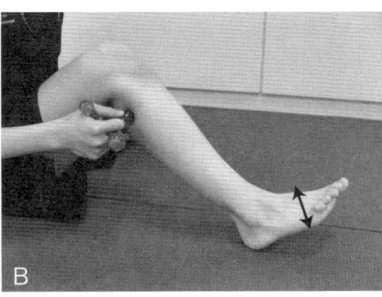

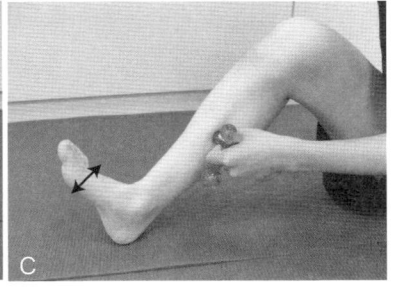

図14-25　下腿内旋可動性改善を目的とした下腿筋群のリリース
腸脛靱帯や大腿二頭筋などの膝関節外旋筋を圧迫しながら，膝関節の屈曲伸展運動を繰り返す（A）。腓骨後面（B）や脛骨後面（C）の筋群を圧迫しながら，足関節の底背屈運動を繰り返す。

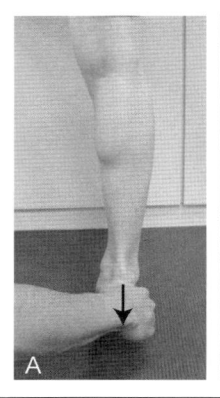

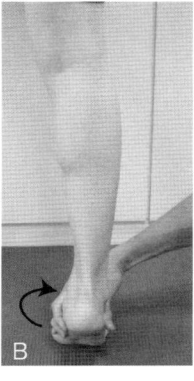

第5章　足部障害に対する運動療法とスポーツ復帰

図 14-26　足関節底屈機能の評価
片脚カーフレイズで足関節を最大底屈した状態で、踵骨に対して下方へストレスを加えたり（A）、中足部回外方向へのストレスを加えて（B）評価する。この際、足関節底屈位を保持できない場合や中足部回内により母趾球荷重を維持できない場合などは、足底屈機構が十分に機能していないと判断する。

よび足部アライメントに異常をきたす可能性がある。このため、足関節背屈可動域の維持、近位関節の動的アライメントに留意する必要がある。

2）タイプ2

タイプ2では、Chopart関節外転、距骨の底屈・内旋により内側アーチが降下している。膝の動的外反があると、足部に対する下腿内旋によって距骨内旋・踵骨回内が増強する。一方、膝伸展位において下腿外旋が増強している場合は、足部からの距骨内旋アライメントとの間に矛盾が生じ、距腿関節の背屈制限をきたし、下腿前傾時にさらに距骨の底屈・内旋が増強する可能性がある。これらの対策として、まず下腿内旋可動域の改善（**図 14-25**）、膝の動的外反の改善、距腿関節背屈可動域の改善が必要である。

3）タイプ3

タイプ3では、距骨下関節の回内制限により距骨の正常な底屈・内旋運動が阻害され、外側アーチが降下し、内側アーチが上昇している。外側アーチの降下はLisfranc関節の内転をもたらし、前足部にも影響を及ぼす。これに対して、踵骨回内制限の原因となる三角靭帯や屈筋支帯周辺の軟部組織の拘縮を徒手的に改善することにより、踵骨回内可動域の改善を図る（**図 14-16**）。また、脛骨後面に付着するヒラメ筋や後脛骨筋の柔軟性獲得（**図 14-25**）、外側アーチを支持する長腓骨筋、小趾外転筋の強化が必要となる。そのうえで、距腿関節の背屈制限の解消および近位関節の回旋アライメントの最適化を図る。

2. 足関節底屈機能

良好な足部アライメントを維持するためには、下腿三頭筋に加え、アーチ支持機能を有する足関節底屈筋群の作用が重要となる。足関節底屈筋群には下腿三頭筋、長・短腓骨筋、内側屈筋群（後脛骨筋・足趾屈筋群）が含まれる。長・短腓骨筋は外側アーチと横アーチの支持に、内側屈筋群は内側アーチおよび横アーチの支持に貢献する[1,2]。内側屈筋群と長・短腓骨筋の協調的な収縮は、足関節底屈時に距骨下関節の過度な回内や回外を制動する役割を果たす。ダッシュやジャンプなど足関節の最終底屈が必要とされる動作では、ウインドラス現象を効果的に機能させるため、足趾の十分な背屈とそれに伴う足底腱膜の緊張が必要である[1,2]。これらの筋群は、立脚前期から中期にかけて遠心性収縮により足部アーチを保持し、立脚後期から遊脚期にかけて求心性収縮により足関節を底屈させて、足部を剛体化させながら地面に力を伝える役割を有する。足関節底屈の主働筋である下腿三頭筋は、これら内側屈筋群と長・短腓骨筋と協調して作用する必要がある[1,2]。

足関節底屈筋群による後足部動的安定性は、片足カーフレイズで足関節を最大底屈した状態で、踵骨に対して下方へストレスを加えたり、中足部に対して回外方向へのストレスを加えて評価する（**図 14-26**）。この際、足関節底屈位を保持できな

14. 足部アライメント不良に対する運動療法

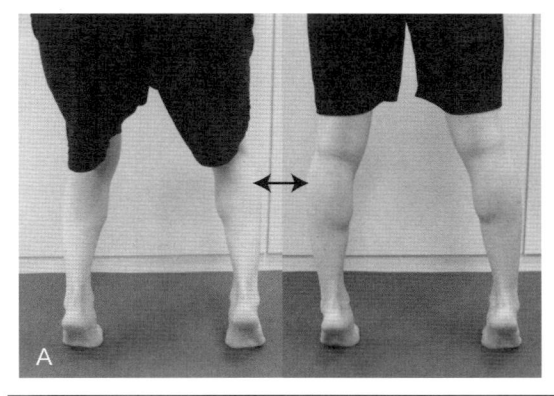

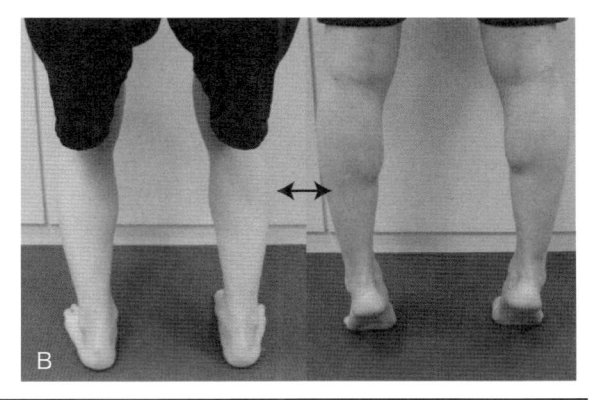

図14-27　足関節底屈機能の正常化を目的としたカーフレイズトレーニング
A：ステップなどの母趾球荷重を維持した状態での運動を必要とする動作に対しては，底屈位を保持したままでのスクワット動作を実施する．B：ジャンプやダッシュなどの足関節底屈と膝関節伸展の共同運動を必要とする動作に対しては，足関節底屈と膝関節伸展を同時に行うコンビネーションカーフレイズを実施する．

い場合や十分に底屈できない場合，また，中足部を回内させて母趾球荷重を維持できない場合は，足関節底屈機能が正常ではないと判断する．足関節底屈機能の異常は，運動中の後足部の動的安定性の低下を意味し，アキレス腱や足底腱膜など底屈機構そのものへの局所的なストレスを増加させる可能性がある．また，後足部の回内または回外アライメント増強により，足部アライメント不良にも悪影響を及ぼす可能性がある．

足関節底屈機能の改善には，正常な足関節底屈可動域の獲得後，カーフレイズを実施する．カーフレイズは目的とする動作に応じて，底屈位を保持したままでのスクワット動作やコンビネーションカーフレイズなどを使い分ける（**図14-27**）．カーフレイズを行う際の注意点は，しっかりと母趾球荷重でヒラメ筋の収縮によって踵骨を引き上げ，足関節最大底屈位を維持することである．これにより，足関節底屈機能が正常化され，良好な足部アライメントをより長期にわたり維持することが可能となると考える．

F. まとめ

　足部アライメント不良を構成する足部関節の可動性やアライメントの異常から，足部アーチに生じる異常パターンを整理し，それぞれに対しての評価・アプローチ方法について述べた．また，良好な足部アライメントを維持するために重要と思われる近位関節からの荷重連鎖について考察した．当然のことながら，これらのアプローチによってすべての足部アライメント不良が解決するわけではなく，場合によってはアライメントの矯正・維持を目的としたテーピングやインソールを適応すべき場合もある．本項で述べた評価・治療プロセスが，臨床家の足部アライメント不良への対応の一助となることを願う．

文　献

1. Neuman DA. *Kinesiology of the Muscluloskeltal System Foundations for Rehabilitation*. 2nd ed. Mosby Elsevier, St Louis, 2010.
2. 武田　功 統括監訳 (Perry J). ペリー 歩行分析 正常歩行と異常歩行. 医歯薬出版, 東京, 2007.
3. 加倉井周一 訳 (Michaud TC). 臨床足装具学 生体工学的アプローチ. 医歯薬出版, 東京, 2005.
4. 坂井達雄 訳 (Schunke M, Schulte E and Shumacher U). プロメテウス解剖学アトラス 解剖学総論／運動器

系. 医学書院, 東京, 2007.
5. Imhauser CW, Siegler S, Abidi NA, Frankel DZ. The effect of posterior tibialis tendon dysfunction on the plantar pressure characteristics and the kinematics of the arch and the hindfoot. *Clin Biomech (Bristol, Avon)*. 2004; 19: 161-9.
6. Headlee DL, Leonard JL, Hart JM, Ingersoll CD, Hertel J. Fatigue of the plantar intrinsic foot muscles increases navicular drop. *J Electromyogr Kinesiol*. 2008; 18: 420-5.
7. Johnson CH, Christensen JC. Biomechanics of the first ray. Part I. The effects of peroneus longus function: a three-dimensional kinematic study on a cadaver model. *J Foot Ankle Surg*. 1999; 38: 313-21.
8. Di Giovanni CW, Greisberg J. *Foot & Ankle Core Knowledge In Orthopaedics*. Mosby Elsevier, Philadelphia, 2007.
9. Magee DJ. *Orthopedic Physical Assessment*. 5th ed. Saunders Elsevier, St. Louis, 2008.
10. Fiolkowski P, Brunt D, Bishop M, Woo R, Horodyski M. Intrinsic pedal musculature support of the medial longitudinal arch: an electromyography study. *J Foot Ankle Surg*. 2003; 42: 327-33.
11. Kelikian AS. *Sarrafian's Anatomy of the Foot and Ankle*. 3rd ed. Lippincott Williams & Wilkins, Philadelphia, 2011.
12. Manoli A 2nd, Graham B. The subtle cavus foot, "the underpronator". *Foot Ankle Int*. 2005; 26: 256-63.
13. de Vries JS, Krips R, Sierevelt IN, Blankevoort L. Interventions for treating chronic ankle instability. *Cochrane Database Syst Rev*. 2006; (4): CD004124.
14. Crosbie J, Green T, Refshauge K. Effects of reduced ankle dorsiflexion following lateral ligament sprain on temporal and spatial gait parameters. *Gait Posture*. 1999; 9: 167-72.
15. Hubbard TJ, Hertel J. Mechanical contributions to chronic lateral ankle instability. *Sports Med*. 2006; 36: 263-77.
16. van der Wees PJ, Lenssen AF, Hendriks EJ, Stomp DJ, Dekker J, de Bie RA. Effectiveness of exercise therapy and manual mobilisation in ankle sprain and functional instability: a systematic review. *Aust J Physiother*. 2006; 52: 27-37.
17. Vicenzino B, Branjerdporn M, Teys P, Jordan K. Initial changes in posterior talar glide and dorsiflexion of the ankle after mobilization with movement in individuals with recurrent ankle sprain. *J Orthop Sports Phys Ther*. 2006; 36: 464-71.

〈小林　匠〉

15. 足部アライメント不良に対する インソールの考え方

はじめに

　足部は，内側縦アーチ，外側縦アーチ，横アーチの3つのアーチが断面を構成する1つの立体的なドーム状構造をなす。その役割として①耐荷重性（load bearing），②てこの作用（leverage），③衝撃吸収性（shock absorption），④バランス（balance），⑤保護（protection）があげられる[1]。扁平足やハイアーチなどを含め，理想的なドーム構造に何らかの歪みが生じると，足部における力の伝達と分散という基本機能に問題が生じると考えられている[2]。ドーム構造の歪みとは足部を構成する各関節のアライメント不良にほかならず，個々のアライメント不良の修正が必要となる場合もある。

　歪んだ足部ドーム構造を再構築する有力な選択肢として外科的治療法[3]があげられるが，実際のところ多くの医療機関においてこれは選択肢から除外されている。保存療法では，運動療法，物理療法，徒手療法，補装具療法という選択肢があるなかで，補装具療法の1つであるインソールは全身の体重を支持している足部のアライメント不良修正の手段として最有力と捉えられる。しかしながら，インソールの役割や限界に関して体系的な知識は不足している。そこで本項では，足部アライメント不良の矯正に対するインソールの役割とその臨床について述べる。なお，正常および異常な足部アライメントに関する分類などは，前項「足部アライメント不良に対する運動療法」の記述に従う。

A. インソールの分類

　アスリートが使用するインソールは，衝撃吸収を目的とする"クッション"タイプと，足のアーチをサポートする"バイオメカニクス"タイプに大別される。それぞれ一長一短があり，アスリートの足を効果的に保護するには，それぞれの利点と問題点を十分に理解する必要がある。

1. "クッション"タイプ

　クッションタイプとは，基本的には凹凸のないフラットな形状であり，素材の衝撃吸収性によって足への負担を軽減することを目的としたインソールである[4]。素材としてゴム，シリコン，EVA（エチレン酢酸ビニール），ソルボなどの低反発素材を用いたものや，空気や液体を内蔵するタイプなどがある。素材により多少の優劣はあるものの，いずれも足底への衝撃を緩和する効果が期待される。さらに，地面からの反力が軽減されることにより，荷重運動中の膝関節や骨盤など上位の関節への負担が軽減される可能性がある。

　一方で，柔らかい素材のインソールにはいくつかの問題点がある。

　①横すべり：柔らかすぎるインソールでは，サイドステップなどにおいて足が横すべりし，捻挫を起こす危険性がある。また，筋力を発揮するタイミングにずれが生じ，筋や関節を痛める可能性もある。

　②不安定：衝撃吸収を目的として踵の中央部が

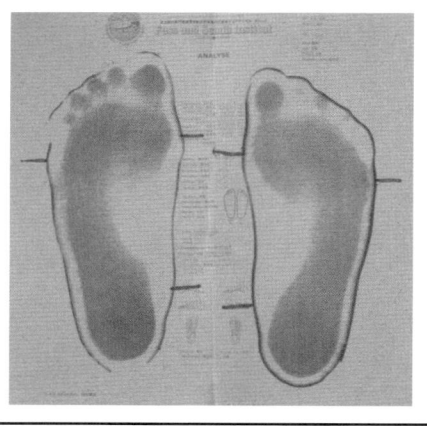

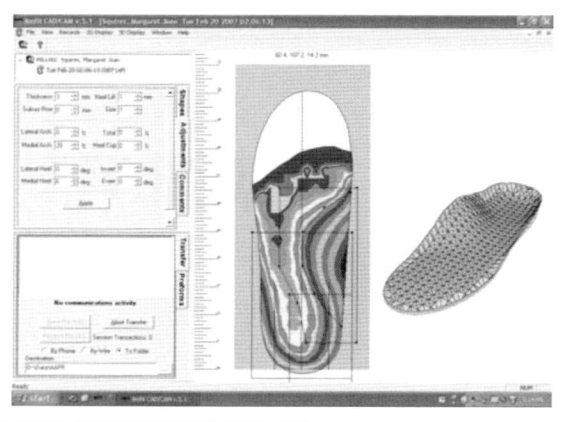

第5章　足部障害に対する運動療法とスポーツ復帰

図15-1　足型を採型して製作するインソール
フットプリントを用いる採型法（左）と3Dスキャナーを用いる採型法（右）。

厚いインソールでは，踵が側方に傾きやすく，不安定である。そのため捻挫の危険性が高く，また踵を傾けて接地することが習慣化される可能性もある。

③刺激の減少：足底への刺激が少なく，感覚入力が低下する。これは足底から脳に伝えられる情報が少なくなることを意味する。

④アーチ支持効果がない：一般的なフラットなクッションタイプインソールに，足部アーチの支持を期待することはできない。したがって，足部アライメント不良の矯正効果は皆無である。

以上のような問題点を踏まえ，クッションタイプのインソールを選ぶ際には，厚さは5 mm程度まで，反復横跳びやジャンプにおいて横すべりしない，踵が左右にブレない（安定している），床を蹴る感覚がよい，といった条件を満たすものを選択すべきである。

2. "バイオメカニクス"タイプ

バイオメカニクスタイプは，足のアーチ構造をサポートして下肢のアライメントや運動を変化させ，下肢への負担軽減を目的としたインソールである[5〜7]。その概要は以下のとおりである。

1）既製品

既製品インソールとしては，スニーカーやスポーツシューズに出荷時に装着されているタイプと，別途スポーツ店などで購入するタイプとがある[8〜10]。いずれも足底を強く刺激することによる不快感や痛みを誘発することがないように，薄く設計されている。このため，アーチに対するサポート力は不十分といわざるをえない。

スポーツシューズ自体にインソールが内蔵され，内側縦アーチ（土踏まず）をサポートする形状を備えている場合がある。シューズに内蔵されているインソールは内側縦アーチのみをサポートしている場合が多い。これでは，足の立体的なアーチ構造をバランスよくサポートすることにはならず，場合によっては立体的な足のドーム構造を崩していく可能性もある。

2）足型製作

準既製品のインソールとして，各個人の足型を採るタイプのインソールがある（**図15-1**）[5, 11]。3Dスキャナーを用いる採型法[12, 13]，立位で体重をかけて採型するタイプ，椅子に座って採型材の上に足を置いて採型するタイプ，ギプスや石膏で足型を作製するタイプなどがある。

これらの方法は，足の裏の形状を忠実に再現することから，足底の凹凸を立体的に再現した形状となっている。しかしながら，上記のどの採型方法を用いたとしても，足底の皮膚の凹凸を再現しているにすぎず，軟部組織（筋，腱，脂肪）の形状やアーチを構成している骨格の状態を採型することはできない。また，治療過程においては，すでに問題のあるアーチの形状を再現しても，治療効果や将来の足部の障害の予防効果は得られないのではないか，という批判もある。

3）専門家による評価と製作

足型を採型して機械的にインソールをつくるのではなく，義肢装具士や理学療法士が専門的な知識をもとに足の特徴を分析して作製するインソールがある[14]。この場合，インソールの考え方やその役割は多種多様であり，統一された理論が存在するわけではない。整形外科医の処方によって作製される場合は健康保険が適応される。

アスリートがこのようなインソールをつくる場合は，その知識と技術をもった専門家を探すことからはじめなければならない。また，このようなフルオーダーメイドであったとしても，そのインソールが足に合うという保証はなく，またスポーツ種目の特徴に合っているとも限らない。

専門家による評価が行われたとしても，前項と同様に，治療過程においてすでに問題のあるアーチの形状を再現しても，治療効果や将来の足部の障害の予防効果は得られない可能性がある。応力分散の機能を失った足部を変化させずにインソールのみで応力の分散を図ることは妥当か否か，一時的に疼痛部位へのストレスを減らすことができたとしてもほかの部位に応力集中を起こしていないか，といった点には注意が必要である。

以上のようにバイオメカニクスタイプのインソールは，さまざまな製造方法がある。注意しなければならないのは，既製品，足型製作，専門家による作製の順に費用が高くなるが，その効果は必ずしもこれと同じ順番になるとは限らない[15]ということである。インソールを必要とする理由，インソールに期待する効果，製作者の専門性と技術などを十分に吟味し，専門家のアドバイスを得て購入するのが望ましい。

B. インソールの役割と機能

スポーツ選手のリハビリテーションおよび競技活動において，インソールに期待すべき役割としては，

- 本体：衝撃吸収（足底への衝撃に対する軟部組織，骨の保護），耐久性，軽量
- 生地：摩擦の上昇（すべり止め）
- ヒールカップ：踵部脂肪体の保護
- ヒールウエッジ：踵骨傾斜の調整（ウエッジ）と下腿回旋の調整
- アーチサポート：足部アーチの保護とリアライメント
- トウサポート：前足部の荷重圧分散と安定性向上

などがあげられる。市販のインソールの多くは，単一の要素に対する効果をうたっており，6項目のうち4項目以上の効果を有する「高機能インソール」は少ない。以下，各要素について，スポーツ選手において好ましいインソールの条件を整理する。

1. 本体（ベース）

インソールの土台となる本体（ベース）は足に直接触れる部分であり，いくつかの重要な役割と望まれる機能として，①衝撃吸収性，②耐久性，③軽量であること，がある。

適度な衝撃吸収性は，足底の軟部組織および骨を着地などの衝撃から保護する役割を果たす。し

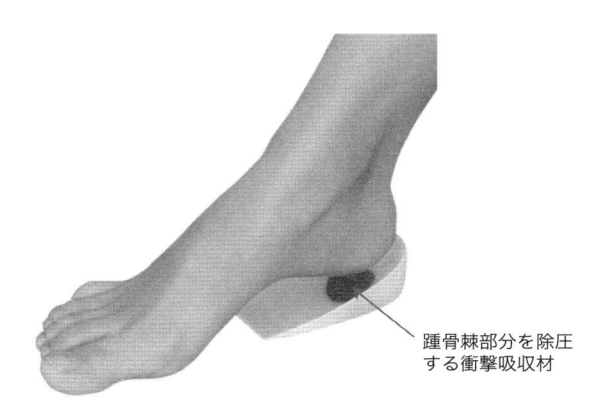

第5章 足部障害に対する運動療法とスポーツ復帰

図 15-2 踵部脂肪体を中央に寄せてその役割を向上させるヒールカップ

(踵骨棘部分を除圧する衝撃吸収材)

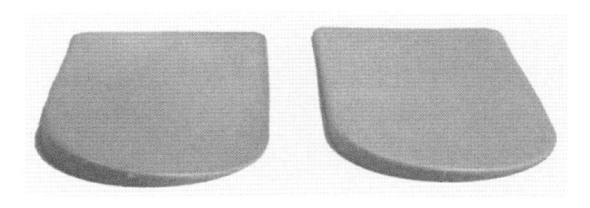

図 15-3 踵骨を傾斜させるためのヒールウェッジ

かし，クッションタイプにしばしばみられる過度の厚みを伴う衝撃吸収性は，側方の安定性を犠牲にする可能性がある点に注意が必要である．耐久性と軽量の重要性は自明である．

2．生地

足底またはソックスに直接触れるインソール表面の生地については，①適度な摩擦，②汗を吸収せず，靴の外部に排出する，③抗菌性，④脱臭効果，などの機能を有していることが望ましい．

上記のなかで，特に摩擦はスポーツパフォーマンスに重大な影響を及ぼす可能性がある．すべりやすいインソールを用いると，サイドステップや急加速などにおいてシューズの中で足部がすべり，シューズそのものの消耗を加速するとともに，足関節捻挫などの危険性も増大する．ストップやスタートダッシュのように水平方向への加速度が求められるスポーツ種目においては，インソールの生地に強い摩擦が求められる．

3．ヒールカップ

足底の踵の周辺には踵部脂肪体と呼ばれる脂肪組織があり，衝撃吸収の役割を果たしている[4, 16]．これが薄くなったり，ダメージを受けたりすると踵骨を保護する役割が果たせなくなり，踵骨そのものへの衝撃が増大する[17]．インソールの重要な役割の1つとして，この踵部脂肪体の保護があげられる．そのためには，踵の部分がカップ状となり，踵部脂肪体を中央に寄せる機能を有していることが重要である（**図 15-2**）．

踵骨骨棘障害は，足底腱膜および短趾屈筋の起始部に骨棘が形成されることにより，踵接地において荷重時痛をきたす疾患である[18]．そのメカニズムとして，足底腱膜および短趾屈筋の張力とともに踵骨回内を伴う足底の慢性的な打撲が指摘されている．その予防または治療において，これらの付着部を部分的に免荷できるようなヒールカップが有効である（**図 15-2**）．

以上のように，ヒールカップには，足底腱膜および短趾屈筋の起始部の免荷と踵部脂肪体を中央に寄せるという2つの機能を備えることが望まれる．踵部脂肪体の本来の機能を回復させることによって踵への荷重を分散するとともに，身体に備わっている衝撃吸収材（踵部脂肪体）を有効に機能させることが可能となる．このことは，ヒールカップの性能を高めることにより，クッションタイプのインソールは不要となることを意味している[19]．

4．ヒールウエッジ

ヒールウエッジとは，踵の下に横方向への傾斜のあるインソールを意味する（**図 15-3**）．これは踵骨を意図的に前額面上で傾斜させるためのインソールであり，主に歩行に障害をきたすほど進行

15. 足部アライメント不良に対するインソールの考え方

した変形性膝関節症に対して用いられている。内反膝に用いられる外側ウエッジは踵骨回内を誘導し，膝関節における内反モーメントを減少させる効果[20]が期待されて用いられているが，実際にはその効果に関するエビデンスは乏しい[21]。一方で，外側ウエッジによる回内足の強制は，立位における下腿内旋，大腿内旋，骨盤前傾をもたらす[22]。

ヒールウエッジの使用は，足部に対してはマイナスの効果をもたらす可能性がある。外側ウエッジでは後足部の回内[23]と過剰な母趾球への荷重をもたらし，内側ウエッジでは後足部の回外と過剰な小趾球への荷重が起こる。これらは，中足部から前足部にかけてのアライメント不良と応力集中を助長することにもなりかねない。したがって，ヒールウエッジの使用においては，足部や足関節への負荷を増強する危険性があることに留意すべきである。筆者は，踵骨載距突起，踵立方関節付近の支持，そしてヒールカップの組み合わせにより，回内足，回外足のいずれにおいても踵骨を正中位に誘導するのが妥当であると考えている。

5. アーチサポート

多くのインソールにおけるアーチサポートは，内側縦アーチ，外側縦アーチ，横アーチという3つのアーチの降下を防止するように設計されている[10, 24]。その形状や高さは多様であるが，一般的には**図15-4**のような形状のインソールが多い。中足部における支持のない形状から，インソールの設計において3つのアーチが独立して形成されていることが前提となっているように捉えられる。

足部は本来立体的なドーム構造であり，3つのアーチはドームの断面であることに基づくと，ドーム構造の頂点付近に大黒柱を立てるように，足部の要石を支持することが必要であることが理解できるであろう。軟部組織の不快感を防ぎながら

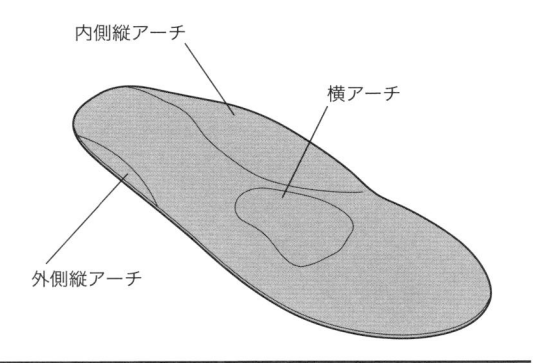

図15-4 内側縦アーチ，外側縦アーチ，横アーチの3つのアーチをサポートするインソール

要石を支持することが，足部アライメント不良を呈する足のドーム構造を再構築するうえでは不可欠となる。この点については次項にて詳述する。

6. トウサポート

トウサポートの目的は，インソール上での足の前方すべりを防ぐこと，そして5本の中足骨頭にできるだけ均等に荷重すること，の2点である。適切に設計されたトウサポートを用いると，足が前方にすべらず，またストップ時の足部の横ブレが抑制される。このため，下り坂，階段の下り，カッティング，ストップや減速動作，ストップジャンプのパフォーマンスを劇的に改善させる可能性がある。

C. 足部リアライメントの考え方

足部アライメント不良に対するインソールを構築するうえで，まずは足部アライメント不良をどのように理解するかが重要となる。"扁平足"や"ハイアーチ"といったパターン分類はシンプルで理解しやすい。しかしながら，足部のアライメント不良パターンは，足部を構成する各関節のアライメントの組み合わせによって形成されることから，その特徴と改善法についての共通認識が必

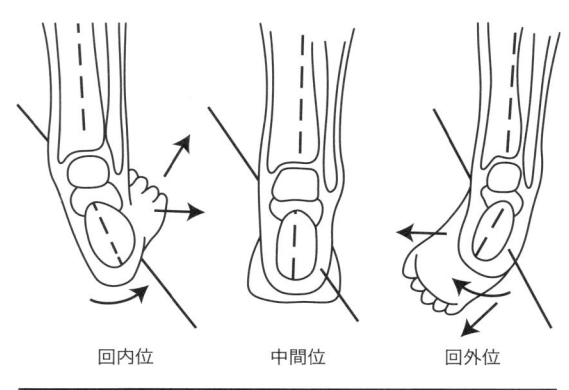

図15-5 距骨下関節アライメント

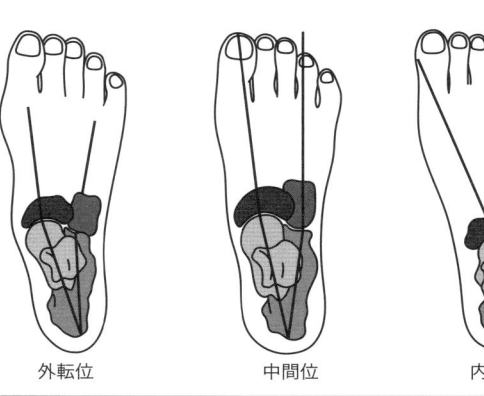

図15-6 Chopart関節アライメント

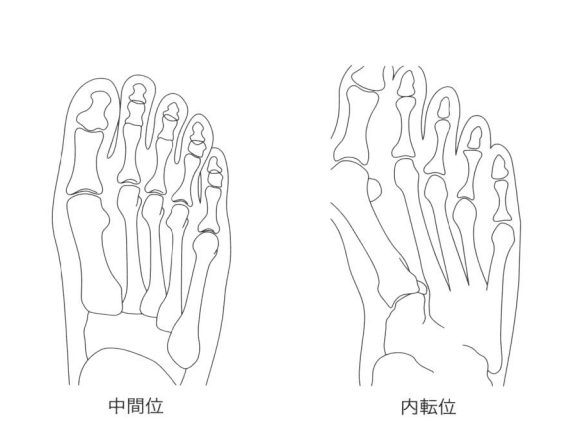

図15-7 Lisfranc関節アライメント

1. 各関節のアライメントとアライメント不良パターン

　足部アーチのアライメントは，距骨下関節，Chopart関節，Lisfranc関節のアライメントの組み合わせによって形成される．しかも，内側，外側，横アーチはそれぞれが独立して形成されるのではなく，共通のドーム構造を共有するため，当然互いに影響し合う．また，足底腱膜などの足底の軟部組織の緊張がアーチの降下に抵抗するトラス構造を有している[25, 26]．Chopart関節外転とLisfranc関節内転により足部はジグザグに配列

(skewfoot)[27] することとなり，このため軟部組織が伸張されずに内側アーチ降下が起こりうる．したがって，足部アーチ全体を正しく理解するうえで，距骨下関節，Chopart関節，Lisfranc関節の可動性とアライメントを正確に理解することが求められる．

1）後足部と中足部との関係

　距骨下関節アライメントは中間位，回内位，回外位の3つに分類される（**図15-5**）[28]．一方，Chopart関節アライメントは中間位，内転位，外転位の3つに分類される（**図15-6**）．Lisfranc関節は中間位，内転位，外転位の3つに分類される．ただし，Lisfranc関節が外転位を呈することはきわめてまれであり，ほとんどの足において内転位を呈している（**図15-7**）．この傾向は扁平足やハイアーチに共通しており，逆にLisfranc関節のアライメントのみから扁平足やハイアーチを予測することはできない．

　以上より，典型的な扁平足パターンは距骨下関節回内，Chopart関節外転，Lisfranc関節内転位となる（**図15-8A**）．一方，ハイアーチは距骨下関節回外，Chopart関節内転，Lisfranc関節内転位となる（**図15-8B**）．これらのパターンに対して，距骨下関節中間位，Chopart関節中間位，

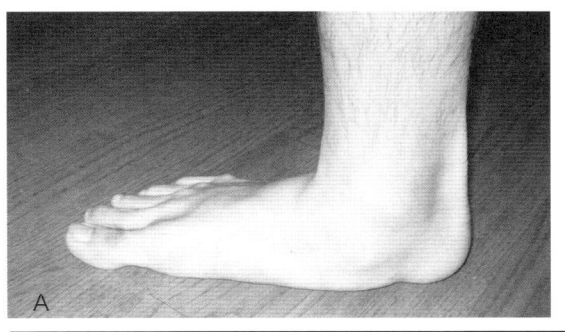

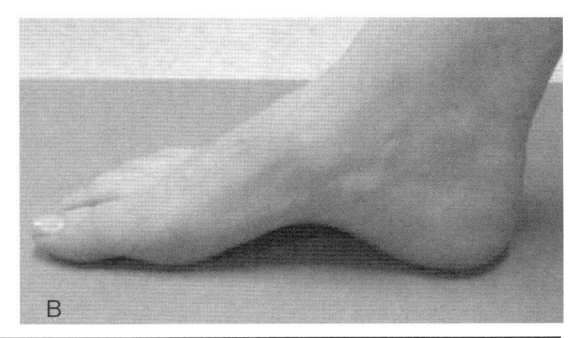

図15-8　A：扁平足にみられる距骨下関節回内，Chopart関節外転，B：ハイアーチにみられる距骨下関節回外，Chopart関節内転

Lisfranc関節中間位の組み合わせを達成することが，足部リアライメントの目標と位置づけられる。

2）中足部と前足部との関係

　Lisfranc関節中間位とは，足部長軸と第3中足骨とが平行に位置し，5本の中足骨がほぼ平行または軽度に扇形に配列した状態を指す（**図15-7左**）。この配列によって，5本の中足骨が半円柱状に配列することができ，この配列こそがChopart関節から中足骨頭にいたる横アーチ形成の基盤となっている。

　日本人のほとんどの足において，Lisfranc関節は内転位を呈している（**図15-7右**）。Lisfranc関節内転は，第1中足骨の内転と回外を増強して外反母趾を，第5中足骨の回外を増強して内反小趾をもたらす。また，5本の中足骨の半円柱状の配列を妨げ，横アーチの降下をもたらし，さらにインソールや運動療法による横アーチの形成に強く抵抗する因子となる。このため，Lisfranc関節をできる限り中間位に近づけることが，中足部から前足部にかけての良好なアライメントと足部機能を再獲得するうえで重要となる。

3）中足部からのリアライメント

　足部のリアライメントを進めるうえで，前足部

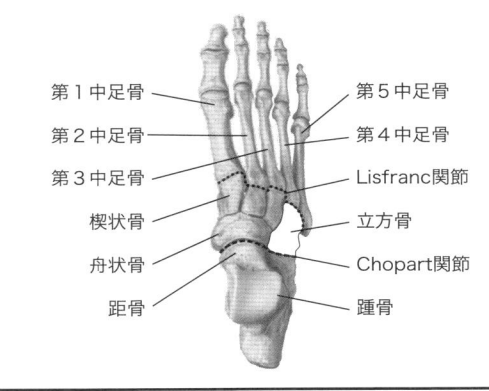

図15-9　立方骨の位置

と後足部の両方に関与する中足部のアライメントに着目する必要がある。Chopart関節外転位，Lisfranc関節内転位を呈する扁平足において，楔状骨は舟状骨に対して外転・外方偏位し，立方骨は外側楔状骨に押し込まれるように外転・降下する。一方，Chopart関節外転位，Lisfranc関節内転位を呈するハイアーチにおいては，楔状骨は舟状骨に対して外転・外方偏位し，立方骨は踵骨回外によって内転・回外する。したがって，中足部全体のアライメントを整えるためには，Chopart関節とLisfranc関節の両方のアライメントに関与する立方骨のリアライメントが不可欠であると考えられる（**図15-9**）。

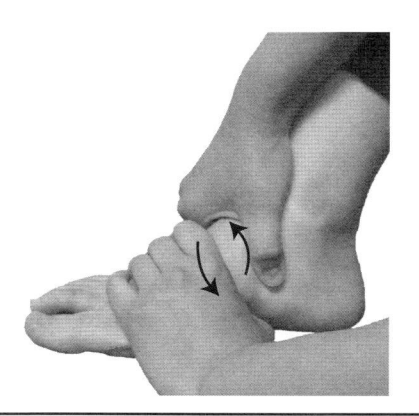

第5章 足部障害に対する運動療法とスポーツ復帰

図15-10 舟状骨に対する楔状骨回内のモビライゼーション

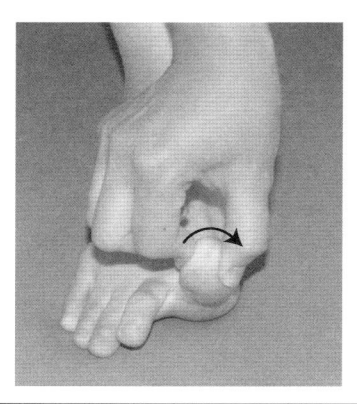

図15-11 第1中足骨回内のモビライゼーション

2. 足部リアライメントの進め方

足部のリアライメントを進める過程において，インソールには，非荷重位での足部リアライメントの成果を荷重位でも保持する役割を期待する。この方針により，インソールが無理に足部をリアライメントする必要がなく，ほかの方法によって得られた中間的な足部アライメントを保持するための構造を有していればよいことになる。一方で，足部の中間的なアライメントを獲得するための非荷重位でのリアライメントが重要となる。そこで，筆者が提唱するリアライン・コンセプトに基づく足部リアライメント法を紹介する。

1) 要石＝立方骨

Chopart関節とLisfranc関節の両方に影響力をもつ立方骨をドーム構造の要石と捉えている。立方骨のアライメントを修正するためには，その周囲にあるChopart関節，中足部，Lisfranc関節のリアライメントを同時に進めなければならない。すなわち，立方骨を中心に，後足部から前足部にかけてどこにも矛盾が生じない方針でリアライメントを進めることが求められる。

外転位や回外位にある立方骨を理想の位置にもどすうえで障害となるのは，立方骨に隣接する関節の可動性低下である。その場合はそれらの可動性改善を優先せざるをえない。一方，中足部の可動性が十分であれば立方骨は容易に正常な位置に誘導される。前項で述べたアライメント不良パターンに対して，以下のような手順で足部リアライメントを進める。

2) 楔舟関節のモビライゼーション

扁平足，ハイアーチのいずれの足においても，Lisfranc関節は内転位を呈している例が多い。X線あるいは中足骨の触診により第3中足骨の内転が確認された場合は，横アーチ形成のためにその解消を進める必要がある。Lisfranc関節内転には舟状骨に対する楔状骨の外転・外方偏位が必発していることから，舟状骨に対する楔状骨の内方へのモビライゼーションを行う。具体的には，後足部と前足部を把持し，タオルを絞るように前足部（楔状骨）を舟状骨に対して回内させる（図15-10）。これにより，舟状骨に対して楔状骨を内側に移動させ，同時に第1～5中足骨を回内・外転させる。舟状骨に対する前足部の回内が確認されたら終了する。通常，10回程度の反復で可動性は回復する。外反母趾に伴う第1中足骨の回外あるいは内反小趾に伴う第5中足骨回内が著明な場

15. 足部アライメント不良に対するインソールの考え方

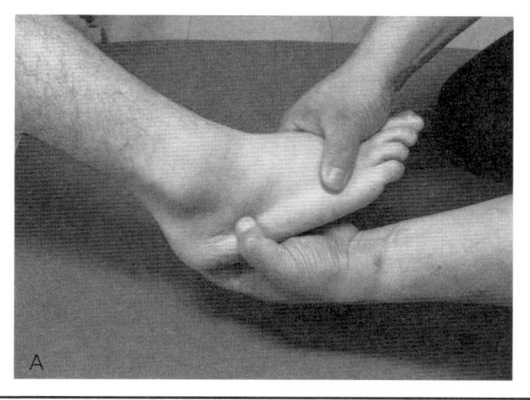

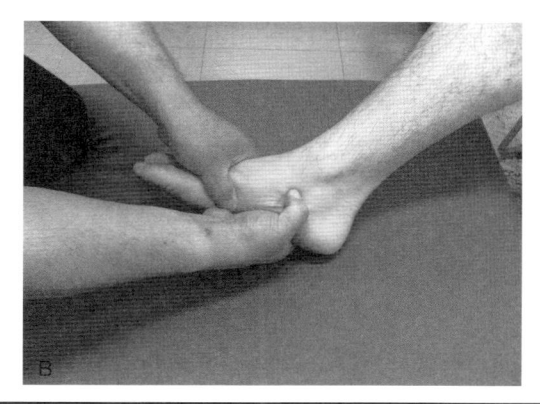

図15-12 Chopart関節内・外転可動域改善の徒手的リリース
A：踵立方関節のリリース，B：距舟関節のリリース。

合，母趾または小趾を背屈位で内転させて中足骨の回内を促す（図15-11）。

3）Chopart関節のモビライゼーション

Chopart関節は扁平足において外転位，ハイアーチにおいて内転位を呈していることが多い。これらに対して，Chopart関節中間位を得るようにモビライゼーションを行う。Chopart関節が外転位を呈する扁平足においては，内転方向への他動運動を行う。内転可動域を制限する踵立方関節の拘縮がある場合は，立方骨から踵部脂肪体を剥がすように指先をすべりこませつつ内転モビライゼーションを行う（図15-12A）。一方，Chopart関節が内転位を呈するハイアーチにおいては，距骨に対して舟状骨を外転させつつ回内させる。必要に応じて，母趾外転筋を距骨または舟状骨から剥がすように指先をすべりこませ，外転・回内のモビライゼーションを行う（図15-12B）。

4）立方骨のモビライゼーション

楔舟関節の可動性が改善し，Chopart関節が中間位に到達できる可動性が得られたら，足底から立方骨を押し上げるようにモビライゼーションを行う（図15-13）。立方骨の挙上において，扁平足の場合は踵立方関節を内転させるように，ハイアーチの場合は外転させるように押すことにより，立方骨支持によってChopart関節中間位を誘導する。この際，Lisfranc関節のリアライメントを確実なものとするため，立方骨の挙上に連動して前足部の回内を誘導する。立方骨周辺の関節に十分な可動性が得られると，立方骨の徒手的な挙上により内側縦アーチ，外側縦アーチ，横アーチが同時に形成され，立方骨がドーム構造の中心にあることが視覚的に確認できるはずである（図15-14）。

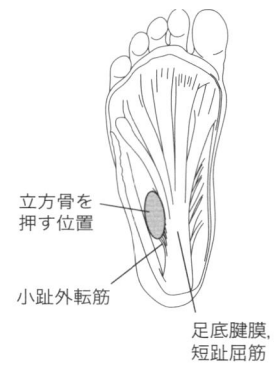

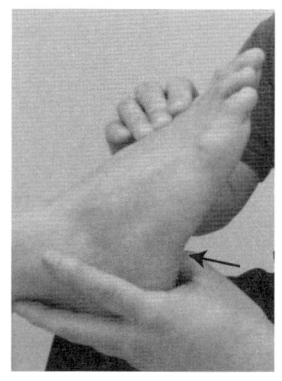

図15-13 立方骨の上方モビライゼーション

立方骨を押す位置
小趾外転筋
足底腱膜，短趾屈筋

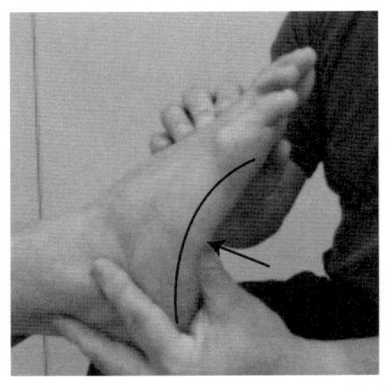

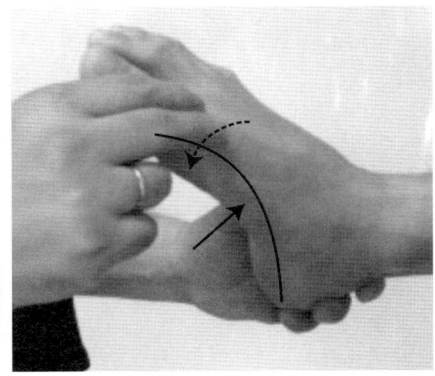

第5章　足部障害に対する運動療法とスポーツ復帰

図15-14　立方骨の上昇によるアーチ形成

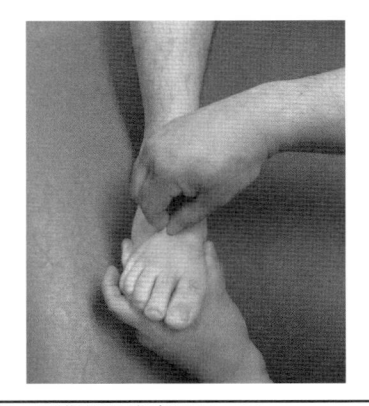

図15-15　足背部の皮膚リリース

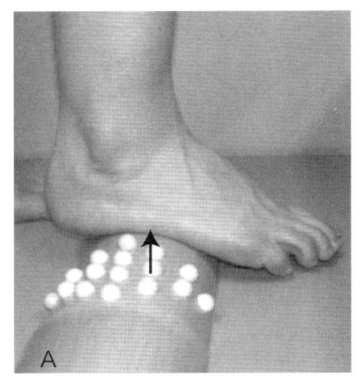

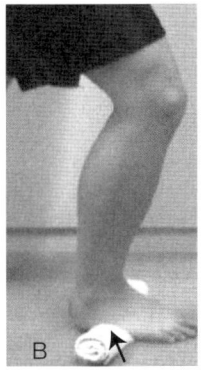

図15-16　立方骨挙上を促すエクササイズ
A：青竹踏み，B：タオル踏みスクワット。

5）皮膚リリース

上記の非荷重位でのリアラインを行っても十分にリアライメントが進まない場合は，皮下組織の滑走性の低下がありアライメントを阻害している可能性がある。横アーチの形成を阻害するものとしては，足背部の皮膚の癒着が考えられる。皮膚をつまみながら足趾を他動屈曲，あるいは皮膚をつまみながら中足骨から引き剝がすように滑らす（**図15-15A**）。外側縦アーチの形成が得られない場合は第5中足底から立方骨にかけての背側の皮膚のリリースを行う（**図15-15B**）。内側縦アーチの形成が不良な場合は踵立方関節付近に着眼する。以上のような皮膚リリースを行った後に，再度立方骨の挙上によるドーム構造の形成の有無を確認する。

6）青竹踏み・タオル踏みスクワット

上記の非荷重位でのリアライメントを荷重位でのリアライメントに転移させるため，青竹踏みまたはタオル踏みスクワットを行う。青竹踏み（**図15-16A**）は主に他動的な立方骨挙上モビライゼーションを，タオル踏みスクワット（**図15-16B**）は立方骨挙上位での足部周辺の筋活動の学習を目的とする。タオル踏みスクワットと裸足でのスクワットを比較し，タオル踏みスクワットにおいて前足部の横アーチ（母趾球と小趾球への荷重）が

15. 足部アライメント不良に対するインソールの考え方

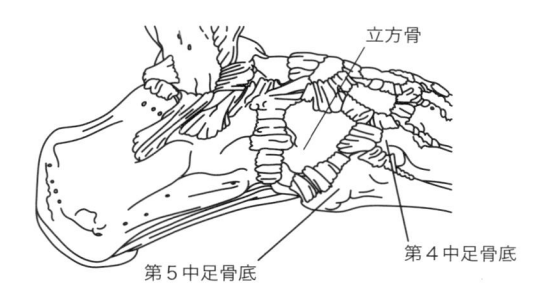

図15-17　第5中足骨底の位置
立方骨と第4中足骨底と連動して上下に移動する第5中足骨底を無理に挙上してはいけない。

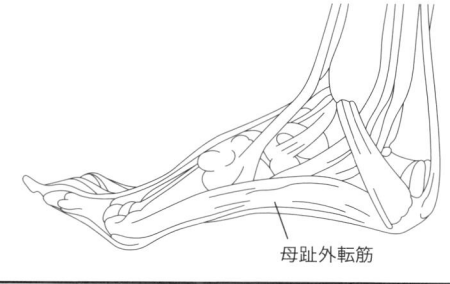

図15-18　母趾外転筋
内側アーチを覆っている母趾外転筋を部分的に圧迫してはいけない。広い接触面で内側縦アーチをサポートすることが好ましい。

明確に意識できるようであれば，一連のリアライメントのプロセスが完了したことを示す。

3. インソールによる足部ドーム構造支持の考え方

非荷重位および荷重位のリアライメントにより，立方骨の挙上による3つのアーチの形成が得られたことを前提としてインソールを装着する。インソールはリアライン後の足部ドーム構造を保持するよう，中間的な足部アライメントにフィットする形状とすることが重要である。そのようなインソールの基本的な構造は以下のような考えに基づいている。

1) 外側縦アーチ

足の外側縦アーチは，後ろから踵骨，立方骨，第4および第5中足骨によって形成され，立方骨がその頂点に位置する[29]。立方骨アライメント不良のパターンは多様で，そのまま降下，前方または後方へ傾斜，あるいは回外偏位していることがある。外側縦アーチを効果的にサポートするには，どのような立方骨の傾斜にも対応できるようなサポート方法が必要である。

立方骨の底側には，踵骨から第5中足骨底に付着する小趾外転筋がある。この小趾外転筋を強く圧迫すると痛みや不快感を生じ，また外側ウエッジと同様に踵骨回内を促す。また，立方骨の内側には足底腱膜と短趾屈筋が存在する。一方，外側縦アーチの前方部分を構成するのは第4，第5中足骨である。これらの骨の後部はアーチのトップに近いため地面から離れており，前方の中足骨頭は荷重面を形成する。後部では，第4中足骨底よりも第5中足骨底はかなり低い位置にあることから，第5中足骨底を無理に挙上させてはいけない（**図15-17**）。したがって，外側アーチを形成・維持するためには，足底腱膜や小趾外転筋を圧迫せずに立方骨をできる限り広い面積で支えることが望ましい（**図15-13**）。

2) 内側縦アーチ

内側縦アーチは踵骨，距骨，舟状骨，楔状骨，第1～第3中足骨から形成される[29]。内側縦アーチが降下する扁平足では，舟状骨が著明に降下し，Chopart関節が外転位を呈する。内側縦アーチを効果的にサポートするには，特にアーチの後部（踵骨，距骨，舟状骨）をしっかりとサポートする必要がある。載距突起は，骨格上踵骨の回内を制動するうえで最適な支持面となるが，その表層には母趾外転筋があるため圧迫による不快感が生じやすい。したがって，内側アーチサポートは広

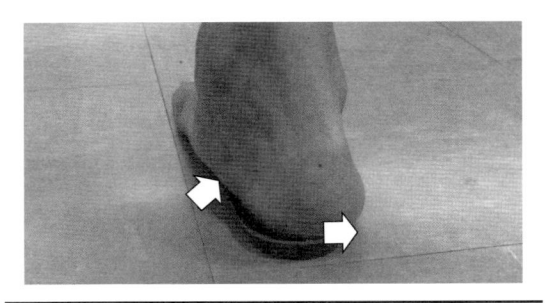

第 5 章 足部障害に対する運動療法とスポーツ復帰

図 15-19 扁平足に対する内側縦アーチ支持によって誘導される踵骨内旋

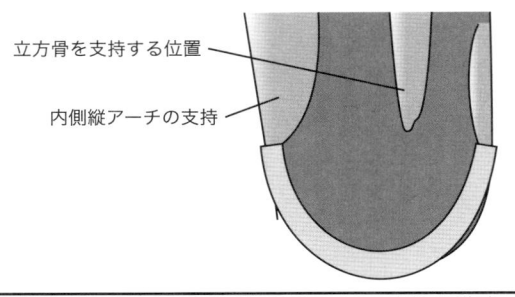

図 15-20 踵骨を支持するインソール後部の構造
内側縦アーチは母趾外転筋を広範囲に支持する。踵立方関節をロックするため，立方骨を支持する。

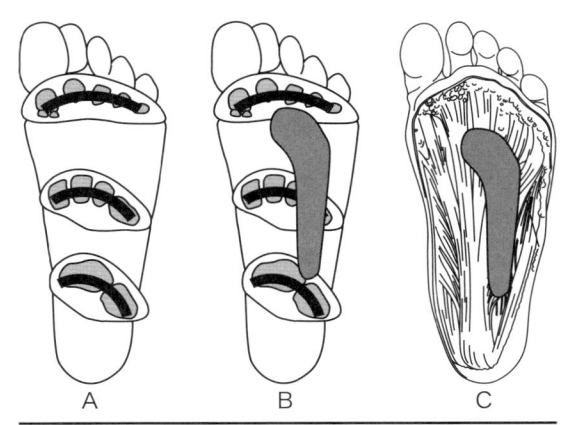

図 15-21 A：横アーチの構造。Chopart 関節から中足骨頭レベルまで，連続的に横アーチが形成される。B：横アーチサポートパッド。Chopart 関節から中足骨頭レベルまでの横アーチをサポートする。C：横アーチサポートパッドは足底腱膜（第 3～5 趾への枝は除く）を圧迫しない位置に配置する。

い接触面で母趾外転筋全体を支持すべきである（図 15-18）。現実には，内側アーチサポートのみでは Chopart 関節の外転を制御することはほぼ不可能である。内側アーチサポートで強固に内側アーチを支持すると，スクワットに伴って踵骨が内旋し，結果として Chopart 関節は外転してしまう（図 15-19）。

Chopart 関節の外転は，内側の距舟関節と外側の踵立方関節の両方が外転するために起こっている。これに対して踵立方関節を下方からサポートすると，Chopart 関節の外転をある程度抑制することができる[30]。つまり，立方骨の支持は Chopart 関節を安定させ，内側縦アーチによるアーチ支持の効果を増強する（図 15-20）。以上より，降下している内側縦アーチをサポートするには，内側縦アーチの後部とともに立方骨をサポートして踵立方関節を安定させることが必要である。

3）横アーチ

横アーチは，中足骨頭レベルだけではなく，Chopart 関節，Lisfranc 関節を含めた半円柱状の立体的なアーチ構造を意味している[29, 31]（図 15-21A）。横アーチは，前足部に強く荷重することによって潰れて平坦になることにより，荷重を 5 本の中足骨に分散する役割を果たしている。

一般によく見かける横アーチのサポート法は，第 2～第 4 中足骨頭をサポートするものであり，これをメタターサルパッドという（図 15-4）。これを用いることにより見かけ上の横アーチが形成されるが，その結果，衝撃を分散するどころか逆にメタターサルパッドの上に乗る第 2～第 4 中足骨にストレスが集中し，中足骨疲労骨折などの障害を引き起こす危険性がある。つまり，メタターサルパッドは横アーチの実質的な役割を破綻させるものである。

有効に横アーチを形成するには，後方の立方骨

15. 足部アライメント不良に対するインソールの考え方

から第4中足骨にかけて，縦長のサポートパッドを用いる（**図15-21B**）。これであれば，中足骨頭への衝撃に対して，適度に横アーチがつぶれることによって衝撃を分散し，同時にアーチの根本である立方骨がしっかりと支えられた状態を保つことができる。このサポートパッドは，外側の第5中足骨と内側の足底腱膜（特に第1趾への腱）を圧迫してはいけない。その結果として，（**図15-21C**）のような形状となる。以上より，横アーチをサポートするには中足骨頭ではなく，立方骨から第4中足骨の中央部分にかけてをサポートする必要がある。

4. トウサポートの考え方

スポーツ活動において前足部でブレーキをかける場面として，箱根駅伝の山下りに代表される下り坂のランニング，バスケットボールやサッカーのストップ，バレーボールのストップジャンプ，アルペンスキー，フィギュアスケートの着地，カッティング動作などさまざまのものがある。これらの動作に共通して，足部を正面に向けると，最も遠位まで伸びている第2中足骨頭に荷重が限局される。これに対して，つま先を内側に向けることにより，第2から第5中足骨頭に荷重面積が拡大する。その結果，選手はつま先を内側に向けるほうが止まりやすいと感じる。このような代償はバスケットボールのジャンプシュートなどに典型的に現われる。

つま先を内側に向けた減速動作の問題点として，①足部内旋・踵骨回外による内反捻挫のリスク増大，②中足骨内転の増強と外側アーチの降下，③股関節内旋による膝の動的外反，④大腿四頭筋よりも腸脛靱帯など膝外側構成体に依存した制動，⑤ジャンプの主動作筋である大腿四頭筋・大殿筋などのパフォーマンス低下，などが考えられる。これらは，いずれもスポーツ選手にとっては修正すべき点と捉えられる。

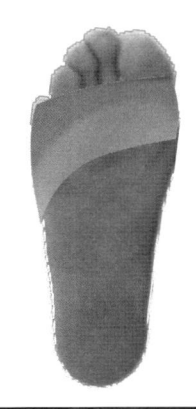

図15-22　トウサポート
実際にはインソールの裏面に貼付する。

トウサポートは，上記のような問題を解決するために必要とされる。すなわち，トウサポートには，中足骨頭レベルの荷重面積を拡大し，つま先を正面に向けた減速動作においても前足部を安定させる機能が求められる。筆者は**図15-22**に示すトウサポートを用いている。これを装着して下り斜面に立つと，第1中足骨から第5中足骨に渡って広い荷重面積が得られ，つま先の側方への動揺性がほぼ消失する。すなわち荷重面積と安定性の向上に貢献する。このトウサポートの凸部は床面に接触しない中節骨部に一致するため，足趾の正常な荷重を妨げない。

トウサポートの問題点としては，第5中足骨頭をわずかながら挙上する点にある。これは外側アーチを降下させる作用をもつことになり，第5中足骨や立方骨周辺の関節に負荷を及ぼすことになりかねない。したがって，このトウサポートは，前項で述べたような足部のドーム構造を再構築するためのアーチサポート機能を持つインソールと併用しなければならない。

D. リアライン・インソール

リアライン・インソール（株式会社GLAB社）

第5章 足部障害に対する運動療法とスポーツ復帰

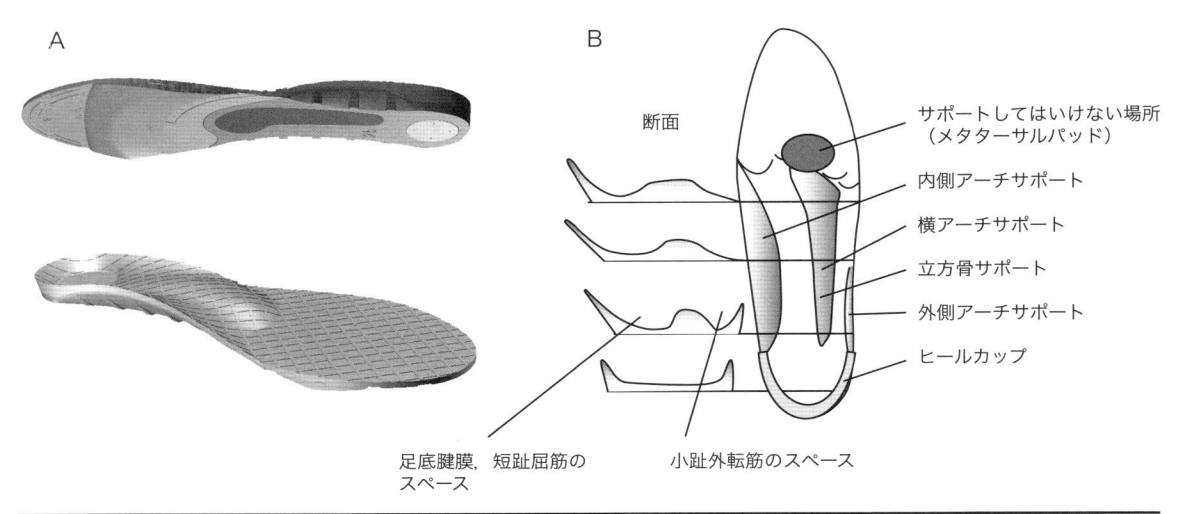

図15-23 A：リアライン・インソール（株式会社GLAB）の概観，B：リアライン・インソール（株式会社GLAB）のアーチのサポートの構成

は，徒手療法と運動療法によって得られた非荷重位でのリアライメントの効果を荷重位で維持するため，筆者が開発したインソールである（**図15-23A**）。事前の非荷重位でのリアライメントが行われていない場合でも，インソールの使用により数週間のうちに同様のリアライメントが進み，足部がインソールに適合するように設計した。冒頭で述べたインソールに期待すべき6つの機能のなかで，本体（軽量，耐久性，衝撃吸収），生地（摩擦，抗菌性，脱臭性，適度な吸湿性），ヒールカップ（踵球保護，踵骨棘の免荷），アーチサポート（立方骨を要石としたドーム構造再獲得のリアライメント），トウサポート（前足部の荷重圧分散と安定性向上）を備えた既製品である。また，足底腱膜，小趾外転筋，第5中足骨底を足底から圧迫しない構造となっており，不快感を生む可能性が小さい点が特徴である（**図15-23B**）。ヒールウエッジ機能はもたないが，ほかのウエッジパーツをその底面に貼付することは可能である。またトウサポートとの併用を想定した構造となっている。

リアライン・インソールのアーチサポートの凹凸については，中間的な足部ドーム構造にフィットするように設計した。立方骨を要石とみなし，立方骨の支持によって3つのアーチを形成することを念頭において設計されている。すなわち，立方骨を支持することで，距骨下関節中間位への誘導，Chopart関節中間位への誘導，Lisfranc関節内転の減少を同時に達成する。このような中間的な足部アライメントにフィットするように設計されているため，事前に非荷重位でのリアライメントが完了していれば即座に，完了していなければ数週間のうちに足底にフィットする。その装着法を簡単に説明する。

1．サイズ決定

リアライン・インソールのサイズはアーチ長によって決定する。すなわち，踵をヒールカップの中央に収めたとき，母趾球が凹凸のない位置に収まる必要がある。母趾球の位置にインソールの凹凸部がくるため，足のサイズよりもやや大きいインソールを使うべきではない（**図15-24**）。むしろ，やや小さめのインソールを使うことにより，フラットなつま先部分に母趾球が乗る。リアライ

15. 足部アライメント不良に対するインソールの考え方

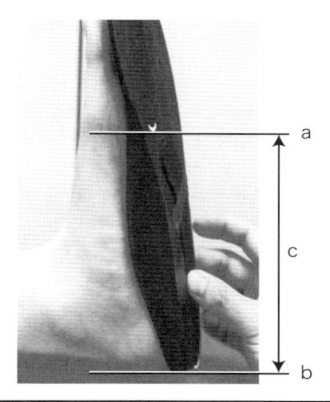

図15-24 リアライン・インソールのサイズ合わせ
リアライン・インソールのサイズはアーチ長（c）によって決定する。母趾球がアーチ支持部に乗り上げないようにする。

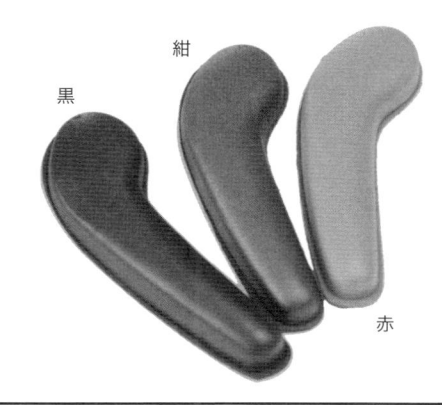

図15-25 中央アーチパッドの選択
赤が最も柔らかく，黒が最も硬い。不快感の生じない硬さを選択する。

ン・インソールのサイズはアーチ長の実寸に基づいて設定されている。したがって，靴のサイズが25.0 cmの場合，つま先にやや余裕のある靴を履いていることを念頭に置くと，足長の実寸を24.0～24.5 cmとみなし，インソールはやや小さめのサイズ24を選択する。

2. 中央アーチパッドの選択

リアライン・インソールの開発にあたっては，立方骨の支持力に関して簡便に調節が行えるように設計した。立方骨の降下が著明であり，その周辺関節の可動性低下により立方骨の上昇が得られない場合は，装着初期の立方骨の支持力を軽減する必要がある。このような調節をアスリートが直感的に簡便に行えるよう，硬度の異なる3種類の中央アーチパッドを同梱している。足底面へのはめ込み式としたことにより，中央アーチパッドは容易に交換が可能となっている（**図15-25**）。

3. トウサポートの貼付

リアライン・インソールには，トウサポートが同梱されているタイプと同梱されていないタイプとがある。同梱されているタイプでは，予め標準

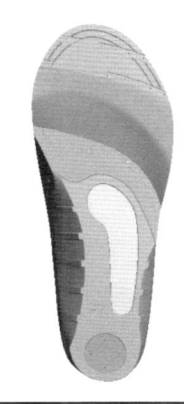

図15-26 トウサポートの位置決め
つま先部分の不快感が生じない場所に貼付する。

的な位置にトウサポートが貼付されており，その位置から前後に数ミリ移動させつつユーザーが感触を確かめ，最も前足部のフィット感の良い位置に貼付する（**図15-26**）。

4. 靴へのフィッティング

足へのフィッティングを完了したリアライン・インソールは，次に靴にフィットさせる必要がある。シューズに内蔵されているインソールがある場合は，それを取り出して，そのインソールの輪

173

郭にそってリアライン・インソールのつま先部分をカットする。通常，凹凸のあるアーチサポート部の輪郭をカットする必要はない。シューズの幅が極端に狭い場合，シューズのヒールカップが低い場合，最初からシューズの底面に凸凹がある場合は，このリアライン・インソールがシューズにフィットしない場合がある。陸上短距離のスパイク，サッカー用スパイク，スキーブーツ，スケート靴などはフィットできない可能性がある。

E. まとめ

運動能力を最大限に発揮させるためのインソールの研究は十分とはいいがたく，前述したような条件を満たすインソールは少ない。しかしながら，現実の臨床においてインソールは足を保護し，また足の機能を最大限に発揮させるための重要なツールである。足部のリアライメントの考え方と技術を組み合わせることにより，インソールはシンプルで統一的な形状にできる。その結果，リハビリテーションにおいては，足部における正常な応力の分散を果たせるアライメントを維持するうえで効果を発揮する。健常なアスリートにおいては，足部および膝や骨盤へのストレスを減弱させる効果とともに，足部による最大のパフォーマンスを発揮させる補助となる。さらには，シューズへの負担を減らし，シューズの耐久性を向上することにも貢献する。今後，インソールの足部リアライメントに及ぼす効果に関する研究が進むことを強く望む。

文　献

1. Saltzman CL, Nawoczenski DA. Complexities of foot architecture as a base of support. *J Orthop Sports Phys Ther*. 1995; 21: 354-60.
2. Kaufman KR, Brodine SK, Shaffer RA, Johnson CW, Cullison TR. The effect of foot structure and range of motion on musculoskeletal overuse injuries. *Am J Sports Med*. 1999; 27: 585-93.
3. Coughlin MJ, Jones CP. Hallux valgus and first ray mobility. A prospective study. *J Bone Joint Surg Am*. 2007; 89: 1887-98.
4. Jorgensen U, Bojsen-Moller F. Shock absorbency of factors in the shoe/heel interaction--with special focus on role of the heel pad. *Foot Ankle*. 1989; 9: 294-9.
5. MacLean CL, Davis IS, Hamill J. Short- and long-term influences of a custom foot orthotic intervention on lower extremity dynamics. *Clin J Sport Med*. 2008; 18: 338-43.
6. Nawoczenski DA, Cook TM, Saltzman CL. The effect of foot orthotics on three-dimensional kinematics of the leg and rearfoot during running. *J Orthop Sports Phys Ther*. 1995; 21: 317-27.
7. Zifchock RA, Davis I. A comparison of semi-custom and custom foot orthotic devices in high- and low-arched individuals during walking. *Clin Biomech (Bristol, Avon)*. 2008; 23: 1287-93.
8. Hurd WJ, Kavros SJ, Kaufman KR. Comparative biomechanical effectiveness of over-the-counter devices for individuals with a flexible flatfoot secondary to forefoot varus. *Clin J Sport Med*. 2010; 20: 428-35.
9. Ramanathan AK, John MC, Arnold GP, Cochrane L, Abboud R.J. The effects of off-the-shelf in-shoe heel inserts on forefoot plantar pressure. *Gait Posture*. 2008; 28: 533-7.
10. Stolwijk NM, Louwerens JW, Nienhuis B, Duysens J, Keijsers NL. Plantar pressure with and without custom insoles in patients with common foot complaints. *Foot Ankle Int*. 2011; 32: 57-65.
11. Rosenbloom KB. Pathology-designed custom molded foot orthoses. *Clin Podiatr Med Surg*. 2011; 28: 171-87.
12. Brncick M. Computer automated design and computer automated manufacture. *Phys Med Rehabil Clin N Am*. 2000; 11: 701-13.
13. Jones D. Impact of advanced manufacturing technology on prosthetic and orthotic practice. *J Biomed Eng*. 1988; 10: 179-83.
14. 入谷　誠. 入谷式足底板 〜基礎編〜. 運動と医学の出版社, 東京, 2011.
15. Nigg BM, Stergiou P, Cole G, Stefanyshyn D, Mundermann A, Humble N. Effect of shoe inserts on kinematics, center of pressure, and leg joint moments during running. *Med Sci Sports Exerc*. 2003; 35: 314-9.
16. Rome K, Webb P, Unsworth A, Haslock I. Heel pad stiffness in runners with plantar heel pain. *Clin Biomech (Bristol, Avon)*. 2001; 16: 901-5.
17. Jorgensen U, Ekstrand J. Significance of heel pad confinement for the shock absorption at heel strike. *Int J Sports Med*. 1988; 9: 468-73.
18. Bergmann JN. History and mechanical control of heel spur pain. *Clin Podiatr Med Surg*. 1990; 7: 243-59.
19. Chia KK, Suresh S, Kuah A, Ong JL, Phua JM, Seah AL. Comparative trial of the foot pressure patterns between corrective orthotics, formthotics, bone spur pads and flat insoles in patients with chronic plantar fasciitis. *Ann Acad Med Singapore*. 2009; 38: 869-75.
20. Hinman RS, Bowles KA, Metcalf BB, Wrigley TV, Bennell KL. Lateral wedge insoles for medial knee osteoarthritis: effects on lower limb frontal plane biome-

chanics. *Clin Biomech (Bristol, Avon)*. 2012; 27: 27-33.
21. Reilly KA, Barker KL, Shamley D. A systematic review of lateral wedge orthotics -how useful are they in the management of medial compartment osteoarthritis? *Knee*. 2006; 13: 177-83.
22. Khamis S, Yizhar Z. Effect of feet hyperpronation on pelvic alignment in a standing position. *Gait Posture*. 2007; 25: 127-34.
23. Kakihana W, Torii S, Akai M, Nakazawa K, Fukano M, Naito K. Effect of a lateral wedge on joint moments during gait in subjects with recurrent ankle sprain. *Am J Phys Med Rehabil*. 2005; 84: 858-64.
24. Tochigi Y. Effect of arch supports on ankle-subtalar complex instability: a biomechanical experimental study. *Foot Ankle Int*. 2003; 24: 634-9.
25. Cheung JT, An KN, Zhang M. Consequences of partial and total plantar fascia release: a finite element study. *Foot Ankle Int*. 2006; 27: 125-32.
26. Hicks JH. The mechanics of the foot, II. The planter aponeurosis and the arch. *J Anat*. 1954; 88: 25-30.
27. Hubbard AM, Davidson RS, Meyer JS, Mahboubi S. Magnetic resonance imaging of skewfoot. *J Bone Joint Surg Am*. 1996; 78: 389-97.
28. Astrom M, Arvidson T. Alignment and joint motion in the normal foot. *J Orthop Sports Phys Ther*. 1995; 22: 216-22.
29. Ridola C, Palma A. Functional anatomy and imaging of the foot. *Ital J Anat Embryol*. 2001; 106: 85-98.
30. Leung AK, Cheng JC, Mak AF. Orthotic design and foot impression procedures to control foot alignment. *Prosthet Orthot Int*. 2004; 28: 254-62.
31. Koura H. Morphological study of the transverse arch of the foot. *Nihon Seikeigeka Gakkai Zasshi*. 1984; 58: 231-9.

（蒲田　和芳）

索　引

【あ行】

アーチ　5, 8, 145, 158, 165
アーチ機能　140
アーチ高　26, 65
　　──の変化　106
アーチ高比　26
アーチサポート　58, 163, 172
アーチパッド　173
青竹踏み　168
アキレス腱ストレッチ　126
アキレス腱張力　10
圧痛点　116
アライメント
　　──距骨下関節　23
　　──距骨頭　33
　　──後方　15
　　──踵骨　15
　　──静的　138
　　──前足部　17, 26
　　──足部　121
　　──中足骨頭　17
　　──評価　12, 21
　　──不良　144, 164
　　──母趾　17
異常足部アーチに対する運動療法　150
異常足部アーチパターン　147
一次性中足骨頭痛　85
インソール　56, 126, 159
　　──カスタムインソール　57
　　──既製品　160
　　──クッションタイプ　159

　　──効果　96
　　──サイズ合わせ　173
　　──準既製品　160
　　──使用時のキネマティクス　56
　　──使用時の足底圧　59
　　──バイオメカニクスタイプ　160
　　──分類　159
　　──ベース　161
　　──役割と機能　161

ウインドラス機能　137
ウインドラス検査　125
運動療法　110, 126, 138, 144
　　──異常足部アーチに対する　150
運動連鎖　133, 134

炎症　137

【か行】

カーフレイズ　157
外果上下のカーブ　34
外側ウェッジ　56
外側縦アーチ　7, 169
　　──の降下　145
回内持続時間　57
回内足　79
外反母趾　17, 73, 83, 95
　　──X線所見　84
　　──危険因子　73
　　──歩行の特徴　84
下肢の運動連鎖　133
カスタムインソール　57

177

索　引

下腿交差周囲部の滑走性　139
カッティング動作　51
可動性
　　——距舟関節　4
　　——楔舟関節　4
　　——第1趾列　4
　　——第1足根中足関節　4
　　——立方骨　5
関節運動　45
関節運動連鎖　133
関節角度測定　22
関節可動域　137
関節可動性　3
関節不安定性　138

危険因子，外反母趾の　73
既製品インソール　160
キネマティックモデル　114
距骨下関節　165
　　——アライメント　23
　　——可動性　139
距骨下関節中間位　23
距骨高　14
距骨頭アライメント　33
距骨の後方滑動性　139
距舟関節周囲の突出　35
距舟関節の可動性　4

クッションタイプインソール　159

脛骨内果後下方から載距突起部の滑動性　140
月経異常　79
血行不良　108
楔舟関節の可動性　4
楔状骨間離開　76
検者間信頼性　21
検者内信頼性　21

後脛骨筋　8

後脛骨筋腱炎　107
後脛骨筋腱機能不全　105
後脛骨筋腱損傷　106
後足部アライメント　66, 80
後足部回内角度　56
後足部疲労骨折　113
後天性扁平足変形　105
後方アライメント　15
骨運動　3
骨棘形成　123
骨盤外方偏位量　136
コンビネーションカーフレイズ　142

【さ行】

最大衝撃力　59
サポートパッド　171
三次元計測センサ　115

舟状骨高　14, 65, 121
舟状骨内の血管分布　114
舟状骨疲労骨折　114
種子骨の外側亜脱臼　83
種子骨の外側偏位　83
準既製品インソール　160
踵骨アライメント　15
踵骨外反　108
踵骨傾斜角　121
踵骨骨棘　121
踵骨内反・外反　35
神経筋協調エクササイズ　141
人体計測学的評価　22
信頼性　21

スキルエクササイズ　142
ステロイド　106, 110
ストレッチ　126
スポーツ復帰　138

静止立位時の運動連鎖　133

静的アライメント　138
前足部アライメント　17, 26
前足部障害　73, 83, 95

装具療法　110, 126
走行時の足底圧　67
走行中の運動学的データ　48
総足底趾神経　87
足関節底屈機能　156
足関節内反捻挫　108
足関節捻挫　106
足関節背屈機能　154
足長　14
足底圧　66
足底圧分布　60
足底腱膜　6
足底腱膜炎　122
足底筋膜ストレッチ　126
足底神経障害　123
足部アーチ　5, 8, 145, 165
　　──異常パターン　146
足部アライメント　121
足部アライメント不良　144, 164
足部外側縁の形状　36
足部機能評価による問題点　137
足部形態　115
足部ドーム構造　169
足部の運動学的データ　46
足部の力学的データ　48
足部リアライメント　163

【た行】
第1基節骨の外側偏位　83
第1趾列の可動性　4
第1足根中足関節の可動性　4
第1中足骨の内側偏位　83
第5中足骨骨折　99
体表マーカー　46
タオル踏みスクワット　152, 168

妥当性　21
他動的回内，外転テスト　90
短足底靱帯　6

着地動作　50
中間型　148
中足骨間角　84, 97
中足骨間靱帯　87
中足骨頭アライメント　17
中足骨頭痛　75, 84
　　──X線による評価　86
中足骨疲労骨折　76, 98
中足部疲労骨折　113
超音波検査　125
長足底靱帯　6
長腓骨筋　8
長母趾屈筋　9

ツイスティング　142

テーピング　63
　　──効果　67
デジタル写真撮影法　12

動作分析　45
トウサポート　163, 171, 173
動的 heel floor test　136
動的 Trendelenburg テスト　136

【な行】
内側ウェッジ　56
内側縦アーチ　7, 65, 169
　　──形状　35
　　──降下　145
　　──上昇　145
内側縦アーチサポート　58
ナイトスプリント　126

ニーベントウォーク　142

索　引

二次性中足骨頭痛　85

【は行】
ハイアーチ　45, 57, 79, 148
バイオメカニクス　46
　　──テーピングの　63
バイオメカニクスタイプ，インソール　160
ハイヒール　75
ばね靱帯　5
　　──損傷　107

ヒールウエッジ　162
ヒールカップ　162
ヒールレイズテスト　109
皮下組織の滑走性　168
膝内方偏位量　136
非ステロイド性抗炎症薬　110
皮膚リリース　168
疲労骨折
　　──画像診断　91
　　──管理　91
　　──競技別発生割合　114
　　──後足部　113
　　──舟状骨　114
　　──中足骨　76, 98
　　──中足部　113

フットプリント　31, 86, 121
物理療法　125
フラットインソール　58

扁平型　148
扁平足　10, 105, 165
　　──発生率　105

歩行時の運動連鎖　134
歩行時の足底圧の変化　66
歩行中の圧力中心　53
歩行中の運動学的データ　46

歩行中の力学的データ　48
母趾アライメント　17
母趾外転筋　8
母趾外転筋の母趾屈曲作用　83
母趾外反角　84, 96

【ま行】
メタターサルパッド　170

モビライゼーション　166

【や行】
薬物療法　97, 110

有限要素解析　60
有痛性外脛骨障害　106
床反力　59

腰椎前弯症　74
横アーチ　7, 18, 168, 170
　　──降下　146

【ら行】
ランニング時の運動連鎖　134

リアライメント　165
リアライン・インソール　171
立方骨　166
　　──可動性　5

ローアーチ　45, 52, 57
ローディングレート　59

【欧文】
acquired adult flatfoot deformity（AAFD）　105
AFO装具　110
AOFAS（American Orthopaedic Foot and Ankle Society）スコア　99, 110
arch index　31

索 引

augmented Low-Dye taping　64

calcaneal inclination angke（CIA）　14
calcaneal-first metatarsal angke（C1MA）　14
Chopart 関節　165
Chopart 底屈型　148
Chopart 背屈型　149

first intermetatarsal angle（IMA）　17
Fleck sign　89
foot posture index（FPI）　32, 53
FPI-6　37
FPI-8　33
Freiberg 病　75, 88, 98

hallux interphalangeal angle（HIA）　17
hallux valgus angle（HVA）　17, 84
Helbing's sign　34
high-Dye taping　64
hindfoot alignment view　15
hip out distance（HOD）　136

intermetatarsal angle　84

Jones 骨折　79, 91, 99

knee in distance（KID）　136

Lachman test　88
leg-heel alignment（LHA）　149
Lisfranc 関節　88, 165
Lisfranc 関節損傷　88, 98
Lisfranc 靱帯　6, 88
Lisfranc 靱帯複合体　89
long leg calcaneal axial view　15
low-Dye taping　63

Manchester scale　17

mirrored foot photo box（MFPB）　12
modified Low-Dye taping　64
Morton 足　91
Morton 神経腫　75, 87
Morton 病　75, 97
Mulder's sign　87
Myerson の分類　89

N スポット　116
navicular drift test　30
navicular drop（ND）　137, 149
navicular drop test　10, 28
neutral calcaneal stance position（NCSP）　24
Nunley と Vertullo の分類　90

plantar heel pain　120
posterior tibial tendon dysfunction（PTTD）　105, 107
　——ステージ分類　109

resting calcaneal stance position（RCSP）　24

Shell 型装具　110
Smillie の分類　88
stress reaction　116
subtalar joint neutral position（STJN）　24

too-many toes sign　109
Torg の分類　92

UCBL（University of California Biomechanics Laboratory）型装具　110

valgus index　32

X 線撮影法　12

181

Sports Physical Therapy Seminar Series ⑦
足部スポーツ障害治療の科学的基礎　　　　　　　　　　　　　（検印省略）

2012年9月28日　第1版　第1刷
2014年6月16日　第1版　第2刷

監　修	福　林　　　徹
	蒲　田　和　芳
編　集	山　内　弘　喜
	吉　田　昌　弘
	横　山　茂　樹
	鈴　川　仁　人
発行者	長　島　宏　之
発行所	有限会社　ナップ

〒111-0056　東京都台東区小島1-7-13　NKビル
TEL 03-5820-7522／FAX 03-5820-7523
ホームページ http://www.nap-ltd.co.jp/
印　刷　　三報社印刷株式会社

© 2012　Printed in Japan　　　　　　　　　　　　　　ISBN978-4-905168-19-5

JCOPY　〈(社) 出版者著作権管理機構 委託出版物〉
本書の無断複写は著作権法上での例外を除き禁じられています。複写される場合は、そのつど事前に、(社)出版者著作権管理機構（電話 03-3513-6969, FAX 03-3513-6979, e-mail: info@jcopy.or.jp）の許諾を得てください。

Sports Physical Therapy Seminar Series
【監修】福林 徹・蒲田和芳

ACL損傷予防プログラムの科学的基礎
B5判・160頁・図表164点・本体価格3,000円
ISBN978-4-931411-74-6

【主要目次】
- 第1章　ACL損傷の疫学および重要度
- 第2章　ACL損傷の危険因子
- 第3章　ACL損傷のメカニズム
- 第4章　ACL損傷の予防プログラム

肩のリハビリテーションの科学的基礎
B5判・200頁・図表31点・本体価格3,000円
ISBN978-4-931411-79-1

【主要目次】
- 第1章　肩のバイオメカニクス
- 第2章　外傷性脱臼
- 第3章　腱板損傷
- 第4章　投球障害肩
- 第5章　スポーツ復帰

足関節捻挫予防プログラムの科学的基礎
B5判・138頁・図表161点・本体価格2,500円
ISBN978-4-931411-91-3

【主要目次】
- 第1章　足関節のバイオメカニクス
- 第2章　足関節捻挫
- 第3章　足関節捻挫後遺症
- 第4章　足関節捻挫の予防プログラム

筋・筋膜性腰痛のメカニズムとリハビリテーション
B5判・160頁・図表170点・本体価格3,000円
ISBN978-4-931411-92-0

【主要目次】
- 第1章　腰痛と運動療法
- 第2章　バイオメカニクス
- 第3章　運動機能
- 第4章　スポーツ動作と腰痛の機械的機序
- 第5章　私の腰痛治療プログラム

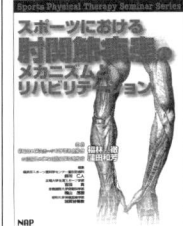

スポーツにおける肘関節疾患のメカニズムとリハビリテーション
B5判・168頁・図表230点・本体価格3,000円
ISBN978-4-905168-02-7

【主要目次】
- 第1章　肘関節のバイオメカニクス
- 第2章　野球肘
- 第3章　テニス肘
- 第4章　肘関節脱臼
- 第5章　肘関節疾患に対する私の治療－臨床現場からの提言－

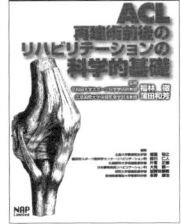

ACL再建術前後のリハビリテーションの科学的基礎
B5判・256頁・図表282点・本体価格3,000円
ISBN978-4-905168-12-6

【主要目次】
- 第1章　ACL損傷に対する治療法の選択とタイミング／第2章　ACL再建術の基礎／第3章　再建術式／第4章　術後管理（～2週）／第5章　術後早期（2～12週）／第6章　術後後期（12週～）／第7章　競技復帰／第8章　私のACL再建術と術後リハビリテーション

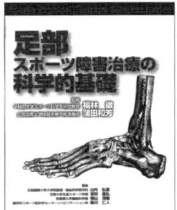

足部スポーツ障害治療の科学的基礎
B5判・182頁・図表239点・本体価格3,000円
ISBN978-4-905168-19-5

【主要目次】
- 第1章　足部の解剖学・運動学・アライメント評価
- 第2章　足部のバイオメカニクス
- 第3章　前足部障害（Lisfranc関節を含む）
- 第4章　中足部・後足部障害（Lisfranc関節より後方）
- 第5章　足部障害に対する運動療法とスポーツ復帰

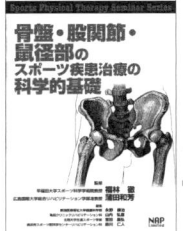

骨盤・股関節・鼠径部のスポーツ疾患治療の科学的基礎
B5判・198頁・図表237点・本体価格3,000円
ISBN978-4-905168-26-3

【主要目次】
- 第1章　骨盤・股関節の機能解剖
- 第2章　骨盤輪不安定症
- 第3章　股関節病変
- 第4章　鼠径部痛症候群
- 第5章　骨盤・股関節・鼠径部疾患の私の治療

NAP Limited　〒111-0056 東京都台東区小島1-7-13 NKビル
TEL 03-5820-7522／FAX 03-5820-7523
http://www.nap-ltd.co.jp/　**ナップ**